CONSTRUIR
LOS VÍNCULOS
DEL APEGO

Construir los vínculos del apego

Cómo despertar el amor en niños profundamente traumatizados

————

DANIEL A. HUGHES

Traducción del inglés:
Antonio Aguilella Asensi

Título original: *Building the bonds of attachment. Awakening love in deeply traumatized children. Third Edition*

Copyright © 2018 by Rowman & Littlefield

Publicado originalmente por Rowman & Littlefield,
4501 Forbes Boulevard, Suite 200, Lanham, Maryland 20706

© 2019 EDITORIAL ELEFTHERIA, S.L.
Sitges, Barcelona, España
www.editorialeleftheria.com
Primera edición: Julio de 2019
© De la traducción: Antonio Aguilella Asensi
Ilustración de cubierta: istock.com/PeopleImages
Maquetación: Ana Córdoba Pérez
ISBN (papel): 978-84-120671-0-1
ISBN (e-book): 978-84-120671-1-8
DL: B 18304-2019

CONTENIDO

AGRADECIMIENTOS

Me gustaría comenzar reconociendo mi deuda con muchos padres adoptivos y de acogida, tanto en el estado de Maine como en otros estados, que han supuesto un reto para mí y que me han enseñado y apoyado en mi empeño por comprenderlos y ayudarlos, tanto a ellos como a sus hijos. He aprendido de ellos con frecuencia y me han inspirado constantemente.

También quiero resaltar las contribuciones creativas y cooperativas a este trabajo realizadas por muchos otros terapeutas, asistentes sociales y profesionales diversos que se dedican a encontrar formas de ayudar al niño desapegado a convertirse en un miembro de pleno derecho de su familia y de su comunidad. Quiero dar las gracias a dos psicólogas que pertenecen a la comunidad de la psicoterapia diádica del desarrollo en Inglaterra, Deborah Page y Kim Golding, quienes revisaron el manuscrito de la tercera edición y me brindaron valiosas sugerencias. También estoy agradecido a quienes me han aportado sus útiles comentarios tanto sobre esta versión como sobre las anteriores, como Mark Beischel (del Peru State College), Victoria A. Fitton (de la Universidad Estatal de Michigan), Katie Heiden-Rootes (de la Universidad de Saint Louis) y Barbara Nicoll (de la Universidad de La Verne). Desde el ámbito profesional, todavía no se comprenden lo suficiente los problemas generalizados que manifiestan estos niños ni las intervenciones integrales que son necesarias para ayudarlos. Los profesionales que trabajan con ellos deben afrontar su responsabilidad con humildad, dedicación, cuidado y creatividad si quieren lograr resultados, y sé de muchos que lo están haciendo ahora mismo. Necesitamos apoyarnos mutuamente en nuestro trabajo y reconocer que todos estamos buscando maneras de ayudar.

Mi comprensión del apego se originó claramente en mi familia de origen. Mis padres, Marie y William, así como mis encantadores e interesantes hermanos, Jim, Mary Pat, Kathleen, Bill, John y Mike, permanecen incrustados en mi percepción del *self* y de los demás. Finalmente, mis hijos, Megan, Kristin y Madeline, y mi nieta, Alice Rose, han aportado un profundo significado a mi vida y serán la fuente de consuelo y de alegría hasta el final de mis días.

INTRODUCCIÓN

La tercera edición de *Construir los vínculos del apego* perpetúa el propósito de las ediciones anteriores de hacer que la historia de Katie refleje con mayor precisión los continuos avances de la psicoterapia diádica del desarrollo (PDD). Esta edición describe las teorías, las investigaciones y los principios e intervenciones relacionados que ahora guían este modelo de tratamiento y atención. Los cambios importantes reflejan el desarrollo ulterior de nuestra comprensión del impacto del trauma, del apego y de la neurobiología en niños como Katie, así como las experiencias de muchos terapeutas que han seguido perfeccionando este modelo de tratamiento y atención durante los últimos veinte años.

En esta edición he integrado nuestra nueva comprensión del trauma del desarrollo, que se debe al trauma intrafamiliar e interpersonal y que, tal y como se ha demostrado, causa efectos mucho más graves en el desarrollo de un niño que los originados por un trauma simple. También he introducido el concepto de "bloqueo de los cuidados" para describir las graves dificultades a la hora de proporcionar cuidados a una niña desconfiada como Katie. A lo largo del libro, he presentado los numerosos desarrollos e intervenciones, tanto en el tratamiento como en los cuidados, que han evolucionado en el ámbito de la PDD desde que se publicó la segunda edición. Se presenta con más detalle la actitud PACE[1] (alegría, aceptación, curiosidad y empatía), al igual que las

---

1. *N. del t.*: por sus siglas en inglés: *playful, accepting, curious and empathic.*

1

intervenciones de cuidados que son menos importantes para la teoría del apego que para la teoría del aprendizaje social. La mayor profundidad de mi comprensión de la intersubjetividad también ha influido en la presentación de las interacciones entre Katie, Jackie (la madre de acogida) y Allison (la terapeuta) en esta edición. Hay muchas interacciones entre Katie, Allison y Jackie a lo largo del libro que no aparecían en ediciones anteriores y están en consonancia con el desarrollo posterior de la teoría y de la práctica.

Finalmente, como profesional clínico que ejerce en un área en la que todavía se están desarrollando "directrices de buenas prácticas", no he dejado de reflexionar sobre las intervenciones empleadas. He hablado con amigos y colegas que también usan la PDD para tratar a niños con problemas similares a los de Katie, así como con terapeutas que emplean una serie de enfoques distintos. Mi objetivo principal ha sido permanecer fiel al conocimiento empírico que ha surgido de los centros académicos, así como de los terapeutas experimentados y de los padres involucrados en las historias "de la vida real" de tantos niños y jóvenes.

Este trabajo trata de describir el difícil viaje que se requiere para comprender y ayudar a los niños que sufrieron maltratos y abandonos graves y que no desarrollan la seguridad del apego con sus padres adoptivos y de acogida. En esta obra opté por emplear un caso práctico compuesto con el fin de transmitir la historia de muchos de estos niños y familias. Cada niño es único y se presenta con una constelación de factores que son relevantes para su vida. Las intervenciones que necesita un niño en concreto pueden no valer para otro. Espero poder presentar los principios generales de intervención, tanto en el hogar como en terapia, para niños traumatizados que no manifiestan seguridad de apego. Al mismo tiempo, espero que tanto los terapeutas como los padres puedan reconocer e identificarse de inmediato con esta historia. Creo que el formato narrativo es el que mejor puede transmitir el tono afectivo y las comunicaciones necesarias para que las intervenciones sean efectivas. Espero que el lector considere que los principios básicos de intervención relevantes en este caso práctico compuesto son útiles para vivir y trabajar con innumerables niños similares y con sus familias.

Katie, la niña traumatizada que no confía en sus cuidadores, existe solo en estas páginas. Lo mismo ocurre con su asistente social, Steven, con su madre de acogida principal, Jackie, con su terapeuta, Allison, y con los diversos personajes secundarios. Pero la gran mayoría de los eventos, experiencias, relaciones, pensamientos, sentimientos y comportamientos descritos en este libro han ocurrido, ocurren y continuarán ocurriendo en Maine, en el resto del país y en todo el mundo. Se darán allá donde haya niños traumatizados que no sepan desarrollar aspectos de la seguridad del apego con sus nuevos padres, con otros cuidadores, con terapeutas y con profesores. En mi trabajo como psicólogo se dan constantemente. Katie y Jackie cuentan las historias de estos individuos reales porque sus historias deben ser escuchadas, entendidas y abordadas. Estos niños necesitan nuestra atención, nuestra guía, nuestro amor y nuestra ayuda. Necesitan comenzar a vivir seguros dentro de la comunidad humana.

La historia de Katie simboliza el arduo viaje al que se enfrentan la mayoría de los niños traumatizados que tienen una capacidad mermada para confiar en sus cuidadores. Muchos de ellos permanecen inmersos en historias que son mucho menos halagüeñas que la de Katie. Muchos rompen con sus entornos de acogida a lo largo de su infancia y adolescencia y acceden a la edad adulta sin ninguna relación que les brinde la sensación de estar "en casa". Entonces entablan insatisfactorias relaciones posteriores que conducen a decepciones, divorcios, violencia doméstica, consumo de sustancias y, en último extremo, al maltrato y abandono de sus propios hijos. El ciclo de maltrato es mayor entre aquellos adultos y niños que no saben cómo formar apegos seguros y significativos.

Seguimos al personaje de Katie Harrison desde que nace hasta después de cumplir los ocho años. Durante sus primeros cinco años de vida fue objeto de repetidos maltratos, tanto emocionales como físicos. También experimentó un profundo abandono emocional por parte de unos padres que la ignoraban, que se mostraban indiferentes ante ella y apenas tenían sitio para ella en sus corazones. Durante los siguientes tres años, Katie pasó por varios hogares de acogida. El daño que le hicieron sus padres siguió vivo dentro de su núcleo afectivo y mermó gravemente su disposición y su capacidad para desarrollar la seguridad del apego con sus nuevos cuidadores.

LA TEORÍA QUE SUBYACE A LA HISTORIA DE KATIE

En familias estables, un bebé forma un apego seguro con sus padres con la misma naturalidad con la que respira, come, ríe y llora. Esto ocurre con facilidad porque las interacciones en sintonía de sus padres satisfacen constantemente sus necesidades de desarrollo. Los padres perciben sus estados fisiológicos/afectivos y le responden de manera sensible y completa. Sin embargo, sus padres no se limitan a satisfacer sus necesidades únicas, sino que "bailan" con él. Cientos de veces, día tras día, bailan con él al ritmo de la vitalidad y del significado compartido.

Hay otras familias en las que el bebé no baila ni escucha el sonido de ninguna música. En estas familias no logra formar esos apegos seguros. Por el contrario, su tarea —su constante suplicio— es aprender a vivir con unos padres que son poco más que unos extraños. Los bebés que viven con extraños ni viven bien ni crecen bien.

La seguridad personal es fundamental para la seguridad del apego. Para los niños pequeños, el propósito central de desarrollar apegos es garantizar su seguridad. Una vez que se garantiza la seguridad, ya se puede a pasar otros aspectos de la infancia. La mente funciona mejor en condiciones de seguridad percibida. Sin seguridad, la función casi exclusiva de la mente es reducir la amenaza y crear seguridad mediante variaciones de los estados de lucha, huida o parálisis. Al tomar la decisión de reducir el riesgo instantáneo, la mente no involucra a las partes del cerebro de formación más lenta, el córtex prefrontal y el del cíngulo anterior, donde se ubican las funciones más verbales/asociativas y reguladoras del cerebro. Una vez que se garantiza la seguridad (porque el niño ha aprendido a confiar en el cuidado que le brinda su cuidador), ya puede explorar su mundo integrando todos los aspectos del cerebro. Este papel esencial de la seguridad percibida como base de todo desarrollo posterior se hace explícito en el ámbito de la teoría e investigación neuropsicológica

(Schore, 2001; Siegel, 2012; Porges, 2011) y en la investigación aplicada que se basa en la teoría del apego (Cassidy & Shaver, 2016).

Obviamente, lo traumático se da cuando los padres hacen daño a un niño física, sexual, verbal y emocionalmente. Sin duda, lo traumático también se da cuando un niño experimenta una dejadez sistemática y/o es abandonado por sus padres. Este sería el trauma de la ausencia. Se considera que el trauma es la fuente de múltiples síntomas de enfermedad mental cuando ocurre en el ámbito de las relaciones familiares. El trauma intrafamiliar/interpersonal se clasifica ahora como trauma del desarrollo (TD) en los principales centros de trauma infantil de los Estados Unidos. El TD describe los complejos dominios de deterioro que a menudo son secundarios con respecto al trauma interpersonal (Cook et al., 2005).

Se considera que el TD coloca a los niños en riesgo de disfunción generalizada en los siguientes siete dominios de funcionamiento:

1. Apego: la disposición a acudir a adultos específicos en busca de seguridad, de consuelo y de experiencias de alegría recíproca. Con un TD, es probable que los patrones de apego del niño estén desorganizados y lo coloquen en serio riesgo de no poder gestionar el estrés en ninguna de sus formas.

2. Biología: la capacidad de identificar y regular diversos estados fisiológicos. Con un TD, el niño puede tener dificultades para identificar y regular el hambre, el sueño, el dolor y los estados de excitación.

3. Regulación del afecto: la capacidad de identificar, regular y expresar estados afectivos, tanto positivos como negativos. Con un TD, el enfado del niño puede convertirse en rabia, la tristeza, en desesperación, el miedo, en terror y la emoción puede ser una ansiedad generalizada.

4. Disociación: representa la incapacidad de mantenerse psicológicamente presente, abierto e involucrado al exponerse a estados particulares de conciencia y emoción, así como en presencia de eventos o personas extremadamente estresantes o en situaciones asociadas a esos eventos o personas.

5. Control de comportamiento: la capacidad de entablar un comportamiento centrado, flexible y regulado. Con un TD, el comportamiento corre el peligro de ser impulsivo y/o compulsivo.

6. Cognición: el desarrollo de una gran variedad de habilidades, como la integración sensorial, el habla y el lenguaje, el procesamiento auditivo, el razonamiento, la resolución de problemas, las destrezas de atención, las habilidades académicas y el funcionamiento reflexivo. Con un TD, todas estas habilidades corren el riesgo de desarrollarse de forma deficiente.

7. Autoconcepto: el sentido del *self* como un ente con continuidad y digno de un cuidado incondicional. Con un TD, el sentido del *self* tiende a ser negativo (incrustado en la vergüenza) y/o fragmentado, sin continuidad entre una situación o relación y la siguiente.

Katie respondía a un patrón de apego desorganizado que le impedía regular el estrés, ya fuera confiando en sí misma o en los demás. Este patrón coloca al niño en riesgo de sufrir problemas de salud mental a lo largo de su vida, tanto los caracterizados por la exteriorización (confrontación-desafío, TDAH, arrebatos explosivos), así como por la interiorización (trastornos de ánimo y de ansiedad y disociación). También manifiesta desregulación del afecto, tendencias disociativas, deterioro del funcionamiento reflexivo, conductas impulsivas y un autoconcepto fragmentado y basado en la vergüenza.

En nuestro empeño por comprender e integrar los hallazgos de la neurobiología en el tratamiento y cuidado de niños como Katie, mi colega Jon Baylin y yo hemos introducido los conceptos de "bloqueo de la confianza" y "bloqueo de los cuidados" (Baylin y Hughes, 2016; Hughes y Baylin, 2012). El bloqueo de la confianza se refiere al impacto del maltrato y el abandono en la capacidad de los niños pequeños para confiar en que pueden contar con que sus cuidadores satisfagan sus necesidades físicas y psicológicas básicas. Al carecer de esta sensación esencial de confianza en su cuidador, tienen que confiar en sí mismos para tratar de satisfacer sus propias necesidades. Realizan esfuerzos impulsivos y compulsivos para cuidarse a sí mismos acumulando alimentos y objetos, mientras que al mismo tiempo se centran en manipular o inti-midar a otros para que hagan cosas por ellos, ya que no confían en que los adultos busquen lo mejor para ellos de forma natural. El bloqueo de los cuidados se refiere al hecho de que es muy difícil para los cuidadores proporcionar de manera fiable una gama completa de cuidados a un niño que rechaza constantemente dichos cuidados. Cuidar a un niño es mucho más que un trabajo. Implica tener estados neurobiológicos de querer estar cerca de nuestro hijo, experimentar placer juntos, estar muy interesados en descubrir quién es nuestro hijo y en quién se está con-virtiendo y experimentar significados especiales en las rutinas y rituales que se desarrollan. Estos estados neurobiológicos están diseñados para la reciprocidad. Si el niño no responde sistemáticamente a estos estados de cuidado, es muy difícil mantenerlos. Estos retos están separados de los desafíos que podrían activarse por aspectos de las propias historias de apego de los padres. Incluso los padres que han tenido excelentes historias de apego corren el riesgo de experimentar un bloqueo de los cuidados al intentar criar a un niño que, al igual que Katie, se aleja de ellos.

Cuando el bebé y el niño pequeño están lo suficientemente seguros como para comenzar a explorar su mundo, su primer interés es el mundo interpersonal. Una característica esencial de dicha exploración —que se optimiza en circunstancias de seguridad de apego— es la intersubjetividad primaria y secundaria (Trevarthen, 2001; Trevarthen y Aitken, 2001). Con intersubjetividad primaria me refiero al descubri-miento recíproco del bebé y del progenitor, y también al *self* en relación con el otro. Los bebés descubren quiénes son —el sentido original de sí mismos— en los ojos, la cara, la voz, los gestos y el tacto de su madre y de su padre. Su autodescubrimiento implica el descubrimiento del impacto que están ejerciendo en sus figuras de apego. El padre descubre quién es —con respecto a la identidad como padre— en la respuesta que le da el bebé. La intersubjetividad primaria implica esta relación inmediata de persona a persona.

Con intersubjetividad secundaria me refiero al descubrimiento del niño de las características del mundo (personas, objetos y eventos) mediante la experimentación del impacto de ese mundo tanto en él como en sus padres. Cuando el padre responde a un extraño o a un evento, le confiere un significado y proporciona el patrón para el significado que el niño asociará con ese extraño o evento. La intersubjetividad secundaria implica una relación inmediata de persona a objeto mediada por otra persona.

La intersubjetividad tiene tres aspectos. En primer lugar, la sintonía del afecto (afecto compartido) implica la combinación de los estados afectivos de padres y bebés. A medida que el bebé expresa su estado emocional/fisiológico afectivamente (el cuerpo expresa el estado subyacente en las expresiones faciales, la prosodia de la voz y los gestos), el padre responde con una expresión muy similar. Es como si el padre estuviera imitando al bebé, pero la sintonía es más que eso. El padre está respondiendo a la emoción subyacente o estado fisiológico que expresa el afecto del bebé. Por lo tanto, la respuesta de los padres puede expresar ese estado afectivamente con una modalidad diferente a la expresión del bebé (con movimientos del brazo en lugar de expresiones vocales), pero sigue transmitiendo al bebé que su expresión ha sido reconocida y respondida. La sintonía puede considerarse una forma esencial de transmitir empatía por la experiencia del otro. Los otros dos aspectos de la intersubjetividad implican atención compartida y también intenciones compartidas. No se trata únicamente de que el padre y el niño estén inmersos en un estado congruente de afecto vital, sino que además su atención se centra en quién o en qué es importante para ambos en ese momento y sus intenciones son compatibles (percibir, descubrir y disfrutar el uno del otro o un evento/objeto del mundo). Al centrarse ampliamente en la intersubjetividad en lugar de hacerlo en la característica más específica de la sintonía del afecto, uno puede comprender cómo la diada padre-hijo afecta tanto a la mente como al corazón de cada uno. A través de la sintonía, el bebé se siente receptivo y conectado con su progenitor y también puede comenzar a regular sus estados afectivos a través de la primera corregulación de su afecto con el estado afectivo de sus padres. A través de la adición de atención e intención conjuntas, el bebé también puede comenzar a reflexionar sobre su vida interior de pensamiento, afecto e intenciones, así como acerca de la vida interna de sus padres. Es capaz de co-crear el significado de las personas, los objetos y los eventos de su vida. También es capaz de buscar y disfrutar de actividades de cooperación con objetivos e intereses conjuntos.

La comunicación no verbal representa la fuente de la decisión inicial sobre si iniciar o no una experiencia intersubjetiva y es una característica esencial de la intersubjetividad en sí misma. Cuando el niño pequeño percibe enfado o rechazo en la cara o la voz de su madre, es poco probable que entre en un estado intersubjetivo con ella. No estará dispuesto a aprender sobre sí mismo y sobre los demás en esos momentos, ya que sabe que lo que aprenda implicará vergüenza o miedo. De manera similar, cuando la madre percibe que su hijo está enfadado o ansioso, puede evitar entrar en un estado intersubjetivo con él si el afecto de su hijo la hace sentir incómoda. Si esa conexión activa las experiencias no resueltas de su historial de apego y si la hace vulnerable a los pensamientos de que está fallando como madre, la evitará.

El progenitor debe ser consciente del impacto de su comunicación no verbal sobre su hijo e intentar regularlo y dirigirlo de manera que facilite —y no impida— el aprendizaje intersubjetivo. Enfadarse recurrentemente, evitar por sistema las interacciones y mantenerse ambiguo ante el significado de los estados afectivos negativos hace que el niño que carece de seguridad de apego se muestre más reacio a los estados intersubjetivos y evite entrar en ellos. Sin estos estados, el niño seguirá careciendo de seguridad y confianza, así como de las habilidades interpersonales necesarias para desarrollar un sentido de sí mismo más positivo e integrado. Es probable que este niño perciba ira cuando no la hay y motivos negativos tanto en el *self* (vergüenza) como en el progenitor (atribuciones negativas) (Feiring et al., 2002). Es menos probable que este niño pueda percibir a sus padres como fuente de seguridad y a la vez como la forma de entender cualidades importantes de sí mismo, de los demás y del mundo (Pears y Fisher, 2005).

Para ser intersubjetivo, este proceso debe afectar tanto al bebé como al padre. Al igual que el bebé está involucrado en un proceso de descubrimiento de sí mismo y del otro a través de la experiencia conjunta con su figura de apego, el padre también descubre aspectos de sí mismo y del otro a través de la participación en este proceso. Es inherentemente recíproco. Si el padre no se ve afectado por su bebé, el bebé se verá menos afectado por el padre. Es probable que en esa situación —que es análoga al abandono— la experiencia del *self* incluya una sensación esencial del estilo "No soy interesante, ni especial ni digno de que mis padres me quieran". Si el bebé no se ve afectado por su padre, el sentido del *self* de los padres se verá dañado. Cuando un niño tiene una dificultad significativa para participar en comportamientos que refuercen la seguridad de apego, sus padres corren el riesgo de comenzar a dudar de sus habilidades de crianza y de reaccionar negativamente a su percepción del "rechazo" de su hijo hacia ellos. Cuando estas dudas se vuelven crónicas, crean un bloqueo de los cuidados en el que el padre no ha experimentado suficiente placer y satisfacción al proporcionarle a su hijo un cuidado constante, aunque puede continuar siendo capaz de "hacer lo que hay que hacer" con respecto a la crianza de los hijos (Hughes & Baylin, 2012). A los padres que experimentan un bloqueo de los cuidados les resulta difícil mantener sus corazones involucrados con sus hijos.

Hay tres sistemas neurobiológicos de relaciones dentro del cerebro humano: el apego (recurrir al padre o a otra persona en busca de seguridad), el compañerismo (relacionarse con otros de manera intersubjetiva para compartir intereses y disfrutar) y el dominio (aceptar la guía y el liderazgo del otro para alcanzar una meta). En los hogares en los que el niño cuenta con un apego seguro, los tres sistemas funcionan de una manera flexible e integradora en la que el padre proporciona al niño cuidados, amistad y toma de decisiones fidedigna y fiable. Es probable que los niños que experimentan un trauma de desarrollo tengan grandes dificultades en las tres formas de relacionarse. No querrán que los cuiden, tendrán dificultades para desarrollar y mantener amistades y se resistirán enormemente a aceptar que otros tomen decisiones por ellos.

Cuando la reacción de los padres ante niño es de ira, miedo o rechazo, lo más probable es que el niño evite las experiencias intersubjetivas, ya que seguramente le provoquen una buena dosis de terror y vergüenza. No se sentirá seguro en estados intersubjetivos. Es probable que el sentido del *self* resultante sea muy negativo y muy incoherente, con grandes brechas e incongruencias. Es probable que no pueda utilizar los medios principales para aprender sobre sí mismo, sobre los demás, sobre los eventos y sobre los objetos (la mente y el corazón de su padre).

He defendido que para que un niño se desarrolle adecuadamente, necesita tener un impacto positivo en las personas clave de su vida —sus padres— y, en el caso de Katie, en sus padres de acogida y también en su terapeuta. Dados los problemas emocionales y de comportamiento generalizados de una niña como Katie, el peligro para sus padres de acogida o adoptivos es que tendrá un impacto negativo en ellos. Su enfado, su rechazo, su retraimiento, su desafío y su indiferencia pueden activar en los padres dudas sobre sus habilidades de crianza. Al darse cuenta de que están fallando como padres, es probable que no se sientan seguros mientras estén con sus hijos. Su valía y su capacidad se cuestionan continuamente. Estos padres correrán el riesgo de desistir de las experiencias intersubjetivas con sus hijos, de estar enfadados, tensos, retraídos, desanimados e indiferentes con ellos.

Por esta razón, el historial de apego de cada progenitor es un factor importante para que sea o no capaz de criar a un hijo que se resiste a tener unos padres que lo críen (Dozier et al., 2001; Steele et al., 2003). Si el comportamiento del niño activa en el interior de un padre aspectos de sus relaciones con sus propios padres que no se resolvieron y no se integraron correctamente, es probable que ese padre reaccione con ira o ansiedad en respuesta a su hijo. Al no sentirse seguro, no podrá proporcionar a su hijo la sensación de seguridad que va a necesitar para aprender nuevos patrones emocionales y de comportamiento. Un padre que haya alcanzado su propia seguridad de apego en las relaciones importantes de su vida podrá estar presente afectivamente (sensible, receptivo y disponible) para su hijo cuando su hijo se vuelva desregulado afectiva, cognitivamente y/o conductualmente. No reaccionará a los comportamientos extremadamente enfadados y ansiosos de su hijo, sino que responderá a los aspectos del niño que subyacen a esos comportamientos (soledad, miedo, vergüenza, desesperación) e iniciará experiencias intersubjetivas que puedan facilitar la resolución e integración de esos estados.

CAPÍTULO 1

PRINCIPIOS GENERALES DE LA CRIANZA Y LA TERAPIA

Puede que algunos lectores prefieran consultar este capítulo sobre los principios en los que se basa el cuidado y el tratamiento de Katie después de conocer el maltrato y el negligencia que sufrió en sus primeros años de vida (capítulo 2) o justo antes de leer acerca del momento en el que se va a vivir con Jackie (capítulo 8). Puede que otros consideren que la información contenida en este capítulo tiene más sentido después de leer la historia completa del viaje de Katie. Y puede que otros prefieran limitarse a leer la historia de Katie sin conocer los principios que me guiaron al escribir su historia.

CRIANZA

La atención brindada por Jackie a Katie se basa en los principios del apego, que se presentan en detalle en otras obras (Hughes, 2007; Golding, 2013; Golding & Hughes, 2012; Baylin & Hughes, 2016). Muchas teorías sobre el cuidado infantil se basan en principios derivados de la teoría del aprendizaje social que cuadran con la forma en que crecimos la mayoría de nosotros. Esto implica que los padres proporcionen a los niños los estándares de comportamiento que según ellos reflejan sus valores y los de su comunidad. Estos estándares se enseñan a través de modelos, de orientación, de instrucciones directas y de observaciones. Se complementan con las consecuencias de comportamiento que sirven para reforzar los comportamientos deseados por los padres.

Los principios del apego no contradicen los del aprendizaje social, sino que representan la base sobre la que se asientan las intervenciones de socialización. Mientras que el aprendizaje social hace hincapié en la evaluación del comportamiento del niño, el apego se centra en la aceptación incondicional del niño. Esta aceptación, que impregna todas nuestras interacciones con nuestros bebés, crea una fuerte sensación de seguridad y confianza en la permanencia de la relación, independientemente de los problemas o los conflictos. Esta seguridad permite al niño confiar en que sus padres satisfarán sus necesidades y en que cuando establecen límites en el comportamiento, lo hacen porque es lo mejor para el niño, incluso si no está de acuerdo con la elección de los padres. Desde esta base, la socialización que es tan necesaria en la crianza de un niño tiende a ser mucho más efectiva; el niño la satisface con la confianza de que es importante, así como con un deseo sano de ser como sus padres y de hacer que se sientan orgullosos de su desarrollo.

Tres de las cosas más importantes que "enseñamos" a nuestros hijos surgen de manera natural del apego que se desarrolla antes de la socialización. Primero, los niños necesitan aprender a relacionarse con otros seres humanos de una manera agradable y satisfactoria, al tiempo que cumplen tanto los objetivos propios como los de los demás y respetan las diferencias y las perspectivas del otro. Necesitan aprender el valor de cooperar y de compartir y experimentar tanto el consuelo como la alegría. La forma más básica de enseñar estas formas de relación es relacionarnos con nuestros hijos en consonancia con ellas. Esta manera de relacionarse es muy evidente en las interacciones en sintonía y recíprocas entre padres y bebés. Continúa en la forma de jugar de los niños pequeños, que se caracteriza por el "cucú-tras" y por muchas otras actividades conjuntas de disfrute y descubrimiento. Se hace más profunda cuando el niño se esfuerza por comunicar su experiencia y los padres muestran interés y comprensión. Con esta base, cualquier instrucción formal sobre modales y comportamientos sensibles y educados se produce de forma fácil y natural a través de los modelos y de cierto intercambio verbal.

La segunda habilidad importante que los niños tienen que aprender es cómo regular sus fuertes estados emocionales, como el miedo, la ira, la emoción, la tristeza, la vergüenza y la alegría. Los bebés demuestran una carencia de esta regulación, como se puede apreciar en sus bruscos e intensos cambios emocionales hacia y desde el terror, en la rabia y la risa intensas y en el retiro, irritabilidad o sueño repentinos. Los niños aprenden a regular estos estados a través de la presencia activa de los padres o cuidadores que están corregulando sus emociones. La regulación de los padres sensibles y receptivos permite a sus niños regularse a sí mismos. Los cambios de un estado emocional a otro desarrollan una característica más gradual e integrada. Cuando dicha "enseñanza" en el contexto de la relación de apego ocurre naturalmente durante los primeros años de vida, es mucho menos probable que los niños muestren arrebatos explosivos, estados de desesperación o terror paralizante durante los últimos años de la niñez y durante la adolescencia. Esta enseñanza se logra así mucho más fácilmente que a través de severas charlas o amenazas para compensar su falta. Lo más probable es que decir (o enseñar) a los niños cómo autorregular sus estados emocionales no funcione —o incluso que sea imposible— si no han tenido previamente experiencias coherentes de corregulación con sus figuras de apego. Los momentos de sintonía entre padres e hijos son fundamentales para la experiencia de la corregulación cuando sus estados afectivos se sincronizan de modo que las emociones que subyacen a las expresiones afectivas del niño estén reguladas por las expresiones afectivas consecuentes de los padres (Stern, 1985). Por esta razón, algunos teóricos e investigadores consideran que el apego es principalmente un sistema regulador para estos estados emocionales (Schore & Schore, 2008). Jackie y Allison corregulan repetidamente las expresiones afectivas de Katie de sus emociones subyacentes al hacer coincidir la intensidad y el ritmo de sus expresiones, a menudo sin sentir las emociones (de modo que cuando Katie se enfada, hacen coincidir la intensidad de sus expresiones de ira sin necesidad de enfadarse).

Una tercera habilidad importante para el desarrollo de los niños es la capacidad de funcionamiento reflexivo. Los bebés experimentan estados emocionales/corporales globales que aparecen y desaparecen, a menudo sin motivo aparente. Los impulsos y reacciones del bebé son respondidos por un padre sensible de una manera que ayuda al niño a ser capaz de diferenciar gradualmente entre estos estímulos externos y sus estados emocionales internos, y esto le ayuda a comenzar a configurar un sentido de sí mismo, de sus padres y de su mundo. Los padres del bebé están a su lado durante estas experiencias y le sirven de guía en este proceso. Las expresiones no verbales de los padres aportan significado e intención a lo que está sucediendo. Mientras el padre charla con el bebé, mucho antes de que este puede entenderle, el niño está aprendiendo sobre sí mismo y sobre el mundo. Gradualmente, las propias palabras adquieren sentido y, más tarde, el niño puede comunicar con las mismas palabras su versión de estas experiencias. A medida que pasa el tiempo, el niño pequeño se comunica consigo mismo; ahora está pensando en lo que piensa, en lo que siente y en lo que quiere.

Como Katie tiene dificultades para ser consciente y expresar su vida interior de pensamientos y emociones, Jackie entabla constantemente conversaciones breves con ella que implican la expresión de pensamientos, sentimientos, deseos, fantasías, planes y recuerdos. Al principio, Jackie habla la mayor parte del tiempo, tanto sobre su propia vida interior como sobre lo que cree que Katie podría estar experimentando. Jackie tiene que ser muy paciente, a sabiendas de que pasarán meses —como poco— antes de que Katie puede aportar reciprocidad a esas conversaciones. A medida que Jackie responde, tanto verbal como no verbalmente, a las expresiones de Katie de su vida interior, Katie comienza gradualmente a notar su experiencia con mayor claridad, a aceptarla más plenamente y a descubrir formas de expresarla más activamente.

Las conversaciones que Jackie tiene con Katie también incluyen exploraciones del pasado y del futuro. Como las experiencias basadas en la vergüenza dominaron el pasado de Katie, Jackie menciona esas experiencias con calma para comunicarle que conoce y acepta todos sus aspectos y su historia. Jackie también comparte aspectos de su propio pasado con Katie en un esfuerzo por ayudarla a sentirse parte de la continuidad de la familia Keller. Al hablar sobre el futuro con Katie, Jackie le transmite confianza en su vida futura juntas, la invita a los rituales familiares y la ayuda a controlar su ansiedad por lo desconocido al familiarizarla con las indicaciones que se encontrará por el camino. A veces, Jackie se pregunta sobre los próximos años con Katie expresando esperanza sobre la persona en la que se convertirá algún día.

Los tres aspectos cruciales del desarrollo social y emocional de un niño (relaciones, regulación del afecto y funcionamiento reflexivo) están amenazados en Katie debido a sus primeros años de maltrato y abandono. Si Jackie quiere facilitar su desarrollo, tiene que ayudar a Katie a relacionarse con ella, a corregir sus expresiones afectivas y posibilitar su funcionamiento reflexivo mediante la reflexión conjunta, todo de una manera similar a la forma en que un padre se relacionaría con un niño más pequeño. Jackie tiene en cuenta la edad de desarrollo de Katie como una guía para relacionarse con ella y modifica las interacciones hasta cierto punto debido a su edad cronológica, pero siempre recuerda que no debe esperar habilidades de relación, de regulación y de reflexión mayores que las Katie que ha logrado.

A medida que los niños desarrollan satisfactoriamente sus relaciones (las que implican confianza y consuelo, así como reciprocidad), su regulación afectiva y sus habilidades de funcionamiento reflexivo, es probable que respondan con relativa facilidad a los esfuerzos de sus padres para enseñarles habilidades básicas de comportamiento social. Ya consideran a sus padres como modelos de comportamiento apropiados. Pueden regular sus estados emocionales cuando están molestos y es poco probable que reaccionen ante situaciones de rabia, terror o desesperación. Pueden dar sentido a las situaciones y están empezando a saber qué es lo mejor, especialmente cuando sus padres están disponibles como guía. Cuando no están seguros, están dispuestos a pedir ayuda y son capaces de hacerlo. Cuando cometen un error, es probable que respondan a las señales verbales y no verbales de sus padres sobre lo que podrían hacer en su lugar. Y cuando su comportamiento tiene consecuencias negativas naturales, es probable que las acepten incluso cuando se sienten frustrados por ellas.

Cuando los niños se crían en un hogar donde desarrollan un apego seguro, es probable que descubran que, en muchos aspectos, son como sus padres (a menudo los padres esperan estas características o las desean, mientras que en otras ocasiones sus preferencias surgen sin que medie el pensamiento ni del padre ni del niño). Al mismo tiempo, es probable que descubran cualidades sobre ellos mismos, sobre sus intereses o sobre sus personalidades que difieren de las de sus padres, y también las pueden disfrutar juntos. Estos niños pueden encontrar un equilibrio saludable entre sus preferencias e intereses individuales y las preferencias y deseos de su familia. Hay espacio para ambos. Este equilibrio en los niños con apego seguro se extiende hasta la edad adulta. No es de extrañar que el término para el niño con un apego seguro —que ahora es adulto— sea apego autónomo. Los adultos con apego autónomo pueden integrar sus intereses y deseos individuales y su deseo de intimidad e interdependencia.

Cuando se trata de criar a un niño como Katie, los padres adoptivos y de acogida deben tener en cuenta los patrones de cuidado infantil temprano que tienen tanto éxito en la crianza de niños con apego seguro. Durante sus primeros cinco años de vida, Katie no aprendió a relacionarse con los demás con confianza mediante la búsqueda de consuelo y el disfrute de involucrarse recíprocamente. Aprendió a desconfiar, a evitar los estados vulnerables (y, en consecuencia, a no necesitar consuelo) y a hacer frente a las interacciones con los demás a través de la vigilancia y de intentos de controlar a la otra persona. Katie no aprendió a regular sus estados emocionales a través de experiencias de corregulación con sus padres. En su lugar, a menudo se desregulaba y reaccionaba impulsivamente ante el estrés con rabia, terror o vergüenza y desesperación. No aprendió a reflexionar sobre su vida interior y sobre la vida interior de sus padres. En cambio, reaccionaba ante las situaciones desde su postura vigilante sin ninguna capacidad para dar sentido a las cosas desde las perspectivas flexibles que provienen de estar a salvo.

Katie tampoco aprendió las habilidades de socialización adecuadas porque no estaba segura, no tenía una guía que implicara opiniones constantes sobre sus comportamientos y no tenía buenos modelos que seguir. Tampoco experimentó las consecuencias naturales de su comportamiento. Cualquier consecuencia era susceptible de ser severa y determinada por el estado de ánimo de sus padres y por sus propias necesidades egocéntricas en lugar de por el comportamiento de Katie en sí mismo.

Dadas las deficiencias en su crianza durante sus primeros cinco años de vida, Katie necesita atención especializada por parte de Jackie acerca de lo siguiente:

1. La seguridad nunca debe darse por sentada. Katie debe aprender a confiar en Jackie. Katie puede percibir frustraciones rutinarias, límites y esperas por creer que no le gusta a Jackie, que Jackie quiere que sea infeliz o que piensa que es mala. Cada momento estresante puede generar desconfianza hacia Jackie y socavar cualquier sensación de seguridad. Jackie debe ser consciente de la probable activación de la vergüenza, el miedo y la ira en respuesta a estas frustraciones y ayudar a Katie a regular la angustia, al mismo tiempo que tiene en cuenta su gravedad y su origen en el pasado de Katie. Si a Katie le va bien un día y mal al siguiente, puede que la razón no sea que no lo esté intentando el segundo día, sino que el primer día se sentía segura pero el segundo, no.

2. La actitud PACE (alegría, aceptación, curiosidad y empatía) ayuda mucho a Katie a comenzar a confiar gradualmente en Jackie, así como a regular sus emociones y a reflexionar sobre el significado de las frustraciones que se producen en su relación con Jackie. La alegría, tanto directa como subyacentemente, transmite optimismo e implicación, y en ocasiones disfrute y deleite. La aceptación proporciona a Katie la sensación de amor incondicional que sirve de base al apego y que caracteriza las relaciones sanas entre padres e hijos que rara vez había experimentado. Aunque es evidente que no se aceptan todos los

comportamientos, sí se acepta la vida interna de pensamientos, emociones y deseos de Katie. Esta aceptación permite a Katie reflexionar sobre su vida interior y poder comunicársela gradualmente a Jackie. La curiosidad transmite un interés no crítico en la vida interior de Katie, que abarca su experiencia estresante y su reacción ante ella. Esta actitud permite a Katie conferir sentido tanto a su pasado como a su presente, incluidas las conexiones entre las experiencias tempranas de maltrato y abandono y sus comportamientos desafiantes actuales y la desconfianza hacia Jackie. La experiencia empática de Jackie hacia Katie transmite su presencia afectiva, donde comparte y está con ella en su angustia al mismo tiempo que la comprende. La empatía aumenta las probabilidades de que Katie permanezca regulada cuando se enfrente a eventos estresantes y sea más capaz de darles sentido. Al experimentar la empatía de Jackie, la carga de su pasado no resultará tan pesada. La actitud PACE es una forma de estar con Katie, no una técnica para "hacer que sea buena". Se nota su presencia en todos los aspectos de los esfuerzos de Jackie para criar a Katie.

3. Como es probable que Katie esté atenta ante cualquier posible signo de rechazo, Jackie debe tratar de ser abierta e implicarse constantemente con Katie en lugar de estar a la defensiva en respuesta a sus comportamientos desafiantes. Esta actitud invita a una cercanía y cooperación compartidas, mientras que la actitud defensiva tiende a crear conflictos y luchas de poder (Porges, 2011). Es imposible mostrarse siempre abierto, implicado y regulado, pero estas condiciones deben mantenerse la mayor parte del tiempo. Jackie necesita el apoyo de su esposo y de la terapeuta de Katie, entre otros, para ayudarla cuando Katie se ponga a la defensiva y para evitar el desarrollo del bloqueo de los cuidados.

4. Es probable que Katie experimente regularmente conflictos, malentendidos, falta de sintonía y breves separaciones, lo que refleja una ruptura grave en su relación con Jackie, lo que hace

que Katie vuelva a su sensación habitual de desconfianza. Jackie debe estar preparada para iniciar la reparación de la relación con Katie siempre que el estrés entre en juego, acercándose a ella con la actitud PACE en cuanto Katie se muestre receptiva. La responsabilidad de la reparación recae en Jackie, no en Katie, independientemente de cuál haya sido la fuente de la interrupción. Esto no significa que Jackie deba disculparse por la ruptura (a menos que haya razones para que lo haga), sino que debe comunicar que la relación es más importante que cualquier conflicto o razón para la ruptura.

5. Jackie debe recordar constantemente que la corrección de la conducta de Katie debe darse en el contexto de una conexión con ella para que sea efectiva. El objetivo subyacente principal debe centrarse en desarrollar y mantener esta conexión en lugar de desarrollar correcciones efectivas (técnicas de gestión conductual).

6. Jackie debe proporcionar a Katie grandes dosis de estructura y supervisión en su vida diaria. Lo más probable es que estar sola cree ansiedad a Katie y provoque un mal comportamiento que puede ser o no intencionado. La estructura implica una rutina predecible con una variedad de actividades. Reduce las opciones que causan a Katie una ansiedad constante y que hacen que se porte mal. La estructura y la supervisión no son una consecuencia del mal comportamiento, sino más bien un don de cuidados basado en sus necesidades de desarrollo. La supervisión representa la proximidad física para proporcionar seguridad y una fuente externa de regulación y significado en lugar de cazarla portándose mal. Jackie reducirá las opciones que pueden llevar a Katie al fracaso, ya que probablemente no aprenderá de los errores. Jackie se asegurará de que Katie tenga disponibles las opciones adecuadas en cuanto sea capaz de tomar la decisión correcta y de aprender de sus errores.

Si Katie fuera responsable de tomar sus propias decisiones sobre qué hacer, lo más probable es que al principio no pudiera decidir; y cuando finalmente lo hiciera, podría cambiar de opinión repetidamente. Esto la llevaría a frustraciones continuas, ya que nada de lo que eligiera la haría feliz. Cuando Jackie decide por ella, suele haber un mayor disfrute y satisfacción y comienza el proceso de aprender a confiar en Jackie.

7. Jackie criará a Katie en función de su edad de desarrollo, no de su edad cronológica. Es probable que la critiquen por ser "sobreprotectora", aunque lo cierto es que está garantizando la posibilidad de que Katie experimente un éxito sobre el cual pueda desarrollar su sensación de capacidad y valía como persona dentro de una relación segura de apoyo que satisfaga sus diversas necesidades de desarrollo.

8. Jackie permitirá que Katie experimente las consecuencias naturales de sus malos comportamientos, por supuesto, pero no asumirá que las consecuencias son la base del cambio para Katie. Con frecuencia, la consecuencia principal implica un cambio en la estructura y supervisión de Jackie para aumentar las probabilidades de que Katie actúe de la manera que Jackie cree que más le conviene. Una consecuencia estrechamente relacionada será un mayor esfuerzo para comprender las razones de la conducta, que a menudo tienen sus raíces en el pasado de maltratos de Katie. El simple hecho de proporcionar a Katie diversos incentivos y restricciones no se considera fundamental para conducirla a un cambio de comportamiento significativo y constante.

Las consecuencias no tienen un papel central en la disciplina de Jackie ante los comportamientos de Katie. Disciplina significa enseñar, y si Jackie enseña a Katie formas mejores de actuar, debe hacerlo dentro del contexto de su relación más profunda. Katie necesita aprender que en el centro de su relación Jackie experimenta una aceptación profunda e incondicional acerca de quién es ella y, dentro del contexto de dicha aceptación, los límites en el comportamiento de Katie serán gradualmente más fiables y menos estresantes.

Podemos hacer menos hincapié en las consecuencias para guiar a los niños cuando basamos nuestras expectativas en su edad de desarrollo en lugar de en su edad cronológica. Con frecuencia, el mal comportamiento reiterado se debe a que esperamos del niño más de lo que puede conseguir. Debemos proporcionar la presencia y la orientación que el niño necesita para tener éxito en lugar de asumir que "debería" poder hacer algo debido a su edad cronológica. En segundo lugar, debemos centrarnos en ayudar al niño a confiar en la relación y a aprender que cualquier tensión en la relación a través de conflictos o la falta de una sensación de cercanía serán reparadas. El niño debe recibir el mensaje contundente de que la relación siempre es más importante que el conflicto. Ningún conflicto destruirá la relación. En tercer lugar, ayudamos a los niños a aprender a regular mejor sus emociones fuertes. Para ello debemos coincidir con la expresión afectiva del estado emocional del niño sin desregularnos. La enseñanza efectiva también implica evaluar únicamente los comportamientos del niño y no su vida interior, lo que le condujo al comportamiento. Finalmente, esta enseñanza significa guiar, entrenar y modelar el comportamiento que queremos, todo con paciencia y entendiendo que puede ser bastante difícil aprender nuevas formas de actuar. Lo más probable es que la enseñanza que se lleva a cabo con ira intensa, con amenazas o retirándose de la relación no conduzca a un cambio de comportamiento constante, sino que genere desconfianza y vergüenza.

9. Jackie invitará regularmente a Katie a experiencias de deleite, alegría y risa; es consciente de que estas experiencias son cruciales para el desarrollo emocional e interpersonal general de Katie y de que ha tenido algunas de ellas en sus primeros años. Al mismo tiempo, Jackie debe recordarse a sí misma que es probable que estas experiencias hagan que Katie se sienta ansiosa y las rechace o que se desregule durante o después de ellas. Jackie debe abordar estas experiencias en pequeñas dosis, mientras reduce su propia expresión natural de emoción y deleite en presencia de Katie. Estas experiencias deben ser incondicionales y no están supeditadas a un buen comportamiento.

10. Del mismo modo, Jackie tendrá en cuenta lo importante que será para Katie aprender a aceptar y, finalmente, buscar consuelo cuando esté en apuros. Como es probable que Katie rechace el consuelo debido a su fuerte deseo de ser autosuficiente, Jackie debe ser paciente y ofrecer consuelo en formatos pequeños y sutiles para reducir la probabilidad de que Katie lo rechace.

PSICOTERAPIA

Como el trauma de desarrollo que Katie experimentó fue causado por rupturas severas en sus primeras relaciones de apego, la base de su tratamiento es despertar su confianza en su cuidadora principal. Con este tratamiento (la psicoterapia diádica del desarrollo o PDD) se intenta que Katie experimente las cualidades de una relación de apego óptima tanto con Jackie como con Allison (Hughes, 2004, 2007, 2011, 2014; Hughes et al., 2015; Baylin & Hughes, 2016). Estas cualidades de relación permitirán a Katie empezar a sentirse segura con Jackie, de manera que pueda confiar en ella para el consuelo y el apoyo que necesita para reducir su desconfianza hacia los cuidadores. Entonces podría confiar en Jackie para las experiencias necesarias para facilitar su desarrollo neurológico, emocional, psicológico, social y cognitivo.

La principal actividad terapéutica de la PDD consiste en proporcionar a Katie las experiencias intersubjetivas propias de las comunicaciones en sintonía y recíprocas entre padres y bebés, modificadas en este caso para la edad de Katie. Representan el proceso de implicación entre el niño, el terapeuta y el cuidador, donde se conocen y se deleitan mutuamente y el terapeuta y el cuidador conducen al niño a nuevos descubrimientos de sí mismo, del otro y del mundo. Estas comunicaciones son principalmente no verbales e incluyen contacto visual, prosodia de voz, movimientos y sincronización, y cada persona influye en la otra. En la PDD, esto se conoce como diálogo afectivo-reflexivo, ya que abarca ambos componentes expresados —tanto verbal como no verbalmente— de manera integrada.

En estas comunicaciones, el terapeuta y el niño o el cuidador y el niño se van turnando. Uno comienza y el otro responde, lo que supone una iniciativa en sí misma a la que responde la primera persona, y así sucesivamente. En ocasiones, lo que la respuesta del niño a la iniciativa del terapeuta/cuidador comunica es "No, eso no es del todo correcto", "Eso no me interesa" o "Es demasiado intenso". Entonces el primer terapeuta o cuidador modifica su primera iniciativa hasta que el niño se une totalmente. Esto se conoce como reparación interactiva y es crucial para el poder transformador de estas interacciones en el desarrollo del bebé, así como para el desarrollo de Katie a través de la PDD.

Pero es probable que Katie no se muestre receptiva a estas comunicaciones. Puede que ese grado de implicación le resulte aterrador y confuso. Transmite una sensación de interés y disfrute que Katie no puede experimentar con facilidad. Es probable que su respuesta a la iniciativa de Allison o Jackie sea de rechazo y de negativa a involucrarse. Estas reacciones ponen a Allison y a Jackie en un dilema. Si retiran sus iniciativas porque Katie dice que no las quiere, es posible que nunca puedan implicarse con ella de una manera que genere confianza. En cierto nivel, Katie quiere quedarse sola. Si Allison y Jackie esperan hasta que Katie demuestre que quiere estas comunicaciones recíprocas y en sintonía, tal vez descubran que nunca las elige. ¿Por qué iba a hacerlo cuando apenas las ha experimentado como seguras y placenteras en el pasado? Un segundo dilema para Jackie y Allison es que si Katie rechaza sus iniciativas de cuidado durante demasiado tiempo, es probable que corran el riesgo de sufrir un bloqueo de los cuidados y que dejen de intentarlo. Puede que pierdan la confianza en conseguir involucrarla, lo que hará que reduzcan gradualmente sus esfuerzos y que se llenen de frustración y decepción. Todo esto haría que Katie se retirara aún más, ya que interpretaría esta respuesta como una señal de que están empezando a rechazarla, y no como consecuencia de que ella las rechace. Por estas razones, el terapeuta no solo sigue las instrucciones del niño, sino que lo guía, y luego sigue la respuesta del niño a esa guía. Esto se conoce como seguimiento-guía-seguimiento y es crucial para generar los diálogos recíprocos en el núcleo de las sesiones de la PDD con éxito.

La PDD solo es posible si tanto el padre como el niño se sienten seguros en la sesión. Para asegurarse de que el padre se siente seguro, el terapeuta se reúne solo con él (antes del inicio de las sesiones con el niño, una o varias veces, y antes del inicio de cada sesión de diez a treinta minutos). El terapeuta trabaja para hacer que los padres tengan claro que no se los culpa, mientras que al mismo tiempo les ayuda a comprender en qué consiste la PDD y cuál será su lugar en las sesiones. El terapeuta también les preguntará acerca de sus propias historias de apego para reducir la probabilidad de que su historial de apego cree desregulación o actitud defensiva en reacción a las conductas desafiantes de sus hijos. El terapeuta y el padre deben colaborar para ayudar al niño a sentirse seguro en la sesión, y si el padre no se siente seguro, el niño tampoco lo hará.

A menudo las sesiones de tratamiento abarcan una amplia gama de comunicaciones afectivas. En una sola sesión pueden estar presentes la risa y la alegría, la tristeza y la ira, el miedo y el consuelo, la estupidez y la seriedad, el afecto y la distancia. Si una sesión en particular parece contener principalmente desánimo e ira, vergüenza y desesperación, el terapeuta debe "confiar en el proceso" y no intentar "presionar hacia lo positivo". Confiar en el proceso significa que el terapeuta debe tener confianza en que si el padre y el niño se están comunicando de manera abierta e implicada, con la actitud PACE, luego surgirá una historia más profunda que subyace a los conflictos y al desapego. Es probable que esta historia contenga un camino hacia la resolución y la reparación, con la capacidad de ver la soledad y la desesperación del niño, así como su coraje y sus esfuerzos persistentes para encontrar una manera de acercarse a sus padres.

La PDD también conduce al desarrollo de habilidades reflexivas en el niño y el padre. La actitud PACE, tan crucial para Jackie a la hora de criar a Katie en casa, también es fundamental en el diálogo afectivo-reflexivo de la terapia. La actitud PACE permite al niño explorar con seguridad aspectos de su vida que han sido cubiertos con miedo y vergüenza. Al experimentar aceptación y curiosidad sin prejuicios, el niño a menudo es capaz de preguntarse sobre los episodios de maltrato de su pasado, así como sobre los desafíos y las malas conductas del presente. Dentro de la experiencia de la empatía del terapeuta y el cuidador, el niño puede permanecer regulado mientras explora los eventos asociados con el miedo intenso y la vergüenza. Con la repetición, el niño a menudo se vuelve capaz por primera vez de comunicar su vida interior. El niño se da cuenta de lo que piensa, siente y quiere, y de cómo esas cualidades se relacionan con sus expresiones de comportamiento. Este paso es importante para que el niño desarrolle una narrativa autobiográfica coherente, que es crucial para tener un patrón de apego seguro y para su salud mental en general.

CAPÍTULO 2

EL MALTRATO Y ABANDONO DE KATIE

Katie Harrison nació el martes 4 de agosto de 1987 en Augusta (Maine), y ese mismo día fue el primero de Steven Fields como trabajador de protección infantil en el Departamento de Servicios Humanos (DHS, por sus siglas en inglés) del estado de Maine. Mientras Steven comenzaba a trabajar con niños de Maine que habían sufrido maltrato y abandono, Katie se estaba convirtiendo en una de esas niñas. Acabaron poniéndola bajo la custodia legal del estado de Maine, pero hasta que ese día llegó pasaron cinco años, un mes y nueve días.

Es una realidad poco habitual: un niño bajo la custodia de un estado. En teoría, se podría pensar que este tipo de vida no está tan mal para un niño. Cada ciudadano adulto de Maine es responsable de Katie. Si sus padres no la crían bien, entonces lo haremos nosotros, todos los adultos de Maine. Pero en realidad (la realidad de Katie), ella no necesita a todos los adultos de Maine para resolver los traumas de su relación y convertirse en una niña sana. Lo que necesita es una familia que le brinde seguridad y que la enseñe a confiar, a amar y a experimentar alegría y placer. Una familia que la ayude a curar y a resolver sus innumerables traumas y a desarrollar un *self* integrado. Sin esa familia, no comenzará a valorarse y no se sentirá conectada con otros miembros de la comunidad humana. Los adultos de Maine no son capaces de criar a Katie. Su responsabilidad es asegurarse de que ella sea asignada a una familia de este tipo y que cuente con profesionales como Steven para atender sus diversas necesidades. A menudo, muchos de los adultos de Maine no se toman su responsabilidad lo suficientemente en serio. Posiblemente esto ocurra porque no conocen a Katie. Su historia, que se parece a muchas otras en todo el mundo, podría ayudarnos a comprender las diversas responsabilidades que tenemos hacia todos los niños.

* * *

El 10 de noviembre de 1987, Katie estaba en su cuna, donde había pasado gran parte de sus primeros tres meses. Cada vez hacía más frío en Maine, y ahora tenía frío casi siempre, ya que la manta que tenía era demasiado fina para ese tiempo. Tener frío era desagradable, al igual que el dolor habitual que experimentaba porque le cambiaban los pañales con poca frecuencia y la bañaban con menos frecuencia aún. Tener hambre le aportaba una incomodidad más aguda e irregular. A veces, sus lloros le procuraban comida con bastante rapidez, mientras que otras veces lloraba durante largos períodos antes de que la alimentaran. En realidad, a veces lloraba hasta quedarse dormida, agotada y aún con dolor. En otras ocasiones, escuchaba ruidos aterradores que la hacían llorar más intensamente. En esos momentos, su madre, Sally, o su padre, Mike, no tenían paciencia con su llanto y le gritaban, como si eso la calmara.

Ese día resultó ser peor de lo normal para Katie. No le habían dado de comer, y probablemente estaba llorando más fuerte de lo habitual. Mike le gritó y luego la sacudió por los hombros y la abofeteó. El dolor fue repentino, inesperado y agudo. Katie no conocía otra respuesta que llorar con más fuerza. Mike volvió a abofetearla, puso su cara a centímetros de la de ella y le gritó. El mundo de Katie se llenó de dolor y de caos. Sacudía y agitaba los brazos y las piernas, arqueaba la espalda y lloraba tanto que apenas podía respirar. Tenía los ojos muy abiertos y desenfocados.

Sally entró en la habitación y le gritó a Mike que dejara a Katie en paz y que nunca más volviera a pegarle. Levantó a Katie, le habló en voz baja y la meció. Sally siguió gritando a Mike y su tensión hizo aún más difícil que Katie se relajara. Finalmente, Katie comenzó a beber de su biberón, pero se quedó dormida antes de ingerir lo necesario. Después de dos horas de sueño inquieto, se despertó y pidió más leche llorando. Sally ahora estaba durmiendo y no respondió, así que finalmente Katie se volvió a dormir, todavía con hambre, con problemas y asustada.

Sally Thomas tenía diecinueve años cuando tuvo a Katie. Llevaba dieciocho meses con Mike Harrison (que era cuatro años mayor que ella) a pesar de los frecuentes conflictos y las separaciones periódicas. Sally quería que Mike "sentara la cabeza", y cuando le transmitía este deseo, él solía irse enfadado. Con el tiempo, Sally comenzó a guardarse el resentimiento que tenía por esa falta de interés en trabajar o en casarse. Mike consiguió algún que otro trabajo, pero Sally descubrió que bebía y salía más con sus amigos cuando estaba trabajando. Como resultado, tenía sentimientos encontrados acerca de que Mike tuviera trabajo, ya que lo normal es que eso solo causara más peleas.

Al principio Sally estaba emocionada con tener a Katie. A su propia madre, Helen, y a sus hermanas mayores parecía encantarles que fuera a ser madre, y ella disfrutaba de su nuevo estatus como adulta. Además había albergado esperanzas de que Mike se interesara en Katie y quisiera ayudarla en la crianza y tal vez incluso mantenerla. Cuando ocurrió más bien lo contrario y Mike se volvió más retraído e irritable que nunca, Sally comenzó a resentirse por las constantes demandas de Katie. Se mostraba cada vez más impaciente con ella. Al principio se resistió a este cambio de actitud hacia Katie, ya que siempre se había dicho a sí misma que criaría a sus propios hijos mucho mejor que como la había criado a ella su madre. Sally tenía la impresión de que, durante su infancia, su madre o bien le gritaba o bien la ignoraba. Era como si no hubiera habido nada aparte de eso. Estaba convencida de que Katie y ella serían diferentes.

Llegado cierto punto, Sally fue consciente de que ya no disfrutaba mucho de Katie. Cuando su hija la miraba, ella desviaba la mirada. ¡A veces sentía que Katie le demandaba demasiado! Nunca parecía estar satisfecha. Sally intentaba no pensar en ello. En cierto modo, Katie parecía estar insatisfecha con ella, al igual que le ocurría a su propia madre. ¡No pudo complacer a su madre y ahora ni siquiera podía complacer a su propia hija! Sally se sentía confusa acerca de la reacción de Katie hacia ella. A veces, creía que no le gustaba a Katie. Intentaba jugar con ella, pero Katie no parecía estar interesada. La alimentaba y la bañaba, pero Katie podía pasarse llorando los treinta minutos siguientes. Lloraba cuando Sally la cogía y también cuando la soltaba. No tenía la sensación de conocer a su hija y cuidarla no le reportaba mucho placer. Ser madre no era lo que había esperado.

Sally se planteó decirle a la enfermera de la consulta del pediatra que realmente no sabía qué hacer cuando Katie lloraba. Quería decirle lo difícil que era y lo cansada que se sentía a menudo. Quería decirle que ser madre no era como esperaba. ¿Pero cómo iba a decir algo así? ¿Cómo iba a admitir que ni siquiera podía criar a un bebé? Quizás podría pedir ayuda. Tal vez alguien podría recomendarle algún libro. Le habían hablado de una clase de crianza para adultos en Cony High. A lo mejor debería apuntarse. ¿Pero quién cuidaría a Katie? Seguro que Mike no. Es más, Mike se enfadaría con ella por hacer algo por su cuenta. Sally acabó dejando de pensar en sus dudas. Le resultaba más sencillo limitarse a hacer lo que tenía que hacer y luego tratar de relajarse viendo la tele. Se sentía demasiado cansada como para hacer cualquier otra cosa.

En realidad, a los tres meses de edad Katie no rechazaba a su madre. Sus energías iban destinadas a sentirse segura y cómoda, a estar plena y a conferirle sentido a su mundo. Los estados emocionales internos la dirigían hacia la comida, el sueño, la eliminación de algunas molestias o la percepción de algo nuevo. Le interesaban especialmente las caras de las personas. Sally era una parte importante de los estados emocionales que más la ayudaban a satisfacer sus diversas necesidades. Sally no significaba nada para Katie más allá de esas necesidades. A veces, Katie se quejaba y lloraba y Sally estaba allí, de manera que Katie se sentía mejor. Pero a veces Sally no estaba allí. Katie se quejaba y lloraba por cualquier cosa que la molestaba y Sally no le proporcionaba consuelo. El desconsuelo continuaba y se intensificaba y Sally seguía ausente. Katie no podía experimentar consuelo a menos que Sally estuviera presente. No podía consolarse a sí misma, y como la mayoría de las veces su madre no le proporcionaba consuelo, Katie dejó de buscarlo. Sin consuelo, experimentar tristeza era cada vez más doloroso. Entonces Katie dejó de estar triste. ¡No se sentía lo suficientemente segura como para estar triste! También perdió la confianza en su mundo, ya que lo único que le había proporcionado durante mucho tiempo había sido diversas formas de desconsuelo impulsadas por el hambre, por sonidos repentinos o fuertes, por el agua —que estaba demasiado caliente o demasiado fría— o por un dolor persistente bajo el pañal.

* * *

Puede que el 14 de febrero de 1988 fuera la última vez que Sally se esforzara por criar a Katie. Su padre, Sam, que se había pasado buena parte de su vida metido en los bares y en los barcos de pesca de Portland, venía de visita con su nueva novia, Tammy. Si Sam se comportaba como de costumbre, lo más probable es que sentara la cabeza durante unos meses hasta que Tammy dejara de interesarle. Seguro que aquel viaje a Augusta para visitar a su hija y a su nieta era solo para impresionar a Tammy, pero a Sally no le importaba. Le demostraría a su padre que era una buena madre y que estaba haciendo algo con su vida. Puede que volviera a visitarla y a disfrutar de ella y de su familia, incluso que quisiera formar parte de su vida.

Cuando Sally empezó el día con Katie, se sintió feliz y capaz. Le dio el biberón y luego la bañó. Katie parecía contenta de estar con ella. Sonreía, chapoteaba y parecía responder cuando Sally jugaba con ella y se reía cuando su madre le hacía tonterías. ¡A Katie le gustaba! Sally estaba haciendo un buen trabajo, y su padre estaría orgulloso de ella. Acostó a Katie y lo preparó todo.

Katie tenía seis meses, y casi todos los días Sally deseaba que Katie pudiera ser un poco más autónoma. Mike nunca ayudaba, e incluso se enfadaba con Katie porque le robaba la atención de Sally. A Sally le costaba cada vez disfrutar de Katie, pero hacía lo que sabía que tenía que hacer, al menos la mayor parte del tiempo. Le consolaba un poco saber que probablemente estaba haciendo un mejor trabajo con Katie que el que su madre había hecho con ella o con sus hermanas.

Katie estaba cada vez más confundida porque no se estaba satisfaciendo adecuadamente una necesidad sutil que había ido aumentando gradualmente durante los últimos tres o cuatro meses. Katie entraba en un estado emocional mágico y placentero cada vez que Sally y ella interactuaban con juegos y muestras de afecto. Katie se sentía atraída hacia los ojos de Sally, hacia su sonrisa y hacia el sonido musical de su voz. Cuando Sally bailaba con Katie, la niña sentía los brazos de su madre rodeándola y su cuerpo se mecía y bailaba también. En estos momentos, Katie sentía las manos de su madre sobre su cabeza, cara y cuerpo. ¡Qué placer le daba ese contacto cuando iba acompañado de la cara y la voz de Sally! Katie buscaba cada vez más esos estados emocionales tan profundamente conectados con la manera en que experimentaba a su madre. Pero no sucedían a menudo. Katie buscaba esos ojos, esas sonrisas, esas manos y esos brazos, y muchas veces no los encontraba. A veces, aparecían acompañados del estado emocional relacionado con la lactancia. Pero incluso entonces, la mayoría de las veces, cuando Sally le daba leche, no venía acompañada del estado emocional alegre y afectuoso que invitaba a la reciprocidad que Katie quería sentir desesperadamente.

Katie se despertó llorando treinta minutos antes de que llegara el padre de Sally. Sally la cogió, le cantó, la alimentó y le cambió el pañal. Al principio, Sally estaba tranquila y esperanzada, pero al ver que Katie no se calmaba, se puso tensa. Mike no podía soportar oírla llorar, y ella necesitaba que Mike estuviera calmado. Si el padre de Sally no fuera de visita, Katie volvería a la cuna y lloraría hasta quedarse dormida, Mike se iría y ella pondría la tele. Esa era la única forma que tenían de superar el llanto. Pero su padre estaba llegando y ella tenía que hacer que Katie parara.

Como de costumbre, Sam y Sally se sintieron incómodos al verse después de una ausencia de cerca de un año. Al principio, Katie supuso una distracción, ya que Sam y Tammy se reían de lo fuerte que lloraba, y elogiaron a Sally por ser capaz de criarla. Tammy, que no era mucho mayor que Sally, dejó claro que nunca se había planteado tener un hijo. Oír a Katie llorar la había convencido de que era una decisión acertada.

Sam acabo dando a Sally algunas sugerencias sobre cómo calmar a Katie. Ella no estaba segura de si su padre quería ser útil o si ya se había cansado del ruido. En cualquier caso, no quería que la ayudara. Conocía a Katie mejor que nadie, y si ella no conseguía que dejara de llorar, nadie podría hacerlo. Se llevó a Katie a su habitación y la puso en la cuna.

Sam la siguió y le dijo a Sally que no debía acostar a Katie cuando estaba llorando. La conversación se calentó y derivó de la forma en que Sally criaba a Katie a la forma en que Sam había fracasado al criar a Sally. Finalmente, Sam explotó:

—¡En lugar de hablarme de esa manera, deberías estar cuidando a tu hija!

—Yo sí la cuido. ¡Es más de lo que hiciste por mí en tu vida!

—¡Si no nos quieres aquí, nos vamos! ¿Qué narices te pasa?

—Soy una buena madre. No es culpa mía que esté llorando.

—¿Y entonces por qué no le das de comer? Por nosotros no te cortes.

—¡No! ¡No! —gritó Sally—. ¡Me ocuparé de ella como me dé la real gana! ¡Ya está bien!

—Ese ruido me está volviendo loco— exclamó Sam.

—Pues entonces vete, que es lo que has hecho siempre —le dijo Sally.

Sam y Tammy se fueron. Mike le dijo a Sally no lo había gestionado bien. Sally no le escuchó. Solo escuchaba a Katie. Corrió a su habitación.

—¡Cállate! ¡Cállate! —le gritó mientras la sacaba de la cuna y la tiraba hacia la cama. Katie se dio con el lado de la cama y rebotó en el suelo de manera que la pierna se le quedó torcida debajo del cuerpo. Lloraba de dolor. Sally gritó, tembló y se tapó la cara. Mike soltaba tacos, gritaba e iba de un lado al otro. Finalmente, Sally consiguió llamar a una ambulancia. Mike le dijo a Sally que le contara a la gente del hospital que Katie se había caído de la cama mientras Sally la alimentaba.

En el hospital, Sally parecía estar en shock. Trataba de cuidar adecuadamente a su hija, pero estaba emocionalmente apagada. Rechazó la ayuda que le ofreció la trabajadora social del hospital. El personal del hospital tenía dudas sobre la lesión y sobre la situación familiar en general, pero decidieron que no había suficientes interrogantes como para justificar una investigación por parte del DHS. No había incidentes previos ni signos evidentes de abandono. Se ofrecieron para concertar a Sally una cita con el consultor de salud mental, pero Sally se negó.

De vuelta a casa, Sally parecía estar más tranquila con Katie de lo que Mike la había visto nunca. Pero Sally no conseguía olvidar que Katie había estropeado la visita de su padre. Katie no iba a volver a molestarla. El escaso placer que Sally había sentido al cuidar a Katie había mermado aún más. En cierto nivel, Sally sabía que Katie quería que la cogiera, que se riera y que jugara con ella. Sabía que lo único que su hija de seis meses quería era que su madre hiciera tonterías con ella, que cantara y bailara, le hiciera cosquillas y le tocara la tripita, los brazos y el cuello, pero Sally casi nunca conseguía hacer esas cosas. Katie le estaba amargando la vida, y Sally no iba a echarse a perder por ella. Pero no era consciente de esa decisión. Era como era y punto. En realidad, era lo que había ocurrido entre ella y su propia madre. Pero Sally tampoco era consciente de eso.

Sally tenía razón. Katie quería jugar, reír y mirar a su madre con todo su ser. La vida emocional de Katie se estaba desarrollando rápidamente a los seis meses, y necesitaba que esas experiencias de placer recíproco con su madre emergieran por completo. Pero la curiosidad, la alegría y la emoción de Katie dependían de que Sally tuviera experiencias recíprocas con ella. Su desarrollo emocional y su desarrollo neurológico estaban entrelazados, y era necesario que Sally los activara implicándose con su hija con afecto y sensibilidad de manera frecuente. Cuando Sally se ausentaba, tanto física como psicológicamente, Katie estaba perdida y no podía continuar con su desarrollo emocional e interpersonal. No podía activar esos procesos internos ella sola. Necesitaba que Sally lo hiciera por ella y con ella. Pero Sally lo hacía cada vez menos. En consecuencia, Katie dejó de desear esas interacciones con Sally. De manera análoga dejó de buscar la alegría y el deleite recíprocos. Ahora ya no buscaba consuelo ni felicidad, y no estaba lo suficientemente segura como para sentir tristeza o deleite.

Katie solía quedarse en la cuna con sus lágrimas y lloriqueos. Aún con más frecuencia, se militaba a mirar fijamente o hacía algunos movimientos repetitivos con las manos y piernas. Se fijaba en algún objeto en la cuna o en la pared de al lado, como si estuviera invitándolo a interactuar con ella. Quería que su mundo respondiera a sus estados de ánimo y los compartiera. Al obtener escasa respuesta, comenzó a pasar por alto esos estados y, a menudo, simplemente se ponía tensa, se aislaba y se desesperaba.

Cuando Sally estaba presente, Katie todavía era algo consciente de desear esta interacción especial con su madre. Anticipándose al fracaso, Katie solía apartar la vista de Sally o se sentía más inquieta, como si tratara de negarse lo que echaba de menos. Otras veces se ponía muy nerviosa, incapaz de integrar el intenso afecto que la presencia de Sally le estaba provocando. En otras ocasiones, cuando Sally estaba parti-cularmente tensa, como después de una pelea con Mike, Katie sentía la angustia de su madre y se preocupaba aún más. En esos momentos, Katie se quedaba más tranquila cuando Sally se iba. Se estaba desarro-llando una realidad profundamente triste para Katie. A diferencia de la mayoría de los bebés, que experimentan un deleite total en presencia de sus madres, Katie se mostraba muy ansiosa y ambivalente cuando Sally estaba presente. Todavía esperaba algo de su madre, pero se anticipaba a su fracaso. A diferencia de la mayoría de los bebés, cuyo desarrollo emocional y neurológico se ve impulsado por el disfrute recíproco con sus madres y con el consuelo que les proporcionan, este tipo de desarro-llo en el interior de Katie ocurría lenta y abruptamente y carecía de una diferenciación e integración adecuadas.

* * *

A 19 de septiembre de 1989, Katie ya había cumplido los dos años. Meses antes, Sally se había dado cuenta de que Katie nunca lloraba. A Mike y a ella les parecía raro, pero en realidad les daba bastante igual. Katie se quejaba mucho y perseguía a Sally molestándola, pero eso era mucho mejor que cuando lloraba.

Hacía ya dieciocho meses que Sally le había roto la pierna a Katie. La mayor parte del tiempo, Sally alimentaba, aseaba y vestía a Katie con bastante regularidad. Cuando Katie comenzó a gatear y luego a caminar,

Sally solía vigilarla para prevenir accidentes y evitaba que molestara a Mike. A veces le daba igual que la niña molestara a Mike. Entonces Mike gritaba a Katie y la apartaba sin ningún tipo de contención. Sin embargo, Katie se pasaba casi todo el tiempo siguiendo a Sally allá donde fuera. Se aferraba a ella y empezó a gemir en cuanto aprendió algunas palabras. Durante un tiempo, Sally hizo un pequeño esfuerzo por responder, incluso con cierto grado de placer, pero fue perdiendo la sensación de obligación hacia Katie y hacia la maternidad. El aluvión aparentemente constante de demandas llevó a Sally a retirarse casi por completo con respecto a su hija. Katie nunca parecía estar satisfecha; siempre quería más de su madre, pero Sally no tenía nada más que ofrecer.

Lo único beneficioso de esta situación fue que Sally aprendió a amortiguarse emocionalmente a sí misma de una manera que reducía mucho la rabia que sentía hacia Katie. Pero Mike no sabía hacer eso. Katie conseguía provocarle un torbellino de gritos en apenas treinta segundos. Sally había aprendido a ignorar las quejas y demandas de su hija y seguir leyendo, comiendo, hablando por teléfono o viendo la tele. De vez en cuando, Sally apartaba a Katie cuando se le enganchaba a la pierna y gemía demasiado fuerte, pero la mayoría del tiempo se dedicaba a su vida sin sentir casi nada hacia Katie. Sabía que no volvería a maltratarla. También sabía que haría su trabajo para que nadie criticara su estilo de crianza. Katie estaría alimentada, limpia y bien vestida. Tendría que bastar con eso. Sally apenas sentía nada hacia su hija. Había aprendido a disociarse de las emociones maternales que solía experimentar con tanta vehemencia.

Ese día de septiembre comenzó como la mayoría de los días. Sally se levantó con Katie, la cambió, le dio algo de comer y la dejó en el suelo de la habitación con algunos juguetes mientras ella se tomaba su café y sus tostadas y encendía la televisión. Como Mike estaba durmiendo y Sally no quería que se pusiera a gritar, cogió a Katie en su regazo y se esforzó por jugar con sus rompecabezas y bloques mientras veía el programa de la tele. Le explicaba a Katie cómo iba el rompecabezas y recogía las piezas que iban cayendo al suelo. Finalmente, se dio cuenta de que Katie estaba tirando deliberadamente las piezas al suelo. Sally se enfadó, tiró las piezas y bloques restantes por la habitación y habló con dureza a Katie mientras la dejaba en el suelo.

Entonces Katie pidió galletas saladas. Sally le dio unas cuantas y volvió a ver la tele. Cuando Katie le pidió más, ella siguió viendo su programa. Después de que volviera a ignorarla, Katie tiró una pieza de rompecabezas que le dio a Sally en el brazo. Sally gritó a la niña y amenazó con pegarle. Katie le tiró otra pieza que le dio en la cara. Sally se levantó de un salto de la silla y le dio un bofetón a su hija. Entonces Katie gritó y mordió a su madre en el brazo. Sally la insultó y volvió a pegarle. Katie corrió al otro lado de la habitación, gritó y miró a su madre con odio. Ya no parecía tener miedo de ella, ni estaba triste por lo que faltaba en la relación entre ambas. Lo único que parecía sentir hacia esa mujer que la odiaba era rabia.

Katie pronto comenzó a tener frecuentes rabietas agresivas. Ni Sally ni Mike podían hacer nada para detenerlas. A menudo obtenía lo que quería cuando su ira era lo suficientemente fuerte o destructiva. Sentía que su rabia podía brindarle cierto control sobre Sally. Le gustaba ver a Sally enfadarse cuando le gritaba. Cuando Sally parecía frustrada y molesta por sus berrinches, Katie experimentaba una sensación de poder que le gustaba. ¡Era capaz de generar un impacto emocional en Sally! Era mucho mejor generar un impacto negativo que no generar ningún impacto. Ya no buscaba disfrute o cuidados por parte de Sally. En cierto nivel, sentía que era mala y que no podía esperar una relación así. Además, había llegado a la conclusión de que Sally también era mala. Sally era mala, y Katie se estaba volviendo una profesional en encontrar maneras de devolverle el golpe.

Al mismo tiempo, los deseos de Katie parecían cambiar. Prefería la comida, los juguetes u otros objetos que veía a la atención y al afecto. Si no había objetos, entonces quería que Sally hiciera algo por ella. Cuando conseguía lo que quería, parecía estar contenta. Si Sally no le daba lo que quería, Katie la molestaba, y eso también le causaba cierta satisfacción. Divertirse con Sally ya no era importante para ella. La vida era más sencilla así. Y no había ni motivos ni tiempo para las lágrimas.

* * *

El 13 de septiembre de 1992, Katie pasó a la custodia protectora de Augusta, Maine. Ya había cumplido los cinco años. Había seguido cambiando mucho desde que comenzó con sus berrinches a los veinticinco meses. Antes de eso, cuando Sally y Mike se dieron cuenta de que no lloraba mucho, no le prestaron mucha atención. Cuando se dieron cuenta de que la niña no intentaba aferrarse mucho a ellos, se alegraron. No es que fuera más fácil criarla ahora. Siempre parecía estar enfadada y quejándose, y se tiraba al suelo por cosas que a ellos les parecían una tontería.

Tenían que gritar y castigar de verdad a Katie si querían que se callara. Pero esa estrategia tenía un precio. A menudo, Katie se vengaba de Sally por castigarla o por no darle lo que quería. Era menos probable que se vengara de Mike por cómo la trataba. Su padre la abofeteaba con fuerza cuando se enfadaba. Para Katie, era más divertido enfadar a Sally. Una vez, Sally castigó a Katie sin postre. A la mañana siguiente, todas las galletas y los dulces habían desaparecido. Otra vez, Sally obligó a Katie a sentarse en el sofá mientras Mike y ella cenaban. Un poco más tarde esa noche, Sally se sentó en el cojín y descubrió que Katie había orinado en él. Los cepillos del pelo de Sally desaparecían, el váter se atascaba, había champú derramado en la bañera y sus CD favoritos estaban destrozados. Sally no conseguía cazar a Katie destruyendo o robando, pero sabía que era cosa suya y le pegaba a menudo. Lo que más molestaba a Sally era que a Katie no parecía importarle. Sally la castigaba cada vez con más severidad y Katie la miraba con resentimiento, indiferencia o incluso placer. De alguna manera, Katie parecía estar obteniendo lo que quería sin importar lo que Sally hiciera. De alguna manera, Katie tenía el control.

Mike se cansaba de los gritos y las peleas entre Katie y Sally. A veces, cogía a Katie, la metía a empujones en su habitación y cerraba de un portazo, y ella se quedaba allí horas o incluso todo el día. En otras ocasiones, Mike culpaba a Sally del comportamiento de Katie. Mike se cebaba en cualquier posible error de Sally. Entonces se gritaban y Katie parecía estar contenta. A menudo Mike se iba sin más. Puede que regresara borracho de madrugada y que tuviera resaca al día siguiente. Entonces Katie se quedaba callada. Sabía de la impredecible ira de su padre después de emborracharse. Sally tenía problemas para quedarse callada. A menudo, Mike le pegaba y ella le devolvía el golpe. Pero eso lo empeoraba y Sally acababa recibiendo una paliza. Katie se sentía más segura cuando sus padres se peleaban. Si se quedaba en su habitación, la dejaban en paz. Además, puede que al día siguiente alguno de los dos hiciera algo bueno por ella, aunque solo fuera para molestar al otro.

El error de Katie el 13 de septiembre consistió intentar vengarse de Mike en lugar de centrar su ira en Sally. Esa mañana Katie derramó sus cereales y Mike estaba de un humor particularmente malo.

—Eres tonta del culo —le dijo—. ¿No puedes hacer nada a derechas? Pues ahora vas a lamer todo esto. Pon la cara en la mesa y empieza a lamer.

Katie gritó "¡No!" y trató de irse corriendo de la cocina. Mike la agarró por la camisa, la acercó a la mesa y le acercó la cara a la leche.

—¡Te he dicho que lo lamas!

Seguía manteniéndole la cabeza sobre la leche, y Katie gritaba y forcejeaba. La cogió con más fuerza y aumentó la presión contra la mesa. Luego comenzó a restregarle la cara por la leche.

—Eso es, ahora pareces un cerdo, niñata de mierda. Vete si no quieres que use tu pelo de fregona.

Katie se fue corriendo a su habitación, se puso a gritar y tiró sus juguetes. Cuando escuchó a Mike irse, todavía estaba furiosa. Volvió a la cocina, cogió un cartón de leche, lo llevó a la habitación de su padre y lo derramó sobre su ropa y su mesa. Entonces le brotaron lágrimas, pero de ira y amargura, no de tristeza ni de miedo. Sin embargo, de vuelta a su habitación se asustó. Se dio cuenta de lo que había hecho. Sally no estaba en casa. Sabía que estaría indefensa cuando volviera Mike.

Diez minutos después, escuchó a Mike entrar en casa con un hombre, Kirk, que vivía cerca. Desde su cuarto, los escuchaba hablar sobre el equipo de música de Mike, que Kirk quería comprar. Entonces escuchó a Mike entrar a su habitación.

—¡Será hija de puta! ¡Idiota de los cojones! ¿Dónde está?

Corrió a su habitación, y ella se escondió en el suelo detrás de la cama. Empezó a darle patadas. Luego la arrastró del pelo hasta su habitación y le tiró la ropa mojada por encima. Volvió a pegarle patadas, le escupió y comenzó a orinarle encima. No recordaba nada más de lo sucedido, pero escuchó a Kirk gritando a Mike y luego a Mike dando un portazo.

Kirk se fue y se lo contó a un vecino, que llamó a la policía. Cuando llegaron, Katie estaba sola. Basándose en su aspecto y en lo que les había contado Kirk, la llevaron al hospital. Luego volvieron y detuvieron a Mike.

Esa misma noche, Margaret Davis, una trabajadora de protección infantil, llevó a Katie a su primer hogar de acogida. Dos meses después, tras una audiencia en el juzgado en la que Sally apenas se opuso, Katie pasó a custodia permanente. Al día siguiente, el 9 de noviembre de 1992, le asignaron a un trabajador de servicios infantiles, Steven Fields, al que habían trasladado desde los servicios de protección infantil la semana anterior.

COMENTARIO

En sus primeros cinco años de vida, Katie sufrió incidentes específicos de maltrato físico, verbal y emocional y largos períodos de abandono emocional. Los interminables actos de violación emocional del cuerpo y el espíritu de Katie mediante miradas de disgusto, gritos de rechazo y el silencio mortal de la indiferencia fueron los que la llevaron a perder su deseo de crear un apego seguro con sus padres. El trauma de la violencia sexual y física está bien documentado, y con motivo. El "trauma de la ausencia" característico del abandono es menos obvio para muchos. El ciclo de maltrato que pasa inexorablemente de una generación a la siguiente se ve impulsado con más fuerza por la incapacidad de acceder a apegos significativos y mantenerlos (véase Egeland y Erickson, 1987; Cicchetti, 1989; Schore, 1994). Lamentablemente, a menudo nuestra sociedad pasa por alto la ausencia de interacciones afectivas cruciales entre padres e hijos, ya que no la considera justificación suficiente para una intervención contundente en la vida de un niño pequeño. Por increíble que parezca, es de agradecer que niños como Katie sean víctimas de maltrato a manos de sus padres, ya que eso justifica la intervención. El sistema legal minimiza el maltrato emocional y el abandono a pesar de sus profundos efectos a largo plazo.

Schore (1994), Greenspan y Lieberman (1988), Stern (1985), Sroufe et al. (2005), Siegel (2001, 2012) y Cassidy y Shaver (2016), entre otros, describen el papel crucial del apego en el desarrollo psicológico del niño pequeño. Para Katie, esos cinco años de experiencia en traumas del desarrollo habían desorganizado enormemente sus patrones de apego y la habían hecho incapaz de confiar en los demás para gestionar su angustia. La niña desarrolló una postura de autosuficiencia que implicaba ira, control y disociación de los estados emocionales vulnerables. Redujo su dolor y su conflicto con sus padres anulando el llanto y renunciando a la atención. Sin embargo, su ira generalizada la dejó indefensa ante la ira de sus padres hacia ella y, finalmente, ante el maltrato.

Entre los nueve y los dieciocho meses, Katie habría estado lista para acceder de lleno al mundo de las interacciones y las expectativas sociales. Los comportamientos del niño pequeño se van organizando cada vez más a medida que integra sus propias iniciativas con los límites y orientaciones de socialización de su madre. Durante la socialización, el niño experimenta vergüenza, algo saludable y necesario para las etapas posteriores de su desarrollo. El hecho de que la madre diga que no y ponga límites a su bebé propicia una experiencia saludable de vergüenza durante la cual el bebé agacha la cabeza, evita el contacto visual, pierde la sonrisa y se queda inmóvil unos instantes. Durante esta experiencia, el niño se angustia porque no experimenta sintonía con su madre, se siente confundido por la incertidumbre de las intenciones de su madre y su sensación de autoestima disminuye. Si hay un apego materno-filial seguro, la madre restablece o repara rápidamente el estado intersubjetivo con su hijo, y esto permite al niño integrar esta experiencia de socialización, regular su experiencia de vergüenza y permanecer en un apego seguro —e incluso más intenso— con su madre. Emerge el control temprano de los impulsos y el niño es cada vez más capaz de resolver el conflicto entre sus propios deseos y los límites que su madre impone a su comportamiento. Como su madre es capaz de tener empatía hacia su experiencia subjetiva incluso cuando presenta una expectativa y un límite, el niño es capaz de asociar el límite con su comportamiento, no con el *self*. Las experiencias de vergüenza están contenidas. Al sentir empatía por uno mismo, el niño comienza a sentir empatía por los demás.

Además de estas experiencias de socialización y reparación, el niño se implica en desarrollos cognitivos cada vez más complejos. Con el lenguaje puede ir identificando y expresando su vida afectiva y racional interior y comienza a reflexionar sobre sí mismo. Al mismo tiempo, es consciente de los deseos, afectos, intenciones y comportamientos de sus padres, y su propia vida interior comienza a parecerse a la de ellos. Es capaz de notar los efectos de su comportamiento en los demás, y cuando causa angustia, es probable que se sienta culpable, no avergonzado. Este movimiento de la vergüenza a la culpa es un aspecto extremadamente importante del desarrollo psicológico (Tangney y Dearing, 2002). La culpa se correlaciona con la empatía, mientras que la vergüenza no. La vergüenza se correlaciona con varios síntomas psicopatológicos, mientras que la culpa no lo hace. Schore (1994) considera que la vergüenza generalizada es el mayor impedimento para el desarrollo pleno de una conciencia. En algún momento del tercer año de vida, el niño es capaz de participar constantemente en interacciones verdaderamente recíprocas e intencionales con sus padres, y esta habilidad continúa desarrollándose durante el resto de su primera infancia. Este niño ha formado un sentido de sí mismo que se desarrolla coherentemente y un apego seguro y diferenciado hacia su madre. Katie no era ese tipo de niño.

Durante sus primeros dieciocho meses, Katie vivió muchas menos experiencias intersubjetivas de las necesarias para el desarrollo de su sentido del *self*, para su afecto, para el desarrollo y regulación neurológicos y para la seguridad de su apego con su madre. Debido al desarrollo insuficiente de su sensación de seguridad de apego, no estaba preparada para las experiencias rutinarias de vergüenza y miedo y sus efectos en estos procesos intra e interpersonales tempranos. Sin embargo, sus experiencias vergonzosas distaban de ser rutinarias. El amplio rechazo, desprecio y disgusto que experimentaba al "socializar" dañó enormemente sus pocas experiencias positivas iniciales. Estas experiencias generalizadas de vergüenza y miedo se hicieron aún más traumáticas para su desarrollo porque no venían seguidas de experiencias de reparación rápida que le brindaran la tranquilidad necesaria para mantener cualquier posibilidad de un sentido positivo y estable de sí misma y un apego seguro. Como resultado, negaba los eventos de comportamiento asociados con la vergüenza y el miedo y reaccionaba cada vez con más rabia en respuesta a estas realidades hostiles y negativas. Dejó de buscar o responder a cualquier experiencia intersubjetiva que pudiera haber disponible. Más bien, su vida se llenó de un aislamiento emocional de sus padres cada vez mayor, junto con patrones de comportamiento destinados a controlar su entorno de manera defensiva y las primeras construcciones cognitivas que transmitían la sensación de que era mala y de que sus padres no la valoraban ni eran de fiar. Según Schore (1994), la severa vergüenza patológica que Katie experimentó mermó enormemente su capacidad de interiorización, que permite un apego diferenciado, y amenazó en gran medida su esquema inicial. La vergüenza de Katie era como un cáncer que se extendía por todo su ser psicológico. Impregnaba cada percepción, experiencia y comportamiento, y no dejaba aire ni luz para su crecimiento. No en vano J. S. Grotstein se refiere a la vergüenza generalizada como el "agujero negro" de la vida psíquica (citado por Schore, 1994). El excelente trabajo de Kaufman, *Psicología de la vergüenza* (1994), demuestra los efectos devastadores de la vergüenza generalizada en el desarrollo de la vida afectiva y, por ende, de la propia identidad.

El camino de Katie atravesó un terreno duro y estéril. Comenzó con terror, una niña en medio del ruido, el frío y el dolor. Cuando empezó a comprender ese terreno, pasó a la desesperación, una tristeza que reconocía lo que el núcleo de su *self* pedía a gritos sin respuesta. El terror y la desesperación crearon sus lágrimas, unas lágrimas que se secaron y le rompieron el corazón, pero que no hicieron crecer nada en la tierra. No supo lo que es sentirse aliviada por la presencia y el afecto de sus padres y no desarrolló la capacidad de calmarse a sí misma. No intentó complacer a sus padres, aprender sobre su mundo o volverse como ellos. Se embarcó en un viaje solitario en el que la manipulación, la ira, la evitación y el control —y no el amor ni la autonomía— son cruciales para la supervivencia. Cuando este viaje se vuelve irreversible, representa la muerte del alma. A los dos años de edad, el camino de Katie iba en esa dirección. No fue irreversible. De hecho, los profesionales no tienen la capacidad de predecir cuándo es imposible cambiar el funcionamiento de una persona. Solo podemos seguir desarrollando nuestros conocimientos y habilidades, conocer a la persona y su vida y ponernos a ello.

La vergüenza acompañó a Katie en su camino. La vergüenza impregnó su sentido del *self* y dejó su aroma en cada iniciativa e interacción que definió su joven vida. La vergüenza no es una compañera agradable. La alejó tanto de los momentos de alegría como de los sentimientos de valía y alegría, con la cabeza gacha y lejos de las miradas de disgusto de sus padres. La vergüenza imprime su mensaje en los músculos, el corazón y la mente: "Tienes defectos. No aportas alegría a los demás. Eres mala y no vales nada".

Pero como ocurre a menudo, la vergüenza de Katie no se queda quieta, intentando no molestar. Más bien estalla con rabia una y otra vez. Al no conseguir su objetivo, hace que todo estalle. Y los que no consiguen su objetivo suelen sufrir. La vergüenza grita: "Vale, no lo he conseguido. No valgo nada. ¡Pero tú tampoco! Soy odiosa. ¡Y te odio! No sentiré el dolor que nunca se va. ¡Te lo infligiré a ti!".

Katie no estaba a salvo. No era capaz de seguir un camino —el de la infancia— que precisa ser seguro para poder existir. No estaba lo suficientemente segura como para consolarse cuando estaba asustada, triste o sola. Tampoco estaba lo suficientemente segura como para arriesgarse a abrir su mente y su corazón lo necesario como para compartir la experiencia de la alegría con los demás. No, Katie no experimentó ni consuelo ni alegría.

Así era Katie cuando llegó a su primer hogar de acogida. No podía y no quería bailar como bailan los niños. Solo sentía la rabia con la que solía remediar su vergüenza, su terror y su desesperación.

CAPÍTULO 3

RUTH DALEY, HOGAR DE ACOGIDA N.º 1

Cuando Katie pasó al programa de acogida, la asignaron a la casa de Ruth Daley. Ruth vivía en Sídney con su esposo, Ray, con dos hijos propios y con otro niño de acogida de tres años, Dustin. Ruth había sido madre de acogida durante varios años siguiendo una tradición iniciada por su propia madre durante la generación anterior.

El trabajador social de los servicios infantiles de Katie, Steven Fields, había sido transferido recientemente desde los servicios de protección infantil del departamento. Steven estaba entusiasmado con el cambio. Ya no tendría que investigar los informes de maltrato y determinar un plan de acción inicial. Estaba cansado de intentar convencer a los padres de que maltratar a sus hijos estaba mal. Se había hartado de hacer frente a sus mentiras y de tragarse la rabia cuando lo que en realidad quería era gritarles por proyectar violencia contra sus propios hijos. No podía enfrentarse a más excusas, al torrente de culpa que no paraba de fluir y a la aparente indiferencia ante las terribles cicatrices físicas, emocionales y mentales que dejaban en sus hijos. No podía mostrar mucha empatía por esos padres, aunque intelectualmente sabía que lo más probable es que también los hubieran maltratado y no hubieran recibido ninguna ayuda. Al principio sentía empatía por ellos, pero después de repetidos fracasos al intentar cambiar las cosas, la única energía que le quedaba era para culparlos por sus acciones. Es cierto que consiguió ayudar a algunos de los padres a aceptar la responsabilidad por sus acciones y a comenzar a trabajar activamente para recuperar a sus hijos. Pero estos éxitos eran demasiado escasos para él. Por último, ya no podía afrontar la duda y el temor extremos que sentía cada vez que decidía permitir que un niño se quedara en su hogar ante la posibilidad de que el maltrato continuara.

Ahora Steven iba a trabajar con los niños de acogida que habían pasado a custodia protectora. Estarían en hogares seguros mientras él trabajaba con sus padres para ver si conseguían volver a estar juntos. Si los padres no pudieran o no estuvieran dispuestos a trabajar, él podría asegurarse de que el niño recibiera una alternativa que, en última instancia, podría proporcionarle un hogar de acogida estable y cariñoso a largo plazo o un hogar adoptivo.

Ese día, la supervisora de Steven, Kathleen English, le iba a asignar sus primeros casos. No experimentaba la ansiedad que sufrió cuando comenzó en los servicios de protección infantil. Confiaba en sus habilidades y en tener más oportunidades de usarlas para cambiar realmente las vidas de los niños de acogida que le asignaran. Le gustaba Kathleen; parecía ser muy minuciosa y profesional, a la vez que sensible y receptiva con los trabajadores de acogida, con los padres de acogida y con los niños. Sus dos compañeros de trabajo más directos, Al Fortin y Barbara Stevens, también parecían ser buenas personas con las que trabajar.

Kathleen le pidió a Steven que la acompañara a su despacho, que tenía una ventana de verdad y que ocupaba solo la mitad que los despachos de sus tres trabajadores juntos, rodeado de paneles que se quedaban a dos palmos del techo. Ese día le dio cinco casos y le sugirió que leyera sus registros, que los comentara con ella y que luego visitara a cada niño en su hogar de acogida la semana siguiente.

El primer caso que Steven revisó fue el de Katie Harrison. Se fijó en su fecha de nacimiento y echó un vistazo al papel amarillento que acababa de colocar sobre su nueva mesa en el que figuraba la fecha de su primer día de trabajo en el DHS: el 4 de agosto de 1987. Ya tenían algo en común. Se interesó aún más por ella cuando vio sus grandes ojos marrones, su pelo negro corto y liso y su amplia sonrisa en la foto con su nombre. Era una encantadora niña de cinco años. Inmediatamente la reconoció como aquella niña cubierta de moratones que se habían ganado el corazón de Margaret Davis cuando la recogió en el hospital. Margaret se había hecho el firme propósito de que nadie volviera a hacer daño a Katie. Había trabajado horas extra para llevar su caso a juicio cuanto antes.

Steven revisó rápidamente su expediente. Vivía con Ruth Daley, que había sido madre de acogida durante diez años. Otros compañeros la consideraban competente y comprometida con los niños que tenía a su cargo. Katie estaba ahora en un programa de Head Start y tenía una terapeuta, Jan Temple, en el Centro de Salud Mental de Mid-Maine.

Descubrió que los padres de Katie, Mike y Sally, todavía estaban juntos. Aunque intentaba no juzgar, no conseguía entender cómo podía seguir Sally con Mike después de lo que le había hecho a Katie. Sally tenía visitas semanales de una hora con Katie que estaban supervisadas por un visitador social que pertenecía a Catholic Charities. Había completado una evaluación psicológica que ponía de manifiesto algunas preocupaciones sobre su forma de operar y sobre la crianza en general. Sally accedió a comenzar con la asesoría individual en el centro de salud mental, así como a inscribirse en un curso para padres. Mike tenía acusaciones penales pendientes y su abogado le había aconsejado que no hablara con un psicólogo hasta después de que se juzgara su caso. Tampoco estaba interesado en visitar a Katie.

Steven llamó al centro de salud mental y tuvo la suerte de dar con Jan Temple. Jan le indicó que aún no conocía muy bien a Katie, ya que la había visto solo dos veces. Quería pasar algún tiempo conociéndola y estableciendo una relación. Por el momento, dejaba que Katie eligiera lo que quería hacer en sus sesiones terapéuticas de juego. Hasta ahora, a Jan le había resultado un placer trabajar con ella. Katie no había hablado mucho de su vida con sus padres.

Steven llamó a Ruth Daley y quedó con ella en ir a su casa y llevar a Katie a comer a McDonald's. Estaba a unos veinte minutos en coche de su oficina. Ruth y su familia vivían en una antigua granja rodeada de extensos campos en los que todavía trabajaba un agricultor vecino.

Steven vio a dos perros cuando paró el coche en el camino de entrada a la casa. Decidió que Katie no podía haber ido a parar a un hogar mejor.

Ruth era una mujer amable y práctica que había vivido en Sídney la mayor parte de su vida. Fue a recibir a Steven a su coche y le enseñó un pequeño granero en el que tenían un pony y dos cerdos.

—¿Qué tal va todo con Katie? —preguntó Steven.

—Pues nos está dando bastante trabajo. Esperemos que se asiente a medida que se acostumbre a vivir aquí. Es una niña con una voluntad muy fuerte, probablemente porque la ha necesitado para sobrevivir. ¡No le gusta que le digan lo que tiene que hacer! También es bastante ruda con Dustin, mi hijo de tres años. Tengo que vigilarla mucho.

—¿Y cómo está llevando las visitas de su madre?

—Bien, aunque no habla demasiado de ello. Tampoco menciona a su madre en ningún otro momento. Además, suele estar mucho más enfadada y a la que salta durante los días posteriores a las visitas.

En ese momento, Katie salió corriendo y gritando "¡McDonald's!". Steven se echó a reír y pensó de inmediato que le gustaba esa niña tan directa y vital. Ruth los presentó y Katie preguntó a Steven enseguida si la iba a llevar a McDonald's ya. Él sonrió y le dijo que sí. Fueron hacia el coche, él caminando y ella corriendo. A Steven le pareció un excelente comienzo. No había que preocuparse de que la niña pudiera tenerle miedo. Incluso le pareció que le había gustado a Katie y que estaba contenta de que él fuera su asistente social. No pensaba decepcionarla.

En McDonald's, Steven descubrió la cantidad de energía que hacía falta para supervisar a esta niña de cinco años. No dudó en decirle lo que quería comer, dónde quería sentarse, cuándo quería ir a la zona de juegos y cuándo quería su tarta de manzana. Él tenía muchísimas ganas de complacerla; ella estaba muy agradecida y agradable. Se quejó cuando llegó el momento de irse, ¿pero qué niño no lo haría? Steven intentó explicarle cuál era su trabajo en el camino de regreso a Sídney, pero a ella no le interesó, como tampoco mostró interés en usar el cinturón de seguridad. Tuvo que decirle dos veces que se lo volviera a abrochar. Katie hizo una pausa y lo miró, pero obedeció. No fue muy difícil. Solo necesitaba algo de tiempo para escuchar lo que le pedían que hiciera. No había que presionarla demasiado; al final hacía lo que le pedían. Pensó en hacerle esa sugerencia a Ruth, pero se le fue de la cabeza cuando conoció a Dustin y a los hijos mayores. Cuando se fue, escuchó a Ruth gritarle a Katie que soltara la camioneta de Dustin. Siguió gritando a la niña cada vez con más fuerza conforme Steven caminaba hacia su coche. Tendría que hablar con ella sobre otras formas de acercarse a Katie.

* * *

Durante los meses siguientes, Steven conoció a sus primeros cinco niños y le asignaron a otros quince. Kathleen le avisó de que le asignaría cinco más en unas pocas semanas hasta tener un total de veinticinco casos. Steven estaba empezando a pensar que puede que Al tuviera razón al decirle que a veces sentía como si tuviera que trabajar setenta y cinco horas a la semana para poder cumplir con las múltiples responsabilidades de gestionar la carga de trabajo que suponían veinticinco niños. ¡Cuánto papeleo! ¡Cuántas visitas entre padres e hijos tenía que concertar y supervisar si no había un visitador social o un ayudante disponible! ¡Y encima la preparación de los juicios! Había muchísimos documentos que revisar, organizar y preparar para el asistente del fiscal general que representaba al DHS ante el tribunal. Las solicitudes de los padres de acogida también precisaban mucho tiempo y energía. Y luego estaban las llamadas frenéticas de padres de acogida que decían que el comportamiento del niño era intolerable y que tendría que mudarse en unas pocas semanas. Steven intentaba resolver el problema, pero muchísimas veces sus esfuerzos eran en vano y se pasaba horas buscando otro hogar.

Tras su segundo fracaso en mantener a un niño en un hogar de acogida, Ruth Daley lo llamó para decirle que el comportamiento de Katie estaba empeorando.

—Es como si todos los días hiciera algo por lo que reprenderla —le dijo Ruth—. Ayer tiró la bici de Dustin a la pocilga de los cerdos y no la hemos encontrado hasta esta mañana. ¡Menudo desastre! Anteayer atascó el váter con unas toallas, y unos días antes me robó la pulsera que Ray me había regalado por Navidad. Todavía no la hemos encontrado.

Y te cuento solo las cosas *gordas* que ha hecho.

—¿Y cómo sabes que fue ella quien te robó la pulsera? —le preguntó Steven.

—Era la única que estaba sola arriba la mañana que la eché a faltar. Además, había mostrado mucho interés en ella.

—¿Está molesta por algo últimamente? —preguntó Steven.

—Pues no se me ocurre nada. Las visitas son difíciles, pero siempre lo han sido.

—¿Has hablado con su terapeuta?

—Sobre estas últimas cosas no. Normalmente la pongo al día antes de la sesión de terapia. Mañana tenemos sesión.

—Si te parece bien, me gustaría asistir —dijo Steven.

—Perfecto —dijo Ruth—. Allí nos vemos.

El día siguiente era el 15 de enero de 1993, y Steven estaba hasta arriba de trabajo, pero hizo un hueco para acudir a la consulta de Jan Temple a las diez de la mañana. No quería que esta acogida saliera mal.

Ruth le contó a Jan lo de la bici, lo del váter y lo de la pulsera, y añadió algunos incidentes, como cuando Katie la había insultado, le había roto el radiocasete a su hijo de quince años o había metido un clavo en el pienso de los cerdos.

—Ya no sé qué hacer —dijo Ruth—. Le digo que no haga algo y ella me escucha perfectamente y luego lo hace de todos modos. Cuando la pillo, miente al respecto, ¡aunque la vea hacerlo! Si le digo que deje de hacer algo que quiere hacer, me insulta e intenta pegarme. Y en cuanto se enfada con alguien, empieza a maquinar formas de devolvérsela. Se enfadó con Jack por contarme que había pegado a Dustin, y dos horas más tarde su radiocasete estaba roto. Lo he intentado todo: tiempos fuera, pérdida de privilegios, charlas. No sabemos qué más hacer.

Jan era una terapeuta experimentada que había tratado a varios niños de acogida durante los últimos diez años. Le gustaba Ruth y coincidía con Steven en que era un buen hogar de acogida que había que intentar preservar.

—Katie solo ha vivido contigo unos cuatro meses —dijo Jan—. Todavía muestra signos del maltrato que probablemente sufrió durante cuatro años. Está todavía muy enfadada y no confía mucho en nadie. Sé que es muy difícil criarla ahora, Ruth, pero tenemos la esperanza de que si seguimos trabajando con ella, acabará confiando más y no sea tan difícil. Va a hacer falta mucha paciencia, pero creo que puede conseguirlo.

—¿Ha habido progresos en la terapia? —preguntó Steven.

—Nada significativo. Es fácil trabajar con ella. Cuando estamos en terapia no presenta ninguno de los problemas que crea en casa. Muestra algo de ira cuando juega con la casa de muñecas. Puede ser bastante agresiva jugando y hace que las muñecas de las madres hagan daño a las niñas. Espero que pueda superar su miedo y su rabia por la forma en que la trataron. Intenta cazarla siendo buena y dile lo contenta que estás por ello —dijo Jan dirigiéndose a Ruth—. Elige tus batallas y pasa por alto algunos de sus comportamientos menos extremos. Usa los tiempos fuera, pero solo de un minuto por cada año de su vida. Utiliza un cronómetro, pero no lo actives hasta que Katie se siente y deje de gritarte.

—¿Y qué hago cuando rompa o robe algo? —preguntó Ruth.

—Si estás segura de que ha sido ella, mándala a un tiempo fuera y haz que te diga que lo siente. Intenta que tus hijos no dejen cosas de valor por ahí para que no pueda cogerlas. Prohíbele entrar en sus habitaciones.

—Me temo que dará con la forma de romper algo —respondió Ruth—. No podemos vigilarla tanto. Puedo perderla de vista un minuto, y con eso le basta.

—Puede que tengas que poner cerraduras en las puertas del dormitorio para que no pueda entrar. Así solo podréis entrar tus hijos o tú —sugirió Jan—. ¡Y no la encierres en su habitación!

Se rieron, pero Ruth se reconoció a sí misma que la idea le resultaba atractiva, aunque nunca lo haría.

Steven tomó nota de las recomendaciones de Jan. Su sugerencia inicial de que criar a Katie requería paciencia parecía importante, así que se lo recalcó a Ruth y le dijo que ella era importante para Katie.

Ruth pensó por un momento y luego dijo:

—Hasta ahora no estoy segura de lo que significo para ella. Si se fuera mañana, no creo que le importáramos ni yo ni ningún otro miembro de mi familia.

Steven no estaba seguro de qué decir. Jan rompió el silencio sugiriendo que volvieran a reunirse en un mes y revisaran el progreso de Katie. Steven y Ruth se fueron a la sala de espera y Jan fue a buscar a Katie para la sesión.

—¿De verdad crees que a Katie no le importaría que la reasignara mañana mismo? —preguntó Steven.

—Eso me temo —respondió Ruth en voz baja.

* * *

El 27 de enero de 1993, la esposa de Steven, Jenny, dio a luz a Rebecca en la cama de matrimonio de su casa. La matrona, Tina, había estado allí las tres horas anteriores al nacimiento. Steven estaba ocupado ayudando a Jenny con la respiración y corriendo por la casa en busca de mantas, música, agua y cualquier otra cosa que le hiciera sentir útil. Cada quince minutos le preguntaba a Tina si todo iba bien. Jenny acabó cansándose.

—Steven, si necesitas hacer algo, ¿por qué no vas al cobertizo y cortas leña para el invierno? En cuanto llegue el bebé te avisamos.

Tina sonrió y dijo:

—En cierto modo, esperar es más difícil para ti que para Jenny, ya que no estás haciendo el trabajo. Lo mejor que puedes hacer por Jenny es crear un ambiente relajado. Concéntrate en tu propia respiración y escucha la música. Te avisaré si hay algo más práctico que puedas hacer.

Mientras Rebecca nacía, Steven estaba sentado detrás de Jenny cogiéndole de la mano y poniéndole un paño húmedo en la frente.

—¡Es una niña! —dijo Tina emocionada—. ¡Y menuda energía! Va a ser una luchadora.

Tina la examinó, la pesó y la puso en los brazos de Jenny.

—Qué ojazos marrones tiene —dijo Jenny. Los ojos eran también lo único que Steven podía ver mientras la niña miraba a Jenny—. Es realmente nuestra, ¿verdad? —susurró Jenny—. Ya está en casa, está a salvo. Hola, Rebecca. Eres un bebé precioso. Estamos muy felices de conocerte. —Jenny no salía de su asombro—. Es tan bonita, tan preciosa. Es nuestra hija.

Jenny examinó el cuerpo de Rebecca, desde sus uñitas hasta su pelo castaño oscuro. La tocó y se la acercó, la meció lentamente y le habló para darle la bienvenida a la familia. Steven no entendía lo que Jenny le estaba diciendo a Rebecca, pero fuera lo que fuera, estaba bien.

Durante la semana siguiente, no hubo nada que Rebecca hiciera que quedara sin respuesta por parte de sus padres. Tenían a la madre de Jenny en casa y Steven estaba feliz por ello. Alice se ocupaba de cocinar y de lavar la ropa, y consiguió mantener la casa bastante limpia. También aportó un aire de confianza. El hecho de que aprobara cómo estaban cuidando al bebé era importante para ellos. Ella conocía a los niños de maneras que ellos ignoraban. Jenny y su madre hablaron de más cosas de las que Steven era capaz de recordar. Por el momento, estaba siendo una gran abuela.

Como Alice se quedaba con ellos otra semana más, Steven pudo volver a trabajar sin demasiada ansiedad. Lo recibieron con serpentinas y globos sobre su mesa y con una taza grande con la palabra "Papá" en la parte superior. Betty, Barbara y Kathleen sonrieron, celebraron el acontecimiento y le hicieron un montón de preguntas que Steven no sabía responder. Finalmente lo obligaron a hacer una lista de preguntas que hacerle a Jenny si quería que lo dejaran entrar al trabajo al día siguiente.

Steven pasó la mayor parte de la jornada poniéndose al día con sus casos. Tenía un mensaje de Jan Temple que había que responder.

—Hola, Jan, acabo de incorporarme. ¿Qué pasa? —le preguntó Steven.

—Las últimas tres semanas de Katie en su hogar de acogida han sido tan difíciles como de costumbre. Creo que Ruth se está desmoronando. Intenté hablar con Katie sobre su comportamiento en casa, pero no quiso ni oírme.

—¿Ha hecho algo grave? —preguntó.

—No, a no ser que su constante actitud retadora, iracunda y destructiva te parezca algo serio. Aquí tenemos un especialista en comportamiento que podría asesorarnos en el desarrollo de un plan de gestión del comportamiento para Ruth. Eso podría darle algunas herramientas que serían más efectivas que lo que está haciendo ahora. ¿Quieres que organice una reunión con él?

Steven respondió que probablemente sería una buena idea desarrollar una manera más efectiva de comunicarse con Katie.

—Sí, hazlo y avísame de la fecha. Me aseguraré de poder asistir. Voy a llamar a Ruth para ofrecerle mi apoyo.

Cuando Ruth contestó al teléfono, estuvieron hablando durante diez minutos de Rebecca antes de que él preguntara por Katie.

—Es que no tengo ni idea de cómo comunicarme con ella —dijo Ruth—. Es una gran niña, pero no quiere que le digan lo que tiene que hacer. Si las cosas van como ella quiere, todo marcha bien. Pero por Dios, ¡la vida no es siempre así! No soporta no salirse con la suya.

—¿Y si hablo con ella? —le preguntó Steven.

—Pues estaría genial —respondió Ruth—. Cuando yo hablo con ella no llego a ninguna parte. De hecho, es como si ella pensara que de alguna manera está ganando.

Steven le contó a Ruth lo de la reunión con el especialista en comportamiento y quedó en ver a Katie al día siguiente.

* * *

El 6 de febrero de 1993, Steven recogió a Katie para su tercera visita a McDonald's. La dejó pedir lo que ella quiso y luego fueron a la zona de juegos un rato. Después de divertirse, era más probable que la niña cooperara cuando él le hablara de sus problemas. Ya de vuelta a casa, Steven le habló a Katie de las preocupaciones de Ruth. Le preguntó por qué pensaba ella que se estaba metiendo en tantos problemas. La actitud de Katie cambió de inmediato. Parecía estar hosca y tensa. Steven repitió su pregunta y ella respondió:

—¡Ruth no es justa conmigo! Siempre me está gritando, pero nunca le grita a Dustin. ¡Él le gusta!

Steven le sugirió que ella también le gustaba a Ruth. Además, le insinuó que Ruth no se enfadaba con ella, sino con su comportamiento.

—¡Sí que lo hace! —dijo Katie—. Nunca me deja hacer nada. ¡Es mala conmigo!

Steven no sabía qué decir. No creía que una discusión con ella la fuera a hacer cambiar de opinión. Tal vez si le contaba a Ruth los sentimientos de Katie, Ruth podría tranquilizarla y tratar de no enfadarse tanto con ella.

—Estás en una buena casa, Katie —dijo Steven—. Intentaré ayudaros a ti y a Ruth a llevaros mejor. Quiero que seas más feliz con tu mamá de acogida.

—¡Ella no es mi mamá! Y además, no me gusta —dijo Katie.

Cuando llegaron a casa de Ruth, ella le preguntó a Steven cómo había ido.

—Cree que Dustin te gusta más que ella —dijo Steven—. Parece que necesita saber que te preocupas por ella.

—Es que ya no sé qué más hacer para demostrarle que me preocupo por ella y que quiero ayudarla —dijo Ruth.

—Cuando haga algo mal, ¿podrías decirle que te preocupas por ella y que solo la estás corrigiendo para que sepa qué es lo correcto? —le sugirió Steven.

—Trataré de ser más cuidadosa cuando la regañe —respondió Ruth sin mucha confianza en que la sugerencia de Steven fuera a ser de ayuda.

De vuelta a la oficina, Steven pidió ideas a Barbara:

—Está en una buena casa, pero creo que ella no piensa lo mismo. ¿Cómo podemos llegar a ella?

—Probablemente Katie no sepa cómo ser "buena" —respondió Barbara—. Puede pasar mucho tiempo antes de que mejore. Algunos niños nunca llegan a hacerlo.

—¿Por qué no? —preguntó Steven.

—Ojalá lo supiéramos —dijo Barbara—. Si Ruth consigue aguantar, puede que Katie empiece a confiar en ella. Pero si Ruth se da por vencida, puede que nunca confíe en nadie.

Steven estaba preocupado. ¿Que podía hacer?

—Tengo la sensación de que en tan solo una semana Rebecca confía en Jenny y en mí más que Katie en Ruth después de cinco meses. ¿Por qué no lo entiende Katie?

—Rebecca nunca ha sufrido maltratos ni abandono. Katie tiene muchas razones para no confiar. Necesita más tiempo. Tu trabajo es ayudar a Ruth a concederle a Katie más tiempo para no darle más motivos para no confiar.

—Ruth no está segura de que a Katie le importe quedarse o no con ella —dijo Steven.

—Seguro que sí le importa, pero probablemente no sepa cómo demostrarlo.

—Bueno —dijo Steven—, ojalá que lo averigüe pronto, porque si no, vamos a tener un problemón.

El 11 de febrero, Steven y Ruth se reunieron con Bill Jenkins, el especialista en comportamiento, en la consulta de Jan. A Steven le gustaba Bill. Parecía ser un hombre razonable que quería ayudar a Ruth y a Katie. Entre todos le relataron los comportamientos de Katie en los últimos cinco meses.

—Creo que tenemos que buscar formas de que Katie experimente cierto éxito —dijo Bill—. Se mete en problemas tan a menudo que probablemente haya renunciado a cualquier expectativa de poder hacerlo mejor. Deberíamos comenzar con un sistema de recompensas en el que le resulte fácil tener éxito y aumentar gradualmente las expectativas. ¿Por qué no empezamos desarrollando una lista de comportamientos que queremos que potencie, de otros que queremos que cambie y de cosas que le gustan y que podemos usar como recompensas?

Durante los siguientes cuarenta y cinco minutos, Bill ayudó a Ruth a identificar comportamientos muy específicos que debían cambiar en una u otra dirección. También determinaron juntos lo que a Katie realmente le gustaba hacer para poder vincular esos privilegios a los comportamientos apropiados. Bill identificó tres comportamientos (ausencia de agresividad física, seguir instrucciones y pedir permiso) en los que se centrarían primero. Partió cada día en bloques de tiempo y sugirió que Katie recibiera una moneda de juguete por cada uno de los tres objetivos de comportamiento que lograra en cada bloque de tiempo. Podía cambiar sus monedas por recompensas cada día o podía guardarlas para obtener recompensas más grandes cada semana.

Bill sugirió a Ruth que comenzara poniéndoselo fácil para que Katie obtuviera recompensas y pudiera "involucrarse en el programa" a través de los primeros éxitos. Revisarían el desarrollo del programa en dos semanas. Ruth parecía estar muy motivada a probar el plan. Se lo explicaría a Katie esa noche y comenzaría al día siguiente. Steven se permitió sentirse algo optimista acerca del éxito del plan.

Tres días después, Steven llamó a Ruth para saber cómo iba todo.

—Por ahora bien —dijo Ruth—. Katie parece estar interesada en conseguir monedas. De hecho, le falta tiempo para recordarme que le debo algo. Está menos agresiva y más dispuesta a hacer lo que le digo. Por ahora no ha gastado sus monedas. Las está guardando para comprar una muñeca la semana que viene.

Cuando se reunieron con Bill, Ruth ya no estaba tan contenta como al principio. Les contó que Katie consiguió su muñeca, pero la rompió a los dos días.

—Ahora está ahorrando para ir a McDonald's. No consigue monedas tan rápido como antes, pero sigue estando mejor.

Bill hizo algunas modificaciones en el programa. Katie tendría que gastar algunas de sus monedas cada día en lugar de guardarlas todas.

Se volvieron a encontrar a las dos semanas y Ruth parecía algo desanimada. Les contó que Katie seguía consiguiendo monedas, pero el ritmo se había reducido aún más. Parecía sentirse algo complacida por el hecho de haber descubierto cómo ganar recompensas y mantener a la vez muchas de sus conductas problemáticas anteriores.

—Ayer le dio un golpe a Dustin y lo tiró al suelo. A los diez minutos me dio cinco monedas para ver un vídeo. Me sonreía como si me estuviera diciendo: "Ja, ja, tienes que dejarme verlo incluso aunque le pegue a Dustin". Me entraron ganas de cogerle las monedas y tirarlas, pero no lo hice, así que se salió con la suya.

Bill sugirió a Ruth que volviera a modificar el programa, pero sin ponerle más difícil que consiguiera recompensas. Se mostraba reacio a que Katie perdiera monedas por ciertos comportamientos por temor a que volviera a surgir un ciclo negativo. Katie también obtendría una recompensa especial al final de cada día si no era agresiva en todo el día.

En marzo se volvieron a encontrar con Bill. Ruth estaba aún más frustrada.

—Si quiere algo a toda costa, sigue el programa perfectamente. Pero en cuanto lo consigue, se vuelve tan agresiva e intratable como siempre. O si por alguna razón no quiere ninguna recompensa en particular, hace lo que le da la gana ese día y no intenta seguir el plan en absoluto. Entonces, si cambia de opinión y quiere la recompensa, se enfada conmigo como siempre por no dársela.

Bill apuntó que Katie estaba aprendiendo que tenía que seguir el plan si quería recompensas. Ahora lo estaba probando, y cuando se diera cuenta de que Ruth seguiría con el plan y no la recompensaría, sería más probable que cumpliera. Luego sugirió cambiar el valor de las monedas para que reforzaran más aún el comportamiento de Katie, que era una de las cosas que más preocupaban a Ruth.

A finales de marzo, Bill reconoció que el comportamiento de Katie no había cambiado significativamente desde el principio del programa siete semanas atrás. Cuando quería algo, hacía lo que era necesario para obtener lo que quería sin problemas. Pero una vez que se salía con la suya, todo se desvanecía. Bill seguía temiendo que si Ruth le ponía más difícil conseguir monedas o si Katie perdía las que ya había ganado, su motivación disminuiría aún más.

Durante abril y mayo de 1993, Steven y Ruth hablaban tres veces por semana sobre Katie. La mayoría de sus conversaciones consistían en que Ruth le informaba de algo nuevo que hubiera hecho. Al principio Steven le hacía varias preguntas con el fin de entender sus motivos para que supieran cómo evitar que se repitiera el problema. ¿Por qué habría rascado la pintura del coche del cura, que había venido de visita? ¿Por qué habría destrozado su propio colchón con un tenedor? Podía comenzar a entender por qué cogía galletas sin permiso, pero ¿por qué cogía tierra y la ponía en la tostadora? ¿Por qué gritaba, insultaba y daba una patada a Ruth por decirle que metiera su ropa en el cajón? ¿Por qué se escondía detrás de la puerta y saltaba encima de Ruth o de Dustin cuando pasaban? Una vez Ruth se asustó, dio un brinco, perdió el equilibrio y se torció el tobillo. A Katie parecía gustarle *Aladdin*.

¿Por qué sumergió ese DVD en los tres dedos de agua que había en el fregadero?

Steven se reunió con Kathleen, Al y Barbara, así como con Betty Norton, otra colega con experiencia en la que había llegado a confiar, para comentar qué podía hacer para mejorar la situación.

—¿Por qué no tratas de asegurarte de que Ruth se toma un respiro de Katie un fin de semana al mes? —sugirió Al.

—En agosto cumple seis años —dijo Barbara—. Podría asistir a un programa de de verano que ayudaría durante las vacaciones.

—Hay un programa de crianza en el centro de salud mental que podría ser útil para Ruth —dijo Kathleen—. Ofréceselo. Seguro que aprecia la oferta incluso aunque no quiera apuntarse.

—Has dicho que el comportamiento de Katie suele empeorar un poco después de las visitas de su madre. Pregúntale a Jan si estaría dispuesta a escribir una carta recomendando que se suspendan esas visitas hasta que Katie haya comenzado a estabilizarse.

—¿Pero cómo hacemos para que Katie deje de comportarse como si fuera la peor niña del mundo o como si estuviera en la peor casa del mundo? —preguntó Steven.

—Steven, si hubiera algo que no hubieras probado que pudiera ser de ayuda, Jan, Bill, Ruth o uno de nosotros ya te lo habríamos sugerido —dijo Kathleen—. Sé cuánto deseas que esto funcione. Lo estás haciendo lo mejor que puedes. Y Ruth también. Ahora necesita tu apoyo. Limítate a escucharla y asegúrale que esto no es por su culpa.

Tras una larga pausa, Steven respondió:

—Tienes razón, Kathleen, gracias. Pero es que es solo una niña de cinco años. Puede llegar a ser tan linda, tan amable y tan servicial... ¿Por qué no es siempre así? Sé que la maltrataron, pero ya han pasado ocho meses. Ruth ha sido muy buena con ella y Jan es una gran terapeuta. ¿Cuándo parará esto?

* * *

El 17 de junio de 1993, Katie finalizó su etapa con Ruth. Katie y Dustin estaban afuera jugando en el columpio y Ruth los observaba desde la ventana abierta de la cocina mientras se relajaba en la sobremesa. Se perseguían el uno al otro alrededor del tobogán mientras se reían juntos más de lo que Ruth podía recordar. Katie pudo haber atrapado a Dustin, pero tuvo cuidado de no hacerlo, y él se rio más fuerte. Katie miró a Ruth, aparentemente en busca de aprobación por estar jugando muy bien con Dustin. Ruth sonrió y les gritó que les iba a dar un polo a cada uno por lo bien que estaban jugando.

Cuando Ruth abrió el congelador, oyó un grito. Se acercó corriendo a la ventana y vio a Dustin en el suelo y a Katie de pie junto a él. Horrorizada, Ruth vio a Katie armar el pie y darle una patada a Dustin en la cabeza. Ruth gritó "¡Katie, no!" y salió corriendo. Cuando se acercó, vio a Katie darle otra patada y colocarse corriendo detrás del columpio. Ruth se acercó a Dustin, que gritaba y lloraba en el suelo. Lo abrazó y trató de calmarlo. Miró hacia Katie y se le cortó la respiración. Katie los estaba observando con una sonrisa que Ruth nunca había visto antes. Parecía emocionada y complacida, no asustada o enfadada. ¡Katie parecía feliz!

Ruth llevó a Dustin adentro para curarle los moratones. Lo examino y lo cogió hasta que dejó de llorar. ¡Y entonces Katie entró y le pidió su polo!

—Le has hecho daño a Dustin, Katie —dijo Ruth—. No hay polo para ti. Dile que lo sientes.

—¡Has dicho que me ibas a dar un polo! —gritó Katie—. Quiero mi polo. ¡Dámelo!

—¡No, Katie! —dijo Ruth—. No después de lo que le has hecho a Dustin. Dile que lo sientes.

—¡Te odio! —dijo Katie—. ¡Y no lo siento! ¡Me alegro de haberle hecho daño! ¡Te odio!

Katie volvió a salir corriendo mientras Ruth seguía tratando de consolar a Dustin. Finalmente, fue a buscar a Katie y se la encontró tirándole piedras al pony mientras pastaba. Cuando Ruth se acercó, Katie corrió hacia la carretera. Ruth vaciló, no sabía si correr tras ella sería aún peor. Decidió volver a la casa y mirarla desde la ventana. Fue la decisión correcta, ya que Katie regresó lentamente a casa a los treinta minutos. Pasó por la cocina, donde estaban Ruth y Dustin, y los miró a ambos con enfado. ¡Estaba enfadada con ellos! ¿No era consciente de lo que acababa de hacer?

Esa noche, Ruth y Ray decidieron que Katie tendría que marcharse a otro sitio. Al día siguiente, Ruth llamó a Steven y, con una mezcla de pena y culpa, le informó de que Katie tendría que irse pronto. Steven no pudo decir nada. Sabía que Ruth tenía razón. Tendría que encontrar un hogar para Katie que no tuviera niños pequeños. Finalmente le aseguró a Ruth que sabía que había hecho todo lo posible.

COMENTARIO

A menudo lo que motiva a una niña como Katie no se parece a las motivaciones normales de la infancia. Por esta razón, es probable que los refuerzos habituales no surtan efecto durante un período de tiempo. Los refuerzos y las actividades concretas pueden funcionar brevemente, pero la mayoría de los objetos externos tienen poca motivación inherente. Es difícil que se dé una generalización de esos objetos hacia las relaciones, ya que las relaciones en sí tienen poco valor de refuerzo. Una serie de buenos comportamientos no basta para crear un sentido de uno mismo coherente y valioso. Los refuerzos típicos del niño con problemas de apego o de trauma son bastante particulares. Tener el control de los sentimientos y comportamientos de los demás y ganar todas las luchas de poder son algunos ejemplos. A estos niños también les encanta decir "¡No!". Se esfuerzan por mantener su visión negativa de sí mismos y de los demás. También les resulta fortalecedor no necesitar a nadie y evitar experiencias de amor y diversión recíproca. Recibir elogios y pedir ayuda los hace vulnerables, por lo que evitan esas experiencias. La mayoría de las veces, las calcomanías y las chucherías que se usan para dirigir al niño hacia comportamientos socialmente más apropiados no son compatibles con estos poderosísimos reforzadores que se desarrollaron en ellos durante los primeros dos años de vida. A menudo pienso que cuando los padres presentan a estos niños planes de conducta claros y específicos, están cometiendo un error. Le han dicho al niño lo que es importante para ellos y, por lo tanto, ahora puede saber cómo obtener el control y causarles angustia. ¡Es como si el entrenador de un equipo de fútbol le presentara su plan de juego al equipo contrario antes del partido!

Con esto no quiero decir que las intervenciones cognitivo-conductuales no tengan nada que ofrecer en el cuidado y tratamiento diario del niño con dificultades de apego o trauma. Más bien, estoy sugiriendo que antes de ver cualquier progreso a través de intervenciones basadas en la evaluación del comportamiento del niño, es probable que primero sea necesario facilitar la sensación de seguridad del niño. A medida que se desarrolla la seguridad física y psicológica, el niño puede comenzar a desarrollar gradualmente una sensación de apego con sus cuidadores. Dicho apego se basará en comunicar la aceptación del niño, para bien o para mal, incluso cuando la conducta deba evaluarse y abordarse. De la seguridad surge la oportunidad de un nuevo aprendizaje, que abarca características de intersubjetividad que incorporan experiencias afectivas recíprocas. La manera en que se desarrollan y mantienen esos procesos debe ser comprendida e introducida en las intervenciones. Además, creo que es necesario centrarse inicialmente en la identificación y regulación del afecto, en los factores relacionales que rodean a la reciprocidad, en la resolución de conflictos, en la comunicación emocional, en la búsqueda de consuelo, en la seguridad del apego y en el funcionamiento reflexivo. Una vez que se progrese en estas áreas, se dará un probable aumento del éxito de las intervenciones cognitivo-conductuales más tradicionales.

A menudo la terapia de juego tradicional no es lo suficientemente efectiva como para facilitar el desarrollo del apego entre un niño y sus padres. Mientras que la terapia de juego hace hincapié en las intervenciones no verbales, estas intervenciones tienden a no ser preverbales, sino que implican procesos simbólicos no verbales que realmente no surgen dentro del niño con apego seguro hasta que tiene dieciocho meses. Muchos de los niños que manifiestan problemas significativos de apego no pueden dotar a los objetos de juego del significado simbólico suficiente para resolver sucesos traumáticos del pasado. Si bien los terapeutas de juego recalcan que la relación terapéutica es el vehículo para el progreso terapéutico, puede que muchos niños con problemas de apego significativos no puedan dar forma a una relación en una hora a la semana, lo que tendrá un impacto en esas deficiencias profundas. Además, algunas terapias de juego tienden a dirigir bastante poco. Como los niños con desorganización del apego deben tener compulsivamente el control, es poco probable que renuncien a ese control cuando tienen opción. Así podrán evitar experiencias indefinidas de intersubjetividad y vergüenza. Finalmente, los terapeutas de juego tienden a dejar al padre fuera del proceso terapéutico, con la excepción de brindarle asesoramiento en sesiones aparte. Si queremos que el niño desarrolle seguridad de apego con su nuevo cuidador, deberíamos considerar seriamente llevar a ese cuidador a las sesiones de tratamiento. Al mismo tiempo, creo que los principios de empatía, aceptación y creación de significado que aprendí por primera vez en la formación en terapia de juego son aspectos cruciales del modelo de intervención que presentaré. Las intervenciones de terapia de juego pueden integrarse fácilmente en el modelo de tratamiento que propondré en este trabajo, aunque pueden tener un papel secundario, especialmente al principio.

El complejo de síntomas que Katie está comenzando a manifestar en el hogar de Ruth es común entre los niños de crianza de acogida, aunque el suyo es más grave que la media. Uno de los dominios del deterioro en el trauma del desarrollo implica problemas para generar apegos organizados —la desorganización del apego—, lo que se considera un factor de riesgo para el desarrollo de problemas psicológicos (Lyons-Ruth y Jacobvitz, 2016). Cuando la mayoría de los niños acceden a hogares de acogida, es probable que manifiesten una desorganización del apego (Lyons-Ruth y Jacobvitz, 2016). Es probable que manifiesten una gran necesidad de controlar a las personas y los eventos de sus vidas diarias. Puede que su regulación afectiva sea pobre. Corren el riesgo de manifestar tanto problemas de exteriorización como de interiorización. Es probable que carezcan de comportamientos que sean congruentes con la seguridad del apego. Aparentemente, establecer y mantener un apego seguro no es algo prioritario, ni siquiera algo que considerar. La preocupación de Ruth de que Katie no la fuera a echar de menos si dejara de vivir en su casa está bien fundada. Eso no significa que Katie no fuera a sufrir daño psicológico por la interrupción. Lo más probable es que aumentara el riesgo de que aún añorara menos a sus posteriores "figuras de apego".

Muchos padres de acogida se parecen a Ruth. Muestran una gran predisposición a proporcionar a los niños de acogida a su cuidado una experiencia familiar similar a la que proporcionan a sus hijos biológicos. A menudo trabajan durante semanas y meses con un niño de acogida que presenta problemas graves que interrumpen su vida familiar. La mayoría de ellos quieren obtener información, sugerencias y apoyo desesperadamente. Cuando finalmente "se dan por vencidos" con un niño extremadamente difícil, a menudo sienten vergüenza y angustia por el futuro de ese niño.

Para que el sistema de acogida sea adecuado a la hora de proporcionar hogares estables y terapéuticos a niños con signos de traumas de desarrollo, debe desarrollar y conservar hogares de acogida que cuenten con características muy específicas que garanticen cierta probabilidad de éxito al ayudar al niño a resolver los dominios del deterioro causado por los traumas de desarrollo. Los padres de acogida se dan cuenta enseguida de que si crían a niños traumatizados de manera similar a como criaron a sus hijos biológicos, los resultados no serán los mismos. Los principios y estrategias necesarios para criar a estos niños a menudo son difíciles de incorporar en las iniciativas y respuestas de crianza.

Cuando la primera asignación de Katie fracasó, fue para ella como la confirmación de que era una niña mala y que nadie la querría de verdad. Puede que Ruth hubiera sido más amable que Sally con ella, pero Katie llegó a la conclusión de que Ruth la acabó viendo como la veía Sally. Es decir, que era una niña que no merecía el esfuerzo.

Es probable que las múltiples asignaciones impidan al niño de acogida establecer un grado de seguridad, consistencia y solidez del apego necesarias para resolver los efectos de un trauma de desarrollo. En nuestro sistema de acogida, hay muchos niños que pasan por muchos destinos. Por lo tanto, nuestro sistema, desarrollado para salvaguardar, proteger y alimentar a estos niños vulnerables, a menudo puede dejar de satisfacer sus necesidades psicológicas y de desarrollo de manera muy similar a los efectos de la familia original en la que se produjo el maltrato y el abandono.

Para que el sistema de acogida sea más sensible a las necesidades de nuestros niños, debe ser capaz de responder rápida y adecuadamente a las necesidades de seguridad y continuidad en los hogares que se les asignen. Cada niño debe tener solo un destino temporal antes de mudarse a un hogar permanente, ya sea con los padres biológicos o con otros adoptivos. Los padres de acogida necesitan claramente una formación suficiente para poder comenzar a comprender los efectos del maltrato y el abandono en el funcionamiento diario de su hijo. Necesitan saber cómo criar de manera más efectiva a este niño, que puede tener deficiencias significativas en su desarrollo afectivo, cognitivo y conductual. Los padres de acogida también corren el riesgo de tener problemas para mantener una mente y un corazón abiertos e implicados, necesarios para cuidar a un niño que rechaza sus cuidados, lo que puede conducirlos a experimentar un bloqueo de los cuidados (Hughes y Baylin, 2012). Ruth, que era una madre de acogida competente y entregada, no contaba con el conocimiento, el apoyo y las estrategias de intervención que necesitaba para conectar con una niña que hubiera sufrido como Katie y para conducirla a las realidades de la seguridad del apego y de las relaciones familiares saludables.

Steven no tardó en descubrir su enorme responsabilidad al tratar de proporcionar a los niños de acogida a su cargo los servicios integrales que necesitaban. Estos niños a menudo requieren diversos servicios psicológicos, médicos, educativos y sociales, y todos ellos deben coordinarse para satisfacer adecuadamente sus diversas necesidades. Al mismo tiempo, Steven debe trabajar en los planes de reunificación con los padres de Katie. Tiene que controlar los servicios que están recibiendo y asegurarse de que los preparativos para las visitas estén en orden. Tiene que comunicarse constantemente con los abogados y preparar informes para el juzgado. Si no tiene el papeleo en orden, podría hacer mucho más daño a Katie en el juicio de lo que podría ayudarla pasando tiempo con ella.

Proporcionar servicios verdaderamente efectivos a los niños en hogares de acogida requiere una gran cantidad de tiempo, dinero, formación e implicación por parte de miembros significativos de nuestra sociedad. Si Katie hubiera podido quedarse en su casa con Sally y Mike enseñándoles a percibir y responder a sus necesidades de desarrollo, ayudándoles a resolver los desafíos de su propia infancia y a continuar cuidando a una niña que no quiere que la cuiden y recibiendo servicios psicológicos, sociales y educativos, le habría resultado más fácil. Los servicios de prevención iniciados al nacer, la educación de la primera infancia y los servicios de apoyo familiar deben implementarse para evitar la necesidad de que niños como Katie ingresen en el sistema de acogida. Sin embargo, como algunos padres como Sally y Mike se niegan o no pueden beneficiarse de estos servicios, debemos tener un sistema de acogida sólido y eficaz que pueda satisfacer las necesidades de desarrollo de Katie. No podemos emperrarnos en los programas de "preservación familiar" mientras los niños en dichos programas siguen sufriendo maltrato emocional y abandono y siguen corriendo el riesgo de sufrir maltrato físico y sexual. Vivir durante meses en circunstancias de maltrato emocional y abandono está causando un daño psicológico significativo en las mentes y los corazones de estos niños. Si los proveedores legales, de salud mental y de servicios sociales se niegan a reconocer esa realidad, tenemos pocas razones para esperar que nuestra sociedad se tome en serio las necesidades de desarrollo de estos niños.

CAPÍTULO 4

KAREN MILLER, HOGAR DE ACOGIDA N.º 2

El 25 de junio de 1993, Steven fue a la casa de Ruth para llevar a Katie a su nuevo hogar. El más adecuado que encontró fue con la joven pareja formada por Karen y Ken Miller, quienes se habían convertido en padres de acogida hacía nueve meses. Habían tenido algunas acogidas cortas que aparentemente habían ido bien. No más había niños en la casa, y Karen pasaba casi todo el tiempo en ella. Trabajaba a media jornada en un negocio local y tenía cubiertos los cuidados diurnos. Estaban entusiasmados con acoger a Katie debido a su edad y a la probabilidad de que pudiera quedarse con ellos un tiempo. Cuando Steven habló con Karen, ella llegó a sugerir que podrían estar interesados en adoptar a Katie si fuera posible. Steven le informó de que el plan era que Katie finalmente pudiera volver a vivir con sus padres si eran capaces de cumplir con los términos del acuerdo.

Cuando Steven le dijo a Katie que se iba a mudar a la casa de Karen y Ken, lo primero que le preguntó la niña fue si podía llevarse los juguetes y la ropa que Ruth le había regalado. De la manera más reconfortante posible, Ruth le explicó a Katie las razones de la mudanza. Katie parecía indiferente a su explicación. No mostró ninguna emoción hasta más tarde, cuando pareció emocionarse por la mudanza y habló de ello como si fuera una aventura.

Durante el viaje a la casa de Karen y Ken, Katie no paraba de hablar de cosas sin importancia. Aprovechando una pausa que hizo para respirar, Steven le dijo:

—Estoy seguro de que te da pena tener que mudarte.

—No me da pena —respondió—. Esta casa será mejor porque has dicho que no hay más niños.

—Pero vas a echar de menos a Ruth y a Ray. Has vivido con ellos mucho tiempo. Quizás puedas visitarlos pasado un tiempo.

—No los echaré de menos. Ruth era mala conmigo. Esto será más divertido.

Cuando llegaron, Karen y Ken estaban esperando en el porche. Steven los presentó y Katie les dio a cada uno un abrazo y los llamó "mamá" y "papá". Comenzó a hacer preguntas sobre la casa y se mostró encantada con la visita, a la que siguió un tentempié de galletas y leche. Inmediatamente ignoró a Steven y se puso a hablar con sus nuevos padres. Cuando Steven se marchaba, Katie no se fijó en él. Karen y Ken tampoco; estaban embelesados con esta encantadora niña.

Esa misma semana, Steven llamó a Karen para ver cómo estaba Katie.

—Es una niña buenísima. Estamos encantados de que esté aquí —dijo Karen—. De vez en cuando se enfada cuando le decimos que venga a cenar o que se prepare para ir a la cama, pero no es nada grave. Creo que le gusta estar aquí.

—Me alegro de que esté yendo tan bien —dijo Steven—. ¿Ha tenido algún problema con comer o acumular alimentos con frecuencia durante el día o con destruir cosas?

—Ninguno en absoluto —dijo Karen—. Creo que tal vez Ruth fue un poco dura de más con ella con la comida. Le damos mucha comida y cosas de picar entre horas y no se lleva nada a su habitación por la noche.

—Bueno, pues me alegro de que hayáis empezado con tan buen pie.

—Quizás no debería decir esto, pero creo que Ruth no era la mejor opción para la niña. Katie me cuenta que le gritaban y la castigaban con frecuencia. Necesitaba más comprensión y paciencia de la que Ruth podía darle.

Steven defendió a Ruth y apuntó que los comportamientos de Katie habían sido muy difíciles. Más tarde compartió los comentarios de Karen con Barbara. Ambos coincidieron en que Karen estaba minimizando la responsabilidad de Katie por sus dificultades. Barbara expresó el temor de que Karen acabara enterándose por las malas de lo serios que parecían ser los problemas de Katie.

Durante las siguientes semanas, Karen continuó diciéndole a Steven lo bien que iban las cosas. Steven llamó a Jan, que le dijo que en terapia Katie se mostraba algo más resistente. De hecho, parecía que se quejaba de la terapia, y Karen le había preguntado si la terapia seguía siendo necesaria. Jan le sugirió que continuaran unos cuantos meses más y que luego lo reevaluaran.

El 4 de agosto, Steven pasó por casa de los Miller para darle a Katie su regalo de cumpleaños. Había una gran fiesta familiar, y Katie no tenía ningún interés ni en Steven ni en su regalo. Karen estaba disfrutando mucho de la fiesta, y Steven pensó que las cosas estaban yendo de maravilla. Conoció a la madre de Karen, Anne, que le habló con entusiasmo sobre Katie. En la conversación con Anne descubrió que Katie parecía estar mostrando algunos problemas de comportamiento que Karen no le había contado. Al día siguiente, Steven llamó a Karen para preguntarle sobre los problemas que su madre había insinuado.

—Bueno, mi madre se preocupa demasiado —dijo Karen—. Está claro que Katie no es perfecta, pero nos estamos manejando bien. Un día se hizo pis en el sofá y lo sintió mucho. Ha tenido algún que otro problema como ese, pero nada importante.

Steven comenzó a dudar sobre la nueva asignación de Katie, pero no estaba seguro de si había más problemas de los que Karen estaba dispuesta a reconocer. Había otros niños que demandaban su atención, así que no tenía más remedio que asumir que si Karen tenía problemas con Katie, se los contaría.

El 16 de septiembre de 1993, Steven decidió que ya era hora de ponerse al día con su papeleo, para lo que le resultaría de mucha ayuda pasar un día en la oficina con una gran taza de café y con la recepcionista, Molly, atendiendo sus llamadas.

A las 10:30, Molly le trajo una nota que no parecía que fuera a ser de ayuda con el papeleo: Jan estaba al teléfono y decía que era importante.

—Tenemos un problema, Steven —dijo Jan—. Katie está enfadada con Karen porque no le ha comprado chucherías en la tienda antes de la cita de hoy. Parece que ha decidido causar problemas a Karen por no comprárselas.

—¿Está diciendo mentiras porque no ha conseguido lo que quería? —preguntó Steven.

—No creo que sean mentiras —dijo Jan—. Me ha contado que Karen la había atado a una silla porque no se sentaba durante un tiempo fuera. Tiene marcas en las muñecas que parecen de una cuerda. También me ha dicho que Karen la abofeteó y le arañó la cara. Tiene una marca de arañazo. Me ha dado más ejemplos que parecen reales. Luego me ha preguntado si yo iba a gritarle a Karen y a decirle que le diera chucherías.

—¿Qué más ejemplos? —preguntó Steven.

—Dice que Karen la ha llamado zorra. Dice que la encerraron en un armario y también que Karen le metió la comida en la boca a la fuerza. Pero lo que me da miedo es que Katie se ha enfadado mucho al enterarse de que yo iba a llamarte. No quiere cambiar de casa. Dice que Karen es una madre genial porque siempre le compra cosas y la deja hacer lo que quiere. Sólo quiere chocolatinas.

Steven le dijo que iría enseguida y Jan le dijo que esperaría con Karen y Katie hasta que él llegara.

En la consulta de Jan, Steven pidió a la terapeuta que le contara a Karen lo que Katie había dicho. Mientras Jan hablaba, Karen se enfadó y se puso tensa. Se apresuró a decir que la niña se había hecho las marcas de cuerda accidentalmente mientras jugaba, pero que ella nunca la había atado. Mientras Jan continuaba dando un ejemplo tras otro, Karen se echó a llorar.

—¿Por qué nunca está satisfecha? —preguntó Karen finalmente—. Se lo damos todo, pero nada es lo suficientemente bueno para ella. Siempre quiere más. Y cuando finalmente digo que no, me grita y me dice que soy mala con ella. ¡Nunca está satisfecha conmigo!

—¿La abofeteaste y la arañaste? —preguntó Steven.

—Sí, y también le he dado unos cachetes —respondió Karen—. A veces no puedo soportarlo. Siempre está enfadada conmigo. Solo hace lo que le pido si le doy algo. A veces me enfado tanto que solo quiero hacerle daño como me lo hace ella a mí. Ese día no pude soportarlo.

—Podías habernos pedido ayuda —dijo Steven en voz baja.

—Habríais pensado que era culpa mía. Creía que todo iba a mejorar. Creía que algún día se daría cuenta de lo mucho que la quiero. Solo quería que fuera feliz con nosotros. Odiaba que me dijera que no quería vivir conmigo.

—Siento que esto haya sido tan difícil, Karen. Ojalá nos lo hubieras dicho antes. Quizás podríamos haber ayudado antes de llegar a este punto. Me temo que con todo lo que ha sucedido, tenemos que cambiar a Katie.

—¡No! —gritó Karen—. La quiero y no voy a volver a hacerle ninguna de esas cosas. Dadme otra oportunidad, por favor.

—Incluso aunque fueras capaz de controlar tu enfado con Katie y pedirnos ayuda, me temo que han pasado demasiadas cosas que Katie no podrá cambiar mientras viva en tu casa. No creo que sea justo para ninguna de las dos que la niña se quede contigo, Karen. Lo siento.

Jan estuvo de acuerdo con lo que dijo Steven y reconfortó a Karen. Luego llamó a Katie y le dijo que iba a mudarse.

—¡No! —gritó Katie—. Quiero quedarme con Karen. He mentido. No me ha hecho nada malo.

—Sí lo he hecho —dijo Karen—. No hace falta que mientas por mí. Me he equivocado yo, no tú.

—Quiero quedarme con Karen. Me compra cosas y me deja ver la tele. Me deja jugar más que Ruth —dijo Katie.

Mientras Karen lloraba, Katie la miró fijamente, pero no mostró ninguna emoción. Finalmente se fue con Steven sin problema, y en cuanto se subió al coche le dijo que quería ir a otra casa "como la de Karen".

En la oficina, Steven le dio a Katie unas ceras y papel mientras iba a contarle la crisis a Kathleen. Ella apoyó su decisión de reasignar a Katie y comenzaron a buscarle un hogar. Kathleen recordó a una niña de acogida que había regresado recientemente a la custodia de sus padres y le preguntó a Betty si ese hogar de acogida sería apropiado para Katie.

—Susan Cummings es una buena madre de acogida, Steven. Por lo que has contado sobre Katie, creo que podría manejarla. Voy a llamarla —dijo Betty.

A los diez minutos volvió y dijo que Susan aceptaba a Katie de inmediato y que podría plantearse tenerla por tiempo indefinido, pero que quería saber más sobre ella antes de decidir.

Steven respiró con algo más de calma mientras llevaba a Katie a casa de Karen para que recogiera sus cosas y se despidiera. Katie iba de camino a su tercer hogar de acogida.

COMENTARIO

La respuesta que tuvo Katie al mudarse de casa de Ruth a la de Karen no es inusual en niños que tienen dificultades para formar apegos seguros. Estos niños muestran poco dolor cuando se van de un hogar en el que han vivido meses o incluso años. Su falta de emoción parece reflejar la nula profundidad de las relaciones con sus padres de acogida o adoptivos. La función de sus padres de acogida es satisfacer sus necesidades inmediatas y concretas, por lo que son intercambiables. No se convierten en figuras de apego ni en fuente de disfrute e intereses intersubjetivos. Su valor parental viene determinado únicamente por el porcentaje de veces que gratifican los deseos del niño. Como estos niños nunca están satisfechos durante mucho tiempo, se sienten inevitablemente insatisfechos con sus actuales padres de acogida. Por lo general, están bastante dispuestos a mudarse a otra casa. En este momento, Katie todavía prefería vivir con Karen porque los beneficios (juguetes, comida, tele) superaban las desventajas (límites, enfados, recibir golpes).

Se podría especular que Katie estaba ocultando a los demás sus sentimientos de dolor. Podría estar fingiendo que sus sentimientos eran superficiales para minimizar el rechazo que sentía. Sin embargo, no creo que sea una explicación precisa de lo que ocurre en las vidas internas de los niños con características de trauma de desarrollo cuando se mudan a otro hogar. Puede que Katie sintiera cierta incomodidad por la incertidumbre sobre su próximo destino, pero lo más probable es que se distrajera de eso al igual que se distraía de cualquier emoción vulnerable. En realidad, Katie no había comenzado a confiar ni a identificarse ni con Ruth ni con Karen, ya que son procesos que habrían provocado sentimientos significativos de pérdida y abandono. Katie era una persona que se centraba casi exclusivamente en satisfacer sus propias necesidades, y para ella estas necesidades involucraban comida y objetos, no afecto y consuelo. Confiaba en sí misma, no en sus padres de acogida. Tenía muy poca empatía por los demás y no experimentaba a sus padres como personas separadas. Necesitaba ser "egoísta" porque estaba convencida de que ella era la única que podía satisfacer sus propias necesidades y porque su sentido del *self* estaba fragmentado, lleno de vacíos y cubierto de vergüenza. Gastó toda su energía psíquica tratando de encontrar tiritas que sostuvieran su *self*, que curaran sus heridas y que cubrieran su vacío. Pero las tiritas no podían sostener a una niña así; necesitaba una madre que la "abrazara" para que aprendiera a desarrollar su *self* de manera diferenciada e integrada. La seguridad de apego de Katie con una madre así sería el molde con el que darse forma a sí misma. La alegría y los intereses que pudieran surgir de un apego así eran requisitos previos para que abandonara sus preocupaciones "egoístas".

Uno de los comentarios más tristes que he escuchado en boca de un niño lo hizo una niña de nueve años que había estado en su último hogar de acogida durante más de un año. Comenté que sus palabras y sus acciones me hacían pensar que le gustaba mudarse de casa cada tres meses. Pensó en mi comentario un momento y luego me preguntó esperanzada: "¿Puedo hacer eso?". No supe qué decir.

El deseo inmediato de Katie de llamar a Karen y a Ken "mamá" y "papá" tampoco es inusual. Estos comentarios no reflejan una respuesta emocional favorable hacia sus nuevos padres. Son más bien simples esfuerzos por establecer el control sobre estos nuevos cuidadores. Lo que está diciendo es: "Realmente me gustas mucho. Ahora tienes que ser amable conmigo y darme lo que quiero". Lamentablemente, no sabe cómo "gustar" a alguien, pero sabe que los padres quieren pensar que son especiales para sus hijos, por lo que les dice que lo son. Katie (al igual que los niños reales a quienes representa) sobrevive tratando de manipular a los adultos en nuevas relaciones. Es capaz de ser encantadora, educada, amable y servicial cuando piensa que obtendrá algo de esos comportamientos. La mayoría de los adultos asumen que estos comportamientos, aunque al principio son superficiales, acabarán conduciendo a algo con un afecto recíproco más profundo. Entonces es probable que sean muy agradables, ya que no quieren poner en peligro el "buen comienzo". Quieren "reforzar" las conductas apropiadas de su nuevo hijo. Karen esperó bastante tiempo alguna reciprocidad con las interacciones de Katie. Al ver que no llegaba a pesar de que "lo hacía todo por ella", se enfureció al ver que Katie la rechazaba como madre. Lo que no sabía era que Katie nunca la había considerado como una madre. Para Katie, Karen era una adulta a quien tenía que controlar, no una madre.

Existe el peligro de que cuando el padre de acogida o adoptivo comience a observar la "manipulación", responda con enfado al engaño. Los padres ven las acciones asociadas del niño como deshonestas e inmorales. Es crucial comprender que la utilización de la "manipulación" por parte de Katie se desarrolló como una habilidad de supervivencia necesaria porque nunca había experimentado que un adulto hiciera algo por ella a partir de las intenciones normales de cuidado de los padres. Era la responsable de satisfacer sus propias necesidades. Como no podía confiar en que sus padres lo hicieran de manera espontánea, tenía que desarrollar medios para inducirlos a hacerlo. El encanto, la manipulación y la intimidación son probablemente las mejores opciones disponibles. Estas defensas no deben esgrimirse contra el niño para provocar una vergüenza aún mayor y la necesidad de defensas aún más generalizadas.

Muchos hogares de acogida se parecen al de Karen, aunque hay más que se parecen al de Ruth. No está claro que estos padres tengan los motivos correctos para llevar a esos niños a su hogar. Los niños similares a Katie suelen provocar fuertes respuestas emocionales en los adultos que los cuidan. Los niños de acogida a menudo intentan recrear compulsivamente las situaciones de maltrato que experimentaron en su hogar original. También suelen manifestar arrebatos emocionales y de comportamiento extremos debido a su mala regulación del afecto, del autocontrol y de la autorreflexión. A menudo provocan respuestas emocionales que reflejan el desaliento de sus padres de acogida y el "bloqueo de los cuidados", así como los problemas no resueltos de su propia infancia. Cuando los padres de acogida tienen problemas significativos no resueltos, acaban corriendo el riesgo de maltratar a los niños a su cuidado. Cuando eso ocurre, los graves problemas que tuvo el niño al llegar a su hogar empeoran debido al maltrato que posteriormente reciben de los adultos elegidos para darles seguridad.

Cuidar a niños con dificultades de trauma o apego es una tarea extremadamente difícil que ocupa las veinticuatro horas del día. Requiere un alto grado de madurez personal, autocontrol, empatía por el niño y capacidad para tolerar largos períodos de estrés. Requiere que estos padres de acogida manifiesten resolución en sus propias historias de apego. La buena crianza de acogida requiere que las agencias mantengan un alto nivel de detección, formación y apoyo. Incluso entonces sigue existiendo el riesgo de que un niño determinado sea demasiado difícil para los padres de acogida. Cuando eso ocurre, nuestra solución a la tragedia del maltrato y el abandono de los niños no ha hecho más que empeorar el problema. Debemos reducir estos fallos del sistema tanto como sea posible. Nuestro compromiso debe comenzar con la selección, formación y apoyo del padre de acogida individualmente. Sin un cuidador cualificado, el sistema general no podrá satisfacer las necesidades de un niño en concreto.

CAPÍTULO 5

SUSAN CUMMINGS, HOGAR DE ACOGIDA N.º 3

A Steven, Susan Cummings le recordaba a Ruth Daley. Tenía un aire relajado de calidez y confianza. Era evidente que disfrutaba de su trabajo y parecía contenta de conocer a Katie. Su esposo, Richard, dirigía una concesión local de petróleo y ella se encargaba de la casa. Tenían dos hijos mayores: Beth, que estaba en la universidad y vivía fuera, y Dick, que vivía solo y trabajaba para su padre. También tenían otros dos niños de acogida: Jessica, de nueve años, y Dan, de doce. Susan estaba a punto de irse a recoger a Dan del entrenamiento de fútbol e invitó a Katie y a Steven a que la acompañaran.

A Katie le faltó tiempo para ponerse a llamar la atención de Susan. Saltó al asiento delantero del coche. Susan le sugirió que se pusiera en la parte de atrás con Jessica. Katie parecía herida, casi rechazada. Aun así, "se recuperó" rápidamente. Llamaba a Susan "mamá" como si la conociera hacía meses. Susan disfrutaba respondiendo a sus preguntas sobre la escuela, sobre su habitación y sobre si le gustaba McDonald's o no. Katie tampoco tardó nada en contarle a Susan que Karen, su última madre, la había maltratado de varias maneras. Susan le aseguró que no le haría esas cosas. Steven se alegró de que Katie hubiera abordado ese problema tan directamente con Susan. Estaba desconcertado por lo rápido que había empezado a hablar de Karen de una manera tan negativa. Interrumpió la conversación para decir que Karen había tratado realmente de criar a Katie, pero no tenía suficiente práctica cuidando a niños para saber qué hacer en situaciones difíciles. Katie se volvió hacia Steven y, con un tono destinado a zanjar el debate, dijo:

—Fue mala conmigo y no me gusta.

Ya en casa, Dan y Jessica se ofrecieron a enseñarle a Katie su habitación mientras que Susan hablaba con Steven. Katie respondió de inmediato:

—¡Quiero que lo haga mamá!

—¿Por qué no vas con Jessica, Katie? A ella le encantaría enseñártelo todo —sugirió Susan.

—Quiero que lo hagas tú —respondió casi llorando.

—Vale, cariño. Pero tendrás que esperar un poco mientras hablo con Steven.

Katie se sentó a esperar. Jessica y Dan salieron de la habitación. Steven decidió que llamaría al día siguiente para contarle a Susan más cosas sobre Katie. Cuando se fue, Susan le enseñó a Katie su habitación.

* * *

Katie pareció instalarse bastante bien en casa de Susan durante los primeros meses. Quería estar mucho con ella, hablarle sobre cualquier cosa y saberlo todo. Solo le daba a Susan un respiro cuando Richard llegaba a casa del trabajo. A Richard le gustó Katie de inmediato. Era muy amable y cariñosa. Trataba de ser útil y se sentía decepcionada cuando él estaba ocupado y no podía hacer nada con ella.

A Jessica y a Dan no les causó tan buena impresión. La niña no quería su ayuda. Rara vez jugaba con ellos a menos que necesitara que hicieran algo por ella. Cada vez que acudían a Susan para hablar o relajarse, Katie intentaba interponerse entre Susan y ellos. Si abrazaban a Susan, ella dejaba lo que estaba haciendo y abrazaba a Susan dos veces. Interrumpía sus conversaciones cuando le pedían ayuda a su madre y encontraba cosas para las que necesitaba la ayuda de Susan.

Al principio, Susan pidió a Jessica y a Dan que tuvieran paciencia. Katie solo necesitaba algo de atención extra hasta que se sintiera cómoda con la familia. Más adelante, empezó a pedirle a Katie que aguardara su turno:

—También necesito estar con mis otros hijos.

Pensaba que Katie estaba empezando a aceptar su necesidad de "compartir" a Susan con los otros dos. Luego se dio cuenta de que cuando pasaba un tiempo con Jessica o con Dan, Katie cogía sus cosas o las rompía. Se enfadaban mucho con Katie. Susan los calmaba y corregía a Katie. Pensó que Katie pararía, pero el patrón parecía hacerse más fuerte. A Jessica y Dan no les gustaba su "nueva hermanita".

* * *

El 13 de noviembre de 1993, Dan estaba fuera ayudando a Richard a terminar de rastrillar hojas. Dan se afanaba en seguir el ritmo de su "padre" e intentaba siempre que Richard asintiera y dijera: "Buen trabajo". Nunca antes había tenido un padre que quisiera estar con él y que apreciara sus esfuerzos y habilidades. Cuando Richard consiguió asistir a su último partido de fútbol, Dan sintió un grado de orgullo y alegría tal que apenas podía contenerse.

Richard disfrutaba con Dan. Trabajaba muy bien y aprendía rápido. En cierto modo, Richard se sentía más cerca de Dan de lo que había estado de su propio hijo, Dick, cuando tenía la edad de Dan. La vida es extraña a veces. Es como si Dick hubiera crecido muy rápido. Nunca conseguían sacar tiempo para hacer cosas juntos. Richard tenía planeado ir de caza con Dick un par de días la semana siguiente. Iba a ser genial. Dan quería ir. Richard pensó que en un año o dos podrían ir los tres juntos.

Katie y Jessica estaban jugando en el columpio que había detrás de la casa. No era algo habitual. No se estaban peleando. Dan también las vio. Y luego vio a Katie sentada en la parte superior del tobogán jugando con su Game Boy.

—Katie, ya te he dicho que no juegues con eso —gritó Dan—. Vuelve a dejarla en la casa. —Katie ignoró a Dan, que le volvió a gritar. Katie levantó la vista, lo miró fijamente y luego volvió a jugar—. ¡Katie! —le gritó Dan mientras tiraba el rastrillo al suelo y corría hacia ella. Katie seguía ignorándolo—. ¡Dame eso! —gritó mientras llegaba los columpios.

—¡No! —le respondió la niña gritando, y de repente tiró la consola al suelo.

—¡Te odio, Katie! —exclamó Dan mientras corría a por su consola. La recogió, pero la pantalla no se encendía. Intentó que funcionara, pero nada. Dan se volvió y corrió hacia Katie, que seguía sentada en la parte superior del tobogán. Richard le gritó a Dan que ya se ocupaba él, pero Dan no le escuchó. Katie intentó escapar deslizándose por el tobogán, pero Dan llegó al mismo tiempo y la empujó cuando estaba a mitad de camino. Katie cayó de costado y aterrizó de espaldas soltando un grito desgarrador.

Richard vio caer a Katie y corrió hacia ella apartando a Dan de un empujón.

—¡Entra en casa! —le gritó a Dan.

—¡Pero me ha roto la Game Boy!

—Cállate y vete. ¡Sal de mi vista! —respondió Richard. Se agachó y atendió a Katie. Ella alargó los brazos y él la cogió mientras lloraba. Susan salió, la examinaron para ver si estaba bien y Richard fue a buscar a Dan.

Entró en la habitación de Dan y gritó:

—¡No vuelvas a tocarla!

—¡Siempre rompe mis cosas! —volvió a exclamar Dan entre lágrimas.

—Me da igual que te rompa tus cosas, no es más que una cría, ¡y si quieres vivir aquí más te vale no volver a pegarle!

Dan se quedó inmóvil, como si le hubieran golpeado. Se quedó mirando a Richard. Finalmente, con voz enfadada, dijo:

—Pues a lo mejor no quiero vivir aquí.

—Bueno, pues allá tú. Ya me dirás qué decides al respecto.

Richard lo dejó solo. Entonces Susan se acercó a Dan para explicarle en voz baja que él era mucho más grande que Katie y que podía hacerle daño. Ella sabía que Katie a veces no lo trataba bien, pero tenía que controlarse cuando estuviera cerca la niña. Si tenía paciencia con ella, puede que comenzara a tratarlo mejor.

—No la soporto, mamá. Todo ha cambiado desde que llegó. Papá siempre se pone de su lado y me grita. ¿Por qué tiene que vivir con nosotros?

—Dan, cuando tú llegaste hace dos años, también pasaste por momentos difíciles. ¿Recuerdas a Johnny, que vivía con nosotros entonces? Estabas muy celoso de él, y tampoco te soportaba.

—Pero eso era distinto. Nunca me porté con él tan mal como Katie. Lo único que hace todo el tiempo es crearnos problemas a Jessica y a mí. No intenta que nos llevemos bien, mamá.

—Solo tienes que seguir intentándolo, Dan, como hacemos todos. Katie ha tenido una vida dura y aún es una niña. Necesita nuestra paciencia —le respondió Susan.

Dan miró fijamente a Susan:

—Yo también he tenido una vida difícil, mamá.

* * *

El 18 de diciembre de 1993, la familia Cummings empezó con los preparativos navideños. Para Susan, esta era la época más entrañable del año. Decorar la casa, hornear pan, hacer tartas especiales y seleccionar los regalos perfectos eran actividades que atesoraba de verdad.

Richard y Dan acababan de traer el árbol y lo estaban colocando en su lugar de siempre en el comedor. Habían colocado la mesa en un rincón para que hubiera suficiente espacio para colocar los regalos desde entonces hasta Navidad, y la mayoría de ellos aparecían misteriosamente en Nochebuena.

A Susan le preocupaba que Katie no estuviera "asentándose" como ella esperaba. Habían pasado ya tres meses. La niña todavía se portaba muy mal con Jessica y con Dan. Hacía pucheros y se quejaba cuando no conseguía lo que quería. Había empezado a quitarle cosas a Susan. Justo la semana anterior, su anillo de matrimonio había desaparecido del alféizar que había sobre el fregadero de la cocina. Lo encontró en la mochila de la niña. Su profesora había llamado para decir que Katie estaba enseñando su "nuevo anillo" en la escuela. Cuando abordó a Katie, no obtuvo respuesta; era como si "se cerrara" al enfrentarse a algo que había hecho. Dejaba que Susan dijera lo que tenía que decir, esperaba hasta que terminara y luego se marchaba. Susan sospechaba que Katie no se arrepentía ni se comprometía a cambiar su comportamiento.

Susan esperaba que la Navidad ayudara a Katie a comenzar a relajarse y a ser una niña normal y feliz. Jan Temple le había dicho que lo más probable es que llevara su tiempo. Jan creía que lo más seguro era que Katie tardara uno o dos años más en empezar a confiar. Susan rezaba por que Jan no estuviera en lo cierto.

Susan, Jessica y Katie estaban sacando los adornos y otros ornamentos para el árbol y colocándolos sobre la mesa a la espera de que el árbol estuviera listo. Todos los años Susan le daba a cada niño un adorno nuevo. Esta tradición era una parte importante de la propia infancia de Susan. Todavía guardaba quince adornos que sus padres le habían regalado cuando era niña. Cada adorno tenía sus propios recuerdos. Ella había compartido estos recuerdos con sus propios hijos, que atesoraban aún más sus propios adornos. El año anterior a Jessica le había tocado un hermoso adorno blanco en forma de cisne. Le había gustado tanto que pidió que le dejaran colocarlo en su habitación en vez de guardarlo con los otros adornos pasadas las fiestas. Susan le explicó que su adorno especial estaría más seguro si lo guardaba en la caja con los demás y que, además, conservaría su magia navideña si solo lo veía durante esa época del año.

Jessica estaba encantada de volver a verlo. Lo desenvolvió con cuidado y lo colocó en el centro de la mesa. Lo miró y lo tocó suavemente.

Cuando el árbol estuvo finalmente listo, comenzaron el proceso de convertirlo en El Árbol. Susan le dio a cada niño su adorno, uno a uno, para que encontraran el lugar "apropiado" del árbol en el que colocarlo. Jessica y Katie fueron a poner su adorno en el mismo lugar. Jessica llegó primero, y Katie gritó. Susan le dijo a Katie que buscara otro lugar y la niña lo hizo, aunque solo después de su habitual puchero. Unos minutos más tarde, Susan levantó la vista y vio a Katie mirar a Jessica, sonreír y luego dejar caer un libro sobre el cisne blanco de Jessica. Susan y Jessica gritaron, y Dan y Richard miraron hacia ellas. Jessica corrió a la mesa, levantó el libro y vio su adorno destrozado.

—¿Por qué has hecho eso? —gritó Susan agarrando a Katie por los brazos.

—Ha sido un accidente —respondió Katie.

—Te he visto hacerlo. Ha sido a propósito. ¡Eso no se hace!

Susan seguía sujetando a Katie por los brazos y mirándola a la cara.

—¡Me estás haciendo daño! ¡Déjame en paz! —gritaba Katie.

—¡De eso nada! ¡No voy a soltarte hasta que me digas por qué has hecho algo así! —dijo Susan cada vez más enfadada.

—Será mejor que la sueltes, Susan —dijo Richard—. Puede que haya sido un accidente.

—¡Es que no lo ha sido! ¡La he pillado haciéndolo! —dijo volviéndose hacia Richard—. ¡Y va a decirme por qué!

—¡Me haces daño! —seguía exclamando Katie.

—Será mejor que la sueltes —volvió a decir Richard—. ¡Puede que le estés haciendo daño!

—¡No se lo estoy haciendo! —replicó Susan—. Yo me ocupo de esto. A tu habitación, Katie. Lo que le has hecho a Jessica ha estado muy mal, y no vas a tener Navidad hasta que arreglemos esto —gritó Susan.

Katie gritó y se fue corriendo a su habitación.

—¿No estás exagerando un poco? —preguntó Richard—. Puede que lo haya hecho a propósito pero que no supiera lo importante que era para Jessica.

—Lo sabía. Sabía perfectamente lo que estaba haciendo y ha disfrutado haciéndole daño a Jessica. Tú no lo has visto, pero yo sí.

Susan se estaba enfadando con su marido.

—Vamos a dejarlo, Susan —dijo Richard.

—Déjalo tu si quieres, pero yo no lo voy a hacer. Tiene que reconocer lo que ha hecho.

Richard dejó caer el cable que estaba atando a la ventana y salió de la habitación. Le oyeron dar un portazo. Susan ya estaba cogiendo a Jessica, que lloraba y se estremecía en su regazo.

—Te voy a dar otro adorno, Jessica —dijo Susan.

—¡Yo quiero mi cisne! —gritó Jessica.

—Encontraré otro cisne igual —le prometió Susan.

Dan se quedó un momento de pie junto al árbol.

—¡Siempre lo estropea todo! —dijo mientras salía corriendo de la habitación en busca de Richard.

Durante las dos semanas siguientes, la familia Cummings celebró las fiestas navideñas con las mismas actividades y tradiciones de siempre. Susan no consiguió que Katie reconociera lo que había hecho. Dejó de intentarlo y, en su lugar, se esforzó todavía más en proporcionar una buena Navidad a su familia. Richard y ella no estaban tan unidos como solían en esta época del año. Susan estuvo triste a menudo durante ese periodo. Había perdido algo que era especial para ella. Katie recibió sus regalos y parecía contenta. De hecho, casi parecía estar en paz. Puede que esta fuera la mejor Navidad de su vida. El estado de ánimo del resto de la familia no afectó al suyo en absoluto. Puede que incluso lo mejorará.

* * *

La mañana del 27 de enero de 1994, Steven estaba sentado en su escritorio pensando en cuándo parar a comer. Jenny le había dado una lista de cosas que había que comprar para la primera fiesta de cumpleaños de Rebecca, que era ese mismo día. Los padres de Jenny estaban de visita, con su cámara de vídeo, montones de regalos, mantas eléctricas y muchos consejos y preocupaciones. Steven quería llevar algo que eligiera él a casa para el cumpleaños de Rebecca, algo que le encantara a su hija. Por lo general, la alegría y la emoción de Rebecca se centraban en su madre. Steven decidió que necesitaba un poco de ayuda si quería algo de atención por parte de su hija. Les pidió ideas a Barbara y a Al. Después de escuchar varias sugerencias, decidió que era imposible competir con sus suegros. Ya encontraría algo más tarde.

Steven recibió una llamada de Susan. Su ansiedad aumentó tal y como lo había hecho con cada llamada telefónica durante las últimas cuatro semanas. A Katie no le estaba yendo bien en casa de Susan. Steven y Jan se habían reunido con Susan. Jan había visto a Katie en sesiones extra. Hasta el momento, no había signos de progreso. Durante la última reunión, cuando Jan le dijo a Susan que Katie solo había estado en su casa durante cuatro meses y que a un niño solía llevarle tiempo comenzar a confiar en sus nuevos padres, Steven se asusto. No era la primera vez que oía esa frase, y él mismo la había dicho. Katie había estado en régimen de acogida durante dieciséis meses y había recibido terapia durante catorce. Ruth y Susan eran unas madres de acogida excelentes y experimentadas, y Karen había tratado por todos los medios de dar a Katie un buen hogar. ¿Qué podía hacer a continuación? ¿Qué iba a pasar?

—Steven, me estoy volviendo loca con Katie —dijo Susan—. Últimamente se levanta a las cuatro de la madrugada. La alarma de la puerta de su habitación le impide vagar por la casa, pero ha descubierto que es una excelente manera de llamar nuestra atención. La activa a propósito cuando se despierta y despierta de paso a toda la casa. Siempre tiene una excusa. Es porque tiene que ir al baño, porque se ha caído de la cama o porque ha tenido una pesadilla. A todos nos cuesta volver a dormirnos. Hasta Richard está perdiendo la paciencia con ella.

—La verdad es que últimamente os lo está haciendo pasar fatal. ¿Se te ocurre por qué podría estar tan mal? —preguntó Steven.

—Ni idea. Tengo la sensación de que intento todo el rato encontrar una nueva explicación para su comportamiento. Lo intento todo. Pienso que quizás estoy siendo demasiado estricta, así que le presto más atención y me tomo con calma las consecuencias. Entonces pienso que tal vez sea demasiado blanda y me pongo más seria. Y luego me parece que soy demasiado contradictoria y me pongo a configurar reglas y rutinas para tratar de abarcar todo lo que sucede. Haga lo que haga, es como si no le causara ningún impacto.

—¿Le ha hecho algún efecto la medicación antidepresiva que quiso probar el doctor Veilleux?

—Aún no. Dijo que tardaría unas semanas y Katie solo lleva diez días tomándola. Por el momento, solo le proporciona otro motivo para quejarse. Me dice: "¿Por qué yo tengo que tomar medicinas y Jessica y Dan no? —respondió Susan.

—¿Le explicas que no es un castigo, sino solo una manera de ayudarla a ser más feliz? —preguntó Steven.

—Sí, pero no me hace ni caso. Creo que se tomaría la medicina alegremente si fuera idea suya. ¡Siempre quiere tener las riendas! Discutiría incluso si le diera a ella el helado y el apio a los otros niños.

Querría ambas cosas y luego decidir qué darles a ellos. Quiere controlar absolutamente todo lo que ocurre —dijo Susan con cansancio.

—Supongo que se ha acabado la luna de miel, Susan —dijo Steven a falta de una respuesta mejor.

—Estoy empezando a pensar que no hemos tenido luna de miel, Steven. Parece que su "buen" comportamiento durante los primeros meses fue un esfuerzo por hechizarnos a Richard y a mí. Creo que incluso pensó que podríamos deshacernos de Jessica y de Dan. Toda su negatividad parecía estar dirigida a ellos. Ahora la dirige hacia todos nosotros, incluido Richard. Ayer, Richard le pidió que le trajera los guantes cuando se iba al trabajo. Ella se negó. Richard no dijo nada, pero al irse me miró fijamente. Parece que quiere que lo arregle. O podría estar culpándome por los problemas de la niña, no estoy segura. Es como si no pudiéramos hablar de Katie sin que uno de los dos se molestara.

—¿Cómo lo están llevando los otros niños? —preguntó Steven.

—La evitan. Puede que lo estén llevando algo mejor porque ahora Katie tiene más problemas con Richard y conmigo. Creo que se sienten aliviados de que ahora veamos realmente quién es. No es el ángel triste y atribulado que parecía ser. Puede que ahora me muestre más comprensiva que antes acerca de la ira que sienten por ella. Aunque Richard y Dan todavía me preocupan. Desde que Katie llegó, se han alejado el uno del otro —dijo Susan.

—Intentaré pasarme por allí esta semana. Espero que puedas aguantar. Con el tiempo tiene que mejorar sí o sí —sugirió Steven.

—Eso espero. Pero estaría bien saber cuándo —respondió Susan.

Como tantas otras veces, Steven puso a Al y a Barbara al corriente de cómo le iba a Katie. Ambos sabían lo importante que era Katie para él. Era como un símbolo de su esperanza de cambiar las cosas para los niños que habían sufrido maltrato y abandono. La había conocido poco después de su quinto cumpleaños. Podía asegurarse de que tuviera una buena vida. Intentó no pensar en lo que solía decir Betty: "Puedes llevar a un caballo al abrevadero, pero no puedes obligarlo a beber".

De camino a casa esa noche, paró en una tienda del barrio y echó un vistazo a su pequeña sección de juguetes. Allí, en el estante superior, estaba la mariquita más grande y feliz que había visto nunca. El insecto debía de medir unos ochenta centímetros de ancho por casi medio metro de alto. Era rojo brillante y tenía unos grandes ojos negros. Parecía mirar a Steven con una sonrisa. Más tarde, al rasgar el papel que envolvía su regalo, Rebecca dio un grito de alegría. Abrazó a ese gran insecto feliz y trató de levantarlo, pero no pudo porque era demasiado grande, así que se tumbó encima de él rodeándolo fuertemente con los brazos. Steven se sentía orgulloso de su contribución a la primera fiesta de cumpleaños de Rebecca. La niña insistió en que la mariquita compartiera su cuna, y Jenny acabó haciéndole un hueco como pudo.

El primer año como padres de Jenny y Steven había sido ajetreado, agotador, satisfactorio y exigente. Nunca se habían preocupado tanto por alguien o por algo. Al mismo tiempo, ninguno de los dos se arrepentía. Rebecca había aportado mucho a sus vidas. Necesitaba mucha atención, y tenían que establecer horarios para compartir las responsabilidades. Pero era como si Rebecca hiciera que el tiempo se desvaneciera. Steven podía jugar con ella durante una hora, haciendo ruidos y poniendo caras raras, gateando detrás de ella, mostrando alegría y sorpresa ante sus innumerables gestos y movimientos. La abrazaba y la llevaba de un sitio a otro. Ella lo seguía y le agarraba los pies. Se arrastraban alrededor de la mesa del comedor; primero uno perseguía al otro y luego cambiaban los papeles y el perseguidor intentaba huir haciendo ruiditos. La diversión y la emoción eran mutuas. Cuando Steven empezaba a notar que Rebecca se iba cansando, reducía intuitivamente el ritmo, los gestos y las vocalizaciones. Al poco Rebecca caía en su regazo, se metía el pulgar en la boca y se quedaba callada. Él esperaba a que la niña le indicara que ya había descansado lo suficiente. Luego se levantaba y generalmente hacía cualquier otra cosa.

Al principio Steven se había quedado asombrado de la relación de Jenny con Rebecca. Cuando estaban juntas, era como si no hubiera nada más. Jenny siempre parecía percibir el estado de ánimo y las intenciones de Rebecca conforme las expresaba y respondía de una manera que encajaba perfectamente con el estado interno que empezaba a surgir en su hija. Se miraban fijamente la una a la otra durante interminables minutos con Rebecca de espaldas sobre las piernas de Jenny. Sonrían, movían la cabeza y se tapaban los ojos y la nariz al ritmo de una música inexistente. Steven no creía que pudiera conectar con Rebecca tan íntimamente como lo hacía Jenny. Además, no creía que Rebecca estuviera tan interesada en conectar con él como con Jenny. Esos primeros doce meses parecían diseñados para Rebecca y para su madre. Era como si su unión al nacer todavía se perpetuara. Rebecca se estaba convirtiendo en ella misma mientras bailaba con Jenny.

* * *

El 8 de marzo de 1994, el director de la escuela de Katie llamó a Susan. Katie se había negado a devolver la merienda que le había quitado a otro niño. Cuando su profesora fue a quitársela, ella le dio una patada y salió corriendo de la clase. Finalmente, la profesora y su ayudante pudieron llevar a Katie al despacho del director, quien rápidamente llamó a Susan para que viniera y se llevara a Katie a casa. La escuela prohibió a Katie ir al colegio al día siguiente también. Era la primera vez que el director suspendía a un alumno de primero.

Cuando Susan llevó a Katie a casa, notó que la niña actuaba como si nada hubiera pasado. Ignoró la charla que Susan le dio en el coche acerca de golpear a su profesora. Cuando entraron en casa, Katie corrió a poner la tele. Susan la apagó y le dijo que antes tenía que irse un rato a su habitación a hacer unos deberes que la profesora le había mandado. Le dijo a Katie que como los otros niños estaban en el cole, ella haría sus deberes en casa.

—De eso nada. ¡No puedes obligarme!

A Susan no le sorprendió la respuesta de Katie. Su actitud desafiante se había convertido en la norma.

—Katie, quiero que te vayas ahora mismo a tu habitación —dijo Susan, y se preparó para llevarla a su cuarto.

—¡Pues te daré una patada a ti también!

Ante la advertencia, Susan trató de protegerse, pero cuando la cogió del brazo, Katie consiguió darle una fuerte patada en la pierna. Susan la rodeó y la empujó hacia su habitación. Katie se estiró y agarró a su madre por el pelo. A Susan se le cayeron las gafas y ambas acabaron tiradas por la alfombra. Katie gritó que se había hecho daño en la pierna. Cuando Susan la soltó, Katie se levantó de un salto y corrió hacia la cocina. Susan la siguió gritándole que se detuviera. Katie cogió el teléfono inalámbrico, lo tiró contra el cristal del ventanal y salió de la casa corriendo. Susan la siguió, pero Katie ignoró sus gritos para que volviera. Se metió en el coche y cerró las puertas. No quería dejar entrar a Susan, que fue a buscar las llaves y al volver vio la mirada de odio de Katie desde el asiento delantero. Susan giró la llave y la puerta se abrió. Antes de que pudiera abrir la puerta, Katie había vuelto a poner el seguro, cosa que hizo otras veinte veces antes de que Susan se volviera a la cocina. Hacía frío afuera, y Katie no llevaba el abrigo puesto. Después de una hora de espera, intentó volver a abrir la puerta del coche. Katie se las volvió a arreglar para bloquearla. Finalmente, Susan se empezó a preocupar por la salud de Katie con el frío que hacía, así que llamó a Richard a la oficina para que volviera a casa. Cuando llegó, Katie seguía encerrada en el coche y se negaba a dejarlos entrar. Richard y Susan tuvieron que abrir las dos puertas delanteras al mismo tiempo para conseguirlo. Richard tuvo que llevarla a la fuerza a su habitación. Ella gritó, le insultó y llegó a arañarle la cara. Después destrozó su cuarto.

Steven estaba muy desanimado cuando se reunió con Susan en la oficina de Jan antes de la sesión de terapia de Katie del 11 de marzo. Katie llevaba con Susan unos seis meses y sus problemas eran mayores que nunca. Llevaba en régimen de acogida dieciocho meses, ¿y qué habían logrado? Se volvió hacia Jan y le preguntó qué podían hacer a continuación.

—Ojalá lo supiera —respondió Jan—. Podríamos volver a consultar con Bill sobre otro plan de comportamiento. Tenemos que intentar recobrar una actitud positiva hacia Katie, porque si no, me temo que nos vamos a meter en un círculo vicioso que no le hará ningún bien ni a ella ni a nadie.

—Yo no tiro la toalla —dijo Susan—. El ventanal me da igual, siempre y cuando Steven nos pague uno nuevo. Pero tenemos que encontrar alguna manera de comunicarnos con ella. No es como Jessica y Dan, que dan la sensación de querer mejorar. Cuando meten la pata parecen arrepentirse y hasta agradecen hacer algo para demostrar que lo sienten y que quieren pasar página. Pero a Katie le da igual. Nunca es culpa suya. La consecuencia natural a sus actos es que nosotros paguemos por ellos como si no tuviéramos derecho a ser tan crueles con ella.

—¿Notaste algún efecto de la medicación? —preguntó Steven.

—Ninguno —respondió Susan—. Y el doctor Veilleux ha probado con otra que pensó que podría reducir sus arrebatos de rabia. Pero tampoco ha ayudado.

—Vamos a reunirnos con Bill la semana que viene. Con un nuevo plan de comportamiento podríamos tener otra oportunidad —sugirió Jan. Steven y Susan estuvieron de acuerdo, y Jan propuso reunirse con Katie para tratar de entender lo que se le estaba pasando por la cabeza.

En la sesión, Katie no quería ni oír hablar de nada relacionado con procesar su reciente comportamiento en la escuela y en casa. Jan sabía que si presionaba demasiado, Katie insistiría en terminar la terapia temprano ese día y se atascarían en una lucha de poder sobre la necesidad de quedarse hasta el final de la sesión. Jan aceptó su negativa y se sintió esperanzada cuando Katie optó por jugar con la casa de muñecas para poder expresar de manera no verbal sus experiencias recientes. Katie jugaba con su habitual intensidad y motivación. Accionaba el bebé de juguete de forma bastante agresiva. En esta ocasión, fue más allá. Cogió los muebles de toda la casa de muñecas y amontonó las piezas en la sala de estar. Dejó al bebé de juguete arriba. Luego hizo como que prendía fuego a los muebles y toda la casa se quemaba. El bebé, por supuesto, moría. Jan se preguntó si el bebé representaba a Susan y a su familia o a Katie. Pensó que probablemente a ambos. Cuando se lo sugirió a Katie, recibió por respuesta un "¡Cállate!" más áspero de lo habitual. Puede que hubiera llegado hasta Katie. Y si así era, ¿serviría de algo?

* * *

Durante las semanas siguientes, Bill les ayudó a desarrollar un programa de comportamiento centrado principalmente en lo positivo. Katie tenía varias recompensas disponibles por tener comportamientos sociales apropiados. Pasaban por alto el mal comportamiento o simplemente le decían que tendría las recompensas disponibles en cuanto su comportamiento volviera a centrarse. Katie aprendió el sistema con mucha rapidez. Durante unos días, parecía estar respondiendo favorablemente. Entonces Susan comenzó a notar que en cuanto obtenía una recompensa, su comportamiento empeoraba. Bill había advertido a Susan que no mostrara demasiada emoción cuando Katie siguiera las reglas, porque la niña podría hacer algo para frustrarla. Susan intentó evitar cualquier tipo de anticipación después de la recompensa, pero el comportamiento de Katie aún se volvió más agresivo y desafiante. Puede que Susan estuviera comunicando algo negativo a Katie sin ser consciente de ello. Se esforzó más, pero no cambió nada. Pronto comenzó a sentirse algo decepcionada cuando Katie ganaba una recompensa. De alguna manera, eso no era lo que se suponía que debía estar pasando.

A principios de abril de 1994, Susan volvió a reunirse con Steven, Jan y Bill. El comportamiento de Katie había mejorado algo, pero por alguna razón, Susan no se sentía mejor. Trató de explicarlo.

—Creo que Katie podría estar mejorando un poco porque ahora consigue lo que quiere con más frecuencia que antes. Sabe que cuando hace algo mal, en realidad no se priva de nada de lo que más desea. No le cuesta nada comportarse lo suficiente como para conseguir lo que quiere, y luego pasa de todo y hace lo que quiere para molestar a los demás. Luego, cuando vuelve a querer algo, se activa y obtiene otra recompensa.

—Es un comienzo —sugirió Bill—. Ya es consciente de la conexión entre los buenos comportamientos y las recompensas. Es un punto de partida. Si lo hace lo suficiente, al final debería comenzar a disfrutar portándose bien ella sola. Asegúrate de reforzar verbalmente sus buenos comportamientos.

—Me preocupo de hacerlo, Bill —dijo Susan—. Pero hasta ahora no me ha dado ninguna muestra de que le importe lo que yo diga. Lo hace para obtener la recompensa. Pero solo cuando quiere la recompensa. Cuando no le importa, hace lo que le da la gana, que suele coincidir con lo que no nos gusta los demás.

—Pero aun así es un comienzo —dijo Jan—. Como las cosas van mejor en casa, quizás empiece a querer llevarse mejor con la familia para que la aprecien y la elogien por lo que hace.

—Katie nunca tuvo estos refuerzos positivos cuando era más pequeña, Susan —dijo Bill—. Tardará algún tiempo en empezar a asociar los refuerzos concretos y luego los sociales con su buen comportamiento. Una vez que eso suceda, comenzarás a ver que se esfuerza más por complacerte y por hacer lo que estás reforzando.

* * *

El 1 de mayo, Susan se estaba preparando para la comida familiar anual de principios de primavera, que se había convertido en una tradición en su casa durante los últimos años. Dick y Beth estarían en casa, y los padres de Susan y Richard también acudirían. El hermano de Susan, Mike, y su familia también estaban planeando asistir.

Susan esperaba que Katie estuviera bien para la reunión familiar. Aunque no había apreciado realmente ninguna mejora en los últimos meses, tampoco había comportamientos escandalosos. Pero seguía pensando que Katie estaba mejor porque estaba conseguía lo que quería más a menudo. Seguía mostrándose hiriente, insolente y egoísta. Susan no notaba que Katie estuviera más cerca de ella. La niña seguía mintiendo casi constantemente y trataba de salirse con la suya. A Susan y a Richard se les daba bastante bien morderse la lengua y no reaccionar ante estos comportamientos. Cuando Katie hacía lo que debía, la elogiaban y recibía su recompensa.

Katie estaba de buen humor esa mañana e incluso se ofreció a ayudar con la preparación de la comida al aire libre. Susan pensó que podía estar compitiendo con Jessica para ver quién era más útil. Aunque el motivo fuera ese, ¡a Susan le parecía bien! Tenía suficiente trabajo para las dos. Solo tenía que asegurarse de que trabajaran por separado.

—Jessica, ¿por qué no pasas la aspiradora por la sala de estar y el cuarto de la tele? Después puedes hacer la limonada. Katie, tú quédate aquí y ayúdame a preparar la comida.

Ambas estuvieron de acuerdo y Susan comenzó a preparar la comida. Puso a Katie a lavar las verduras para la ensalada mientras ella preparaba la carne picada para hamburguesas que su marido iba a usar en la parrilla de fuera. Katie se aburrió enseguida de lavar la lechuga y Susan vio que le iba a tocar a ella hacerlo. Le sugirió que intercambiaran las tareas, y Katie volvió a estar de acuerdo. Al poco rato, Richard le pidió a Susan que saliera para ver cómo estaba quedando el jardín.

Quince minutos después, Harold y Margaret Woods, los padres de Susan, llegaron y se reunieron con ellos en el jardín.

—Va a ser un verano genial. Tenemos comida para un regimiento —dijo Susan a sus padres—. Me alegro mucho de que ambos os encontréis bien hoy. —Susan estaba preocupada por los recientes problemas de salud de sus padres—. ¿Me ayudas a terminar en la cocina, mamá? Tus ensaladas son la razón de ser de esta comida anual.

—Claro que sí. Y si eso es cierto, creo que Harold y a mí nos ha tocado la lotería —respondió Margaret mientras caminaban hacia la casa—. ¿Cómo están los niños?

—Así así —dijo Susan—. No hemos avanzado mucho con Katie. Es imposible comunicarse con ella.

—Bueno, tú hazlo lo mejor que puedas. Y lo mejor de ti es suficiente para la mayoría de los niños —dijo Margaret.

Cuando entraron a la cocina, Jessica estaba haciendo la limonada y Katie no estaba.

—¿Dónde está Katie? —preguntó Susan.

—Se ha ido a su habitación —respondió Jessica.

Susan fue a comprobar las hamburguesas. Pensó que tendría que apretar más la carne. Parecía que se iban a despachurrar antes de llegar a la parrilla.

Susan cogió una y empezó a hacer una bola. Algo iba mal. Ni el tacto ni el aspecto eran los correctos. Echó un vistazo más de cerca. Olía fatal. Algo pasaba con la carne. Pero la había comprado fresca el día anterior. Se volvió hacia Margaret.

—Huele esto, mamá.

—¡Qué asco! —respondió Margaret—. Eso no es una hamburguesa.

Susan tuvo un mal presentimiento cuando se acordó de que Katie estaba en su habitación. Cogió una de las hamburguesas y atravesó la casa hasta llegar a su cuarto. Llamó a la puerta, entró e inmediatamente supo que estaba en lo cierto. Katie tenía esa mirada que significaba que había hecho algo malo.

—¿Qué le has hecho a la carne, Katie?

—¡No le he hecho nada! —gritó Katie.

—Katie, esto huele fatal. ¿Qué le has echado?

Susan se dio cuenta de que el olor era mucho peor en la habitación. Además, ahora le resultaba más familiar. Miró detrás de la cama. En el suelo estaban las bragas sucias de Katie y una toalla manchada con heces.

—Katie, ¿has puesto tu caca en la carne de las hamburguesas? —gritó Susan.

La mirada de Katie la sacó de toda duda. ¡Estaba contenta! Había hecho algo que iba a cabrear un montón a Susan y estaba disfrutando de su mirada de horror.

—¡Has sido tú! —siguió gritando Susan. ¿Por qué has hecho eso? ¡Qué cosa tan mala y tan asquerosa! ¿Por qué lo has hecho?

Katie no respondió. Se quedó mirando a Susan. No parecía estar asustada. En todo caso, parecía querer que Susan le gritara y que incluso le pegara. ¡Quería que Susan la odiara!

Susan no sabía qué hacer ni qué decir. Le brotaron las lágrimas. Tenía ganas de restregarle la carne por la cara a Katie. Quería arrastrarla del pelo hasta la cocina y hacer que lo limpiara todo y que le dijera a todos lo que había hecho. Pero no podía aceptar esos sentimientos. No sentía nada hacia Katie. Estaba destrozada. Había hecho todo lo posible por esa niña durante ocho meses. Ahora solo le quedaba llorar. Salió de la habitación de Katie sin decirle nada más. Susan necesitaba estar con su madre. Necesitaba llorar con su madre. Katie no se afligió. No podía estar más contenta.

* * *

Cuando Susan llamó a Steven para decirle que tendría que buscarle a Katie otra casa, no sentía enfado ni culpa. Más bien tristeza. Había fracasado. Ya no dolía tanto porque su madre la había ayudado a aceptarlo, pero estaba triste por Katie. Ni siquiera había cumplido los siete años. Steven encajó la noticia con resignación. Estaba tan molesto por el incidente de la carne como lo había estado Susan. ¿En qué estaba pensando Katie? ¿Quién podría criar a esta niña? ¿Qué iba a hacer con ella?

Habló con Kathleen, que quedó en consultar con Dawn en la oficina central las opciones de acogida que tenía Katie. Susan había dicho que estaba dispuesta a que se quedara hasta que acabara el curso escolar, lo que les daba cuatro o cinco semanas de tiempo.

Al día siguiente, Steven hizo un resumen de los últimos veintiún meses de la vida de Katie para los demás trabajadores y para Dawn. Había agrupado los diversos síntomas que había manifestado la niña en todos los hogares de acogida. Cuanto más enumeraba sus problemas, peor parecían. Cuestionó sus propias experiencias con respecto a Katie, que, en su mayor parte, habían sido bastante buenas. Estaba impresionado con la energía, iniciativa y expresividad general de la niña. Si bien a veces parecía agresiva y egocéntrica, su comportamiento tenía poco de la agresividad y confrontación de la que hacía gala en las casas. Por alguna razón, no conseguía cuajar en las casas que le proporcionaban.

Dawn les preguntó si habían considerado uno de los programas de hogares de acogida terapéuticos de la zona. Kathleen apuntó que estaba pensando lo mismo.

—¿En qué se diferencian estas casas de nuestras casas normales? —preguntó Steven.

—En general, estos padres tienen más formación y apoyo que los de los hogares normales. Reciben una calificación más alta de la junta y se espera que participen más activamente en el tratamiento del niño. Aunque muchos de nuestros padres normales de acogida son tan diestros y están tan implicados como estos padres terapéuticos, son un recurso que podrías considerar si no das con el hogar adecuado entre las casas del DHS —sugirió Dawn.

—A mí me parece bien, Steven —dijo Kathleen—. Tenemos que hacer todo lo posible por encontrarle un hogar adecuado. No puede permitirse más cambios después de este.

—Es que no se me ocurre qué es lo que un hogar puede ofrecer a Katie que Susan y Ruth no le hayan dado ya —dijo Steven—. De alguna manera, se nos está escapando algo.

—¿Dirías que Katie tiene dificultades para formar apegos con sus padres de acogida? —preguntó Dawn.

—Desde luego que tiene dificultades para llevarse bien con ellos, si es eso a lo que te refieres —respondió Steven.

—¿Parece que le importa mudarse o es como si le diera igual una casa que otra? —preguntó Dawn.

—Creo que no le importa. Ruth y Susan piensan lo mismo. Su otra madre, Karen, pensó que significaba algo para Katie, pero en cuanto Katie se fue, pareció olvidarse de Karen.

—Además, ¿dirías que es manipuladora y controladora? ¿Está siempre dispuesta a dar excusas, a mentir y a culpar a los demás?

—Exactamente —respondió Steven.

—¿Por qué no la evalúa Allison Kaplan en Farmingdale? Ha trabajado mucho con niños que tienen dificultades para formar apegos con sus padres de acogida o adoptivos —sugirió Dawn.

—Algunos de mis chicos han estado con Allison —dijo Betty—. Ha hecho un buen trabajo con ellos. Su terapia no es como la que ofrecen muchos terapeutas.

—¿En qué se diferencia? —preguntó Steven.

—Bueno, tiende a abordar las dificultades del niño más rápida y directamente, aunque lo hace de una manera muy solidaria. Trata de dar sentido a su comportamiento. Trabaja en estrecha colaboración con los padres de acogida, trae a uno o a ambos a las sesiones y trabaja para enseñar al niño a aceptar la crianza de la madre. ¿Por qué no le pedimos que evalúe a Katie? Es psicóloga.

—El trabajo de Allison puede parecer algo inusual, aunque según mi experiencia ha logrado algunos resultados muy buenos con niños con problemas significativos similares a los de Katie. Creo que es muy directa con los niños porque cree que evitarán sus dificultades indefinidamente a menos que les pida que las aborden. Estoy segura de que no los presiona más de lo necesario —dijo Dawn.

—Bueno, pues voy a llamarla y a hablarle de Katie. Quizás pueda verla y darnos algunas ideas sobre cuál sería el hogar de acogida más adecuado para ella —dijo Steven.

—Genial. Tenme al corriente —dijo Kathleen.

* * *

Al día siguiente, Steven consiguió localizar a Allison Kaplan. Parecía interesada en Katie y dijo que estaría dispuesta a evaluarla. Pidió un resumen del historial de Katie antes y después de ingresar en el programa de acogida. También quería hablar con su madre de acogida. Allison preguntó a Steven sobre la raza y la religión de Katie. Antes de responder, Steven le preguntó por qué era importante para el propósito de la evaluación.

—Sin duda, la raza y la religión de Katie son factores que debes tener en cuenta al elegir un hogar para Katie —respondió Allison—, pero también debo tenerlos en cuenta yo al hacer una evaluación sobre ella. Si es afroamericana o hispanoamericana y la asignasteis a una familia caucásica, o si es judía o islámica y la asignasteis a una familia cristiana, la falta de correspondencia entre su raza o religión y la de su familia de acogida podría haber contribuido a sus dificultades.

—¿De qué manera? —preguntó Steven.

—Primero, puede que no se haya sentido tan segura inicialmente o de forma continuada viviendo con alguien que parece diferente a ella o que practica su religión en un sitio distinto al que ella frecuenta. Si su idioma principal es diferente, podrían darse problemas similares. Podría haber muchas diferencias en la comida, la ropa, los rituales y lo que se considera apropiado con respecto a la forma en que un niño se comunica con un adulto. Segundo, si la familia de acogida no tiene en cuenta estas diferencias, tal vez no muestre sensibilidad ante cosas que podrían ser importantes para la niña de una manera que respete cualquier diferencia y que la ayude a sentirse más segura y valorada por cualidades importantes de su personalidad. Por lo tanto, debo prepararme antes de la evaluación para ser sensible a esas diferencias y contribuir así a que la niña se sienta a salvo conmigo, así como para poder evaluarla y entender su comportamiento en tanto en cuanto se relacione con estas cuestiones.

Finalmente, al dar mis recomendaciones, es probable que aborde si la raza o la religión de los padres de acogida deberían ser fundamentales para decidir su próximo hogar.

—Katie es caucásica, Allison, y sus padres declararon que eran cristianos, aunque no sé si practican mucho. Sin embargo, no estoy seguro de que su raza o religión tengan relación con la ubicación que le asignamos, ya que no me consta que tengamos padres de acogida en nuestra región que no sean caucásicos y cristianos.

—Bueno, Steven, puede que sea así, pero si fuera afroamericana o judía, puede que te recomendara encarecidamente que la asignaras a una familia de acogida que cuadrara mejor con ella que una familia caucásica y cristiana. Incluso aunque supusiera colocarla en otra región de Maine o hacer grandes esfuerzos para encontrar una familia de esas características. No estoy segura de si esa sería mi recomendación, pero tengo muy claro que la consideraría. Puede que la coincidencia de raza y religión no sea el factor más importante, pero a veces puede serlo y, en igualdad de condiciones, hay que decantarse por ella. Y cuando no sea posible proporcionarla, creo que debemos hacer que la familia de acogida reciba formación y educación sobre estas diferencias y modificar probablemente la atención que reciba la niña en algunas áreas para que se haga eco de aspectos de su identidad que seguro que son importantes.

Mientras hablaba con ella, Steven tenía la esperanza de que Allison pudiera ayudarlo a entender a Katie y lo que necesitaba. Se sintió aún más animado cuando la doctora Kaplan dijo que sabía de una familia de acogida que podría ser adecuada para Katie. Acababa de terminar de trabajar con Jackie Keller, una madre de acogida, y Gabe, su hijo de acogida, que acababa de ser asignado a un hogar adoptivo. Jackie se estaba tomando un tiempo de descanso, pero había expresado interés en acoger a otro niño pronto.

COMENTARIO

El comportamiento de Katie hacia Jessica y Dan no representa los celos normales entre hermanos o los celos de un niño que duda de ser tan especial para sus padres como sus hermanos. En realidad, Katie solo quería afecto de Susan cuando veía que sus hermanos buscaban afecto. No tenía ningún interés en el afecto en sí. Cuando era un bebé, quería afecto. Ahora los recordatorios sobre el afecto que había visto en las acciones de Jessica y Dan hacia Susan le habían provocado una angustia que quería evitar. Quería mantener a Susan disponible para satisfacer sus necesidades. Si Susan estaba atendiendo a los otros niños, no estaría disponible para ella. Puede que Katie también quisiera hacer daño a Jessica y Dan. Sabía lo que querían y hacía lo posible por evitar que lo consiguieran.

La percepción de Katie del matrimonio entre Susan y Richard entró en la misma dinámica. Quería que ambos la atendieran y se relacionaran con ella, pero no entre ellos. Nada la hacía más feliz que crear un conflicto entre Susan y Richard. Como Susan era la cuidadora principal, la mayoría de las veces Katie la percibía como la "la mala" mientras que Richard era "el bueno". Cuando Katie tenía un conflicto con Susan, inmediatamente buscaba la comprensión de Richard. Cuando conseguía que discutieran por su culpa, no cabía en sí de felicidad.

En general, los niños como Katie tienen muchos conflictos con su nueva madre y luego activan su encanto en el momento en que el padre llega a casa. Muchos logran inducir al padre a pensar que quizás la madre esté siendo demasiado dura, con la esperanza de que la anime a "relajarse" un poco. Nada desalienta ni enfurece tanto a una madre como ver a su pareja tan influenciada y luego darse la vuelta y ver a su hijo reírse a espaldas del padre. Luego se encuentra compitiendo con el niño por el corazón y la mente de su pareja. A veces, el padre adoptivo o de acogida ha llegado a pensar que su mujer en realidad le está mintiendo sobre su hijo. La mayoría de las veces no es así, pero a veces sí lo es.

Katie logró causar conflicto entre los miembros de su familia de acogida. Muchos niños de acogida también consiguen crear discordia entre todos los profesionales con los que se relacionan. El llanto de un niño de acogida en la escuela crea un desacuerdo entre su maestro y su padre. Sus comentarios cuidadosamente traídos hacen que el terapeuta cuestione las decisiones y los comentarios hechos por el trabajador social. El trabajador social, a su vez, comienza a cuestionar la medicación prescrita por el psiquiatra o las decisiones que tomó el anterior trabajador social. Cuando el niño es realmente bueno haciendo esto, muchos profesionales acuerdan finalmente que lo más seguro es que los padres de acogida sean la razón por la que no hay progresos, incluso aunque tengan una implicación y unas habilidades similares a las de Ruth o Susan. Esta división aumenta la dificultad de ayudar con éxito a una niña como Katie. Los adultos implicados deben ser conscientes del riesgo de que se den estos conflictos. Deben haber desarrollado una comunicación abierta y confianza en las habilidades, el conocimiento y el compromiso de cada uno con un niño en particular. Si los adultos difieren, necesitan trabajar abiertamente para resolver sus diferencias respetando las opiniones de los demás. Como el padre es la persona más importante en el tratamiento del niño, los profesionales deben compartir sus recomendaciones y preocupaciones y luego aceptar su decisión, a menos que existan razones excepcionales para no hacerlo. Si los padres reciben respeto, la mayoría de las veces serán muy receptivos a la ayuda y las ideas cuando sus propios esfuerzos no funcionen. Es difícil fallar cuando deseamos tan desesperadamente marcar una diferencia en las vidas de estos niños con problemas. Si empezamos a culparnos unos a otros y no nos apoyamos mutuamente, nos habremos vuelto como los niños que estamos tratando y seremos de poca ayuda.

En general, el primer motivo de Katie para interactuar con otras personas fue poder convencerlos de que le dieran lo que quería. Si lograba que sus padres hicieran lo que quería, estaba satisfecha un tiempo. Sin embargo, los objetos o actividades que quería nunca le reportaban ninguna satisfacción o disfrute interno. Luego hacía su próxima demanda, y su satisfacción con sus padres dependía principalmente de si hacían lo que ella quería. Poco importaban las diez respuestas positivas anteriores si rechazaban la solicitud actual. Tarde o temprano, cada uno de los padres se daba cuenta de que concederle su petición no la hacía sentirse más segura, más feliz o más confiada. Cuando rechazaron sus peticiones, Katie comenzó a responder con enfado por lo injustas y duras que se habían vuelto. En su mente, ellos fueron los causantes de su enfado y los culpables de que ella fuera destructiva, agresiva, tramposa y desafiante.

Katie y los que son como ella corren el riesgo de experimentar poco remordimiento por hacer daño a los demás. Tienen poca empatía y apenas se sienten culpables por sus comportamientos. La empatía y la culpa emergen dentro de los aspectos de la seguridad del apego, dentro de la cual el niño se identifica cada vez más con sus padres. Su padre es una persona, no un objeto, y el niño con apego seguro experimenta empatía por la angustia de su padre cuando la ha causado. Katie no había alcanzado ese nivel de desarrollo. Permanecía perdida en la vergüenza, una emoción que se centra en el *self* —no en el otro— y que, en familias que funcionan bien, sigue siendo pequeña, lo que permite al niño desarrollarse a través de la socialización, la identificación, la empatía y la culpa (Tangney y Dearing, 2002). La vergüenza devolvió a Katie a su propia inutilidad y a su odio hacia otras personas que no la cuidaban y que, por lo tanto, eran igualmente inútiles. Las heces en la carne de hamburguesa eran para ella una representación divertida de su desprecio por los esfuerzos de los demás por divertirse. El disfrute mutuo la excluía necesariamente, y ella no estaba dispuesta a tolerarlo.

Como suele ser el caso entre quienes intentan vivir o trabajar con niños como Katie, Steven, Jan y Susan analizaron los acontecimientos recientes de la vida de Katie para tratar de comprender qué podría haber precipitado sus síntomas. Con frecuencia, los padres y los profesionales pasan mucho tiempo tratando de identificar los "factores desencadenantes" como si eso les permitiera ayudar al niño a gestionar mejor esos factores de estrés. Esta es una estrategia razonable cuando el niño tiene solo unos pocos factores desencadenantes. Sin embargo, los niños que carecen de comportamientos que representan la seguridad del apego y que manifiestan un trauma no resuelto tienen muchísimos factores desencadenantes que se encuentran entre los miles de eventos que ocurrieron durante sus dos primeros años de vida. Podemos trabajar diligentemente para identificar y tratar de limitar cada desencadenante, pero entonces acabaremos desanimándonos y empezaremos a culpar al niño o a los demás. Los profesionales y los padres deben reconocer los efectos más profundos de las experiencias generalizadas de maltrato y abandono intrafamiliares, y luego proporcionar al niño las experiencias terapéuticas en el hogar y en la consulta que abordarán las deficiencias en el desarrollo y el apego que se originaron años atrás. Necesitamos descubrir qué hay debajo de los síntomas, abordar esos traumas y deficiencias del desarrollo y llevar al niño a experiencias intersubjetivas restauradoras con sus figuras de apego. Si no lo hacemos, puede que reduzcamos los "desencadenantes" de esta semana, pero aparecerán otros nuevos a la siguiente... y a la siguiente también.

CAPÍTULO 6

¿QUÉ SE PUEDE HACER?

El 12 de mayo de 1994, Katie conoció a Allison Kaplan cuando Susan y Steven la llevaron a su consulta. Aún no le habían dicho que se iría de casa de Susan en algún momento después de que acabara el curso. Allison fue a recibirlos a la sala de espera y le pidió a Katie que se quedara allí mientras hablaba con Susan y Steven. Había varios juguetes en la sala, así que a Katie no le importó quedarse.

Steven se dio cuenta enseguida de que Allison era competente y tranquila. Parecía ser una persona calmada y agradable, y se notaba que disfrutaba con su trabajo. Llevaba pantalones grises y un jersey rojo oscuro. Le recordó a muchas mujeres de negocios y profesionales de éxito. Aparentaba cuarenta y pocos y desprendía un aire de confianza con su pelo castaño claro y algo canoso, algunas pecas y una sonrisa encantadora. La consulta parecía más una sala de estar que un espacio profesional. Había un sofá grande con una amplia variedad de almohadas, algunas de las cuales parecían haberse caído al suelo. Había una mecedora cerca del centro de la estancia y una gran silla tapizada al lado de la ventana. Las cortinas que cubrían las ventanas también le hicieron sentir como si hubiera entrado en el cálido hogar de uno de sus padres de acogida. Había un pequeño escritorio en la esquina, como para demostrar al escéptico que en realidad era psicóloga y que esa era su consulta. Había dos clásicas sillas de oficina al lado del escritorio, pero si Steven se sentaba en una de ellas, estaría lejos de cualquier conversación que ocurriera alrededor del sofá y de las cómodas sillas. Una vez que Susan y Allison se sentaron, se decantó por la mecedora.

Allison interrogó a Susan en detalle sobre los últimos ocho meses. Steven notó que claramente no culpaba a Susan por el mal rumbo de las cosas. En todo caso, le expresaba admiración por lo mucho que había trabajado para ayudar a Katie.

—Susan, si Katie hubiera sabido responderte, no estaríamos hablando de asignarle un nuevo hogar —apuntó Allison—. Voy a intentar hacer un resumen de lo que me has contado sobre ella. Es una niña que se enfada, que es muy controladora y que insiste en salirse con la suya muy a menudo. Suele hacer cosas malas y dolorosas, especialmente si alguien la enfada o simplemente si acaba de divertirse o si se ha excitado mucho. Es cariñosa cuando quiere algo de ti o si ha hecho algo mal. Miente y roba con frecuencia y, en general, es como un "nubarrón" en tu casa. Al principio fue capaz de crear conflictos entre los otros niños y tú, y luego te enfrentó a tu marido, que creyó que eras demasiado dura con ella. Lo intentaste con un plan de gestión del comportamiento con el que parecía jugar a su antojo, ya que lo usaba o no dependiendo de si quería algo en ese momento. Crees que ni tú ni nadie significáis realmente algo para ella. Tienes que vigilarla si hay animales o niños más pequeños cerca. Cuando estableces un límite y una consecuencia, sabes que eso generará una pelea o que lo pagarás más tarde de algún modo. ¿Me he saltado algo?

—Esa es Katie, doctora Kaplan. No quiero parecer demasiado negativa con ella, pero es así en realidad —dijo Susan.

—Mi impresión, Steven —dijo la doctora Kaplan—, es que su primera madre de acogida tuvo básicamente la misma experiencia cuando Katie vivió en su casa.

—Así es —respondió Steven—. Y creo que Ruth era tan competente y estaba tan implicada con Katie como Susan.

—¿Le decimos que venga? Tú espera aquí, Steven, que ya vamos Susan y yo a por ella. Me gustaría que estuvierais ambos presentes en la entrevista —dijo Allison.

Allison y Susan fueron a la sala de espera. Steven escuchó a Katie armar cierto escándalo, pero al cabo de unos minutos entraron las tres a la consulta de Allison. Katie no se despegó de Susan y se sentó a su lado en el sofá.

—Katie no quería dejar los juguetes —dijo Allison en un tono relajado y ligeramente juguetón—. Le he dicho que tenía que venir aquí con nosotros y que tenía que decidir: o venía o me llevaba los juguetes a mi consulta y Susan, tú y yo nos reuníamos con ella en la sala de espera. ¡Y eso no le ha gustado un pelo! De cualquier manera, ¡no hay juguetes! Bueno, ha decidido venir con nosotros a esta sala, que creo que es más cómoda que la sala de espera.

Susan abrazó a Katie, que estaba haciendo pucheros mientras aún se apoyaba en ella.

Steven notó que Allison era bastante directa, como Betty había dicho, pero de una manera agradable. Se preguntaba si ahora Katie la castigaría con su silencio como hacía con él cuando le pedía que hiciera algo que no quería hacer. Allison cambió rápidamente de marcha y montó un revuelo por el color de la camisa de Katie. La niña respondió rápida y positivamente cuando Allison trajo un gato de peluche que tenía el mismo tono tostado que llevaba ella en la camisa. Allison la dejó cogerlo y le dijo que el gato podía hablar por ella si le costaba hablar de algo. Katie dijo que le gustaría jugar con los otros animales de peluche y también con las marionetas. Entonces Allison le dijo que no y Katie tiró al gato.

—¿Te has enfadado con el gato porque te he dicho que no? —le preguntó Allison—. ¿O es que te has enfadado conmigo pero no tienes claro si quieres decírmelo? Puedes decírmelo sin problema. ¿Por qué no dices: "Me he enfadado porque no me dejas jugar con los animales. Estoy muy enfadada contigo"? —Katie no respondió y apretó el brazo de Susan—. Pues si no quieres decirlo, haz que el gato lo diga por ti —dijo Allison.

Katie la ignoró. Entonces Allison cogió al gato y habló por Katie. Esto le molestó y se tapó los oídos con los dedos.

Allison se volvió hacia Susan y dijo en voz baja:

—Ya veo lo que quieres decir, Susan. Le resulta muy difícil cuando no puede hacer lo que quiere. Entonces no hace lo que se le pide que haga. Y cada vez parece enfadarse más.

Entonces Allison puso al gato al otro lado de Susan y le pidió que lo rodeara con el brazo, al igual que hacía con Katie con el otro brazo. Allison comenzó a hablar con Susan sobre el pelo de Katie. Steven se dio cuenta de que Katie volvió a hablar con Allison enseguida. Allison parecía saber cómo mantener a Katie en una relación positiva incluso después de un conflicto.

Después de algo de charla, Allison acercó su silla a Katie y comenzó a centrarse en la vida pasada de la niña sin cambiar ni un ápice su manera de relacionarse ni su tono de voz.

—Me ha dicho Susan que has tenido momentos difíciles viviendo con ella. ¡Y Steven me ha dicho que también lo pasaste mal en las casas de Karen y de Ruth! Pero me da a mí que el momento más difícil de todos fue cuando vivías con tu mamá y con tu papá, Sally y Mike…

Katie se puso tensa inmediatamente y apartó la mirada. De repente dijo:

—Fueron malos conmigo. Mike me pegó y me dio patadas. ¡Incluso se hizo pis encima de mí!

—¡Ay, Katie, eso te tuvo que hacer mucho daño! ¡Y eras tan pequeña! ¡Y encima eran tus padres! ¡Y se supone que los padres no deben hacer daño a sus hijos así!

Katie se esforzaba por añadir algo más. No se sentía cómoda con la empatía de Allison por su dolor.

—¡Y no me daban de comer! Y no jugaban nunca conmigo. ¡Y me decían que era mala!

—Te hicieron mucho daño, Katie —dijo Allison en voz más baja que antes—. Seguro que estabas tan triste que llorabas un montón.

—¡No lloraba! —exclamó Katie—. ¡Les pegaba y era mala con ellos!

—¡Lo entiendo, Katie! Eran malos contigo y eran tus padres. Pero eras muy pequeña. Seguro que querías llorar un poco de vez en cuando.

—¡Que no lloraba! —repitió Katie.

—Estoy segura de que encontraste una forma de dejar de llorar, Katie. ¡Bien hecho! Llorar cuando eres una niña pequeña y estás sola es muy doloroso. Me alegra que dejaras de llorar. Nunca debió pasar lo que pasó, Katie. Y nunca te enseñaron a vivir en una buena familia. No te enseñaron a jugar con tus padres. No te enseñaron a hacer cosas con ellos. No te enseñaron a divertirte con tus padres. No me sorprende que haya sido difícil para ti aprender a vivir en las casas geniales en las que ha estado desde que te separaste de Sally y de Mike. ¡Si no te habían enseñado a hacerlo! —Katie no dijo nada. Allison continuó—. Ha sido difícil hablar de esto, Katie. ¿Por qué no respiras hondo y te relajas un poco? —dijo Allison mientras ponía la mano en el pecho de Katie y respiraba hondo ella misma. Katie sonrió y también respiró profundamente—. Mejor ahora, ¿verdad? ¿Por qué no me cuentas algunas de las cosas que te han resultado difíciles de vivir con Susan?

Katie dudó y luego dijo:

—A veces, Susan no me deja tomar postre y me obliga a sentarse en la silla de pensar.

—¿Pero qué es lo que te resulta difícil hacer, Katie? ¿Qué es lo que no sabes hacer bien? —Katie volvió a quedarse callada. No había despertado la simpatía que buscaba al contar que se quedaba sin postre. No sabía que era lo que Allison quería que dijera—. Parece que te has atascado, Katie. Voy a ayudarte —dijo Allison—. ¿Te resulta difícil decir la verdad cuando has hecho algo mal y Susan te pregunta por ello?

—Sí —respondió Katie en voz baja.

—¿Te resulta difícil recoger tus juguetes cuando Susan te dice que lo hagas? —Katie volvió a decir que sí, pero ahora con una sonrisa—. ¿Te resultó difícil estar en la fiesta de cumpleaños de Jessica?

—No, eso no fue difícil —dijo Katie.

—Pero empezaste a gritar y tiraste tu refresco cuando no conseguiste el trozo de tarta que querías —sugirió Allison.

—Pero no fue difícil —sostuvo Katie.

—Entonces estoy un poco perdida, Katie. Yo creo que si te hubieras estado divirtiendo mucho, te habría dado igual el pedazo de tarta que te hubiera tocado. —Katie volvió a quedarse en silencio. Allison puso la mano encima de la de Katie y dijo lentamente—: Katie, yo diría que hay muchas cosas que te han resultado difíciles mientras vivías con Susan porque es una buena mamá y no sabes cómo relajarte y sentirte segura de verdad con una buena mamá.

Katie parecía algo triste. Miró hacia el suelo y se quedó inmóvil un momento. Entonces vio al gato, lo cogió de repente, sonrió a Allison y dijo:

—Ahora quiero jugar con los otros animales.

Allison apoyó la mano en el gato y dijo:

—Ahora no, Katie, todavía tenemos hablar un poquito más.

Katie apartó al gato y gritó:

—Quiero jugar con ellos ahora.

—Jo, Katie, hay que ver lo rápido que has vuelto a enfadarte —dijo Allison—. Algunas de las cosas que estaba diciendo no deben de estar gustándote y quieres que deje de hablar. ¿Por qué no lo dices? Di: "¡Deja de hablar, Allison!".

Katie miró por la ventana y gritó:

—Deja de hablar, Allison.

—¡Eso es, Katie! ¡Sabía que podías hacerlo! —dijo Allison con una sonrisa—. Claro que entiendo que te resulte difícil vivir con una madre como Susan cuando tu primera madre, Sally, era tan distinta. Susan nunca te ha hecho daño como Sally. Pero probablemente pensaste que Susan te hacía daño a veces cuando te enfadabas con ella.

—¡Cállate! —gritó Katie.

Allison se dirigió a Susan y dijo en voz baja:

—A Katie le cuesta mucho hablar de estos problemas. Probablemente piensa que la odias cuando le dices que deje de hacer algo. Ahora está realmente enfadada conmigo por no hacer lo que ella quiere y por hablar de cosas en las que preferiría no pensar. ¡Se enfada! Y creo que también está un poco triste.

—¡No lo estoy! —volvió a gritar Katie a Allison.

—Ay, Katie, no pasa nada por estar triste. Y te aseguro que entiendo por qué puedes estar triste cuando te han hecho tanto daño. Muchos otros niños a los que les han hecho daño se ponen tristes por eso a veces.

Katie apartó la mirada en silencio. Todos se quedaron sentados en silencio un momento.

Allison se volvió hacia Steven y Susan y les dijo que quería hablar con Katie a solas un rato. Fueron a la sala de espera.

—Me alegra que Allison haya podido ver algo de la ira de Katie —dijo Susan—. A menudo es tan encantadora con los adultos que la gente me mira de forma extraña después de conocerla. Piensan que soy demasiado exigente o demasiado estricta.

—Sí —dijo Steven—. Espero que la doctora Kaplan pueda darnos algunas buenas ideas sobre cómo ayudarla.

—Se ha mostrado firme con ella, y eso a Katie no le ha gustado —dijo Susan—. Por lo general, cuando los profesores o los médicos la conocen, tratan de ser amables con ella y de darle lo que quiere para que esté feliz y colabore. La doctora Kaplan no ha hecho eso y Katie no lo esperaba.

Hablaron en voz baja durante veinte minutos hasta que la doctora Kaplan volvió con Katie y se llevó a Susan y Steven a su oficina. Katie volvió a alegrarse de quedarse sola jugando en la sala de espera.

—Realmente es una niña muy propensa a hacer muy difícil la crianza —dijo Allison—. No tiene ni idea de cómo interactuar con unos buenos padres y depender de ellos. Es muy controladora porque ha tenido que depender tantísimo de sí misma que no puede confiar lo suficiente como para depender de ti, Susan. No va a permitirse empezar a confiar en ti, y si no desarrolla un apego seguro contigo, lo más probable es que no se establezca en tu casa, ni aprenda de ti, ni acepte tu autoridad ni empiece a disfrutar, a valorarse o a sentirse bien por tener padres.

—¿Y por qué no, doctora Kaplan? —preguntó Steven—. Otros niños lo hacen. Lleva veintiún meses en régimen de acogida y es como si no hubiera cambiado nada.

—Probablemente en sus primeros años no se satisficieron sus necesidades básicas de seguridad y de aprender a implicarse en una relación recíproca. Sé que la maltrataron cuando tenía cinco años, pero yo diría que ya la maltrataban desde mucho antes y probablemente también la descuidaban mucho, algo que, como mínimo, es igual de importante. Cuando a los bebés y a los niños pequeños se les ignora y se les grita todo el día, nunca llegan a saber de verdad la maravillosa fuente de seguridad, consuelo y disfrute pueden llegar a ser sus padres. Al final, dejan de demandar cuidados y una interacción agradable con sus padres. Y otro punto esencial es que a menudo no se desarrollan como los niños a los que sí quieren. No se sienten cómodos con el consuelo físico, que es fundamental en la sensación inicial del *self* del bebé. Su desarrollo afectivo está mal regulado e integrado. El rechazo, la ira y el abuso vienen acompañados de una vergüenza extrema que no consiguen integrar. En lugar de que los sentimientos rutinarios de vergüenza breve sean un vehículo para la socialización, la vergüenza generalizada destruye su autoestima. Una vergüenza tan abrumadora es una experiencia tan dolorosa que lleva a la negación y a la ira, y los comportamientos resultantes tienden a ser extremos en lugar de volverse más moderados y autorregulados. Y realmente nunca aprenden a notar lo que sienten o piensan. Si pudieran sentir algo, sería vergüenza y rabia. Su vida interior permanece ignorada y no se desarrolla coherentemente. No saben cómo involucrar a los demás con disfrute e interés mutuos. No saben asumir el punto de vista de otro; no pueden leer los motivos de sus padres y simplemente asumen lo peor. Sólo pueden manipular, pedir y gritar o retirarse cuando sus "necesidades" vuelven a "desatenderse". Y lo más importante, ¡no dejan que los consueles! Katie no se siente lo suficientemente segura como para estar triste, por lo que nunca necesita o quiere consuelo. Ha desarrollado una vida que refleja su profunda desconfianza hacia los demás en la que tiene que confiar en sí misma, ya que está convencida de que no puede confiar en nadie. Por eso, Susan, has estado esforzándote tanto durante ocho meses con tan pocos resultados, si es que los ha habido.

—Eso es muy triste —dijo Susan en voz baja—. Me gustaría poder decir que estoy dispuesta a intentarlo de nuevo con ella, doctora Kaplan, pero no puedo. El resto de la familia ya no la soporta, y eso incluye a mi marido. Ya no tengo paciencia con ella, y hace falta mucha para estar con Katie.

—Lo entiendo perfectamente, Susan —dijo la doctora Kaplan—. Has pasado por muchas cosas y eres la única que sabe si te ves capaz de satisfacer sus intensas necesidades o incluso de volverlo a intentar. Has tenido una tarea extremadamente difícil. Nuestra intención con bebés saludables es relacionarnos con cuidado, con amor y con disfrute, sin ninguna necesidad de comenzar el proceso de socialización que implica aprender el impacto de su comportamiento en los demás, separar lo correcto de lo incorrecto y poder inhibir los deseos de tener o hacer cosas que no son buenas para ellos o para los demás. Con estos bebés construimos confianza durante un periodo de diez a doce meses y luego comenzamos a socializarlos. Con Katie, has tenido que trabajar para generar confianza, algo a lo que se resiste con fuerza, mientras que al mismo tiempo la socializabas, algo a lo que también se resiste. ¡No me extraña que fuera tan difícil para ambas!

—¿Y qué podemos hacer ahora, doctora? —preguntó Steven.

—Bueno, primero debéis tener mucho cuidado al seleccionar el nuevo hogar. Si los padres de acogida no han tenido éxito con niños como Katie, deben recibir alguna formación previa para que no se sorprendan ni se desanimen cuando la conozcan. Como te dije por teléfono, trabajé con una familia de acogida y con otro niño similar a Katie. El nombre de la madre es Jackie Keller, y puede que esté interesada en trabajar con ella. En segundo lugar, tenéis que encontrar un terapeuta que tenga la experiencia necesaria como para comunicarse con ella. Las terapias más tradicionales se desarrollaron en realidad para niños cuyos problemas no son tan graves como los de Katie, y son beneficiosas para ellos. Muchos niños traumatizados están más dispuestos a confiar en sus padres de acogida de lo que lo está Katie. También son más capaces de entablar una relación terapéutica con su terapeuta. Trabajo con niños con problemas graves similares a los de Katie y puedo daros los nombres de un par de terapeutas que también lo hacen. Puedo enviaros mi informe con recomendaciones. Probablemente deberíais comentarlas con su terapeuta actual y luego decidir cómo queréis proceder.

—¿Hay alguna esperanza de que Katie llegue a cambiar? —preguntó Steven.

—Bueno, no la conozco muy bien. Pero su edad es una ventaja. Y he conseguido cierta implicación positiva y recíproca por su parte, aunque fuera breve, pero no le daría demasiada importancia porque Katie estaba un poco descolocada. Además, realmente no hay investigaciones significativas disponibles sobre cómo comprender sus síntomas y saber cómo criarla y tratarla. Por lo tanto, hay que albergar una esperanza cautelosa, desarrollar un plan integral y ponerse a trabajar. Sus padres, su terapeuta y su trabajador social necesitan tener la esperanza de que pueda cambiar. Necesitan poder ver las fortalezas que subyacen a sus problemas, responder a ellas y luego ayudar a Katie a reconocerlas. Necesita descubrir partes de sí misma de las que no se avergüence y aceptar ayuda para desarrollarlas. También necesita reducir la vergüenza asociada a otras partes de sí misma que ahora la contienen. Y finalmente necesita estar lo suficientemente segura como para sentirse triste para poder aceptar el consuelo y comenzar a confiar habitualmente en que sus cuidadores van a velar por ella.

—¿Qué fortalezas crees que tiene Katie? —preguntó Steven.

—Es una luchadora, lo cual es difícil para sus padres, que son los que lo sufren, pero si conseguimos ayudarla a descubrir qué es lo que más le conviene realmente, puede que acabemos averiguando que lucha con la misma fuerza por aprender a relacionarse correctamente en un buen hogar. Es brillante e ingeniosa. Tiene cierta disposición a mirar un poco a su pasado. Algunos niños con los antecedentes de Katie son tan pasivos que se van con cualquiera, tratan de complacer a esta persona en ese momento y a otra persona en el siguiente. Algunos de ellos parecen tener algunas discapacidades de aprendizaje graves o alteraciones neurológicas que pueden derivarse de un abandono grave. Es probable que a estos niños les resulte más difícil que a Katie aprender una nueva forma de vida. De hecho, creo que su actitud de confrontación y de desafío es algo que podría ayudarla a estar mejor. También muestra cierta capacidad para relajarse y reír. Aunque puede que solo ocurra durante breves períodos, cuando no hay conflictos, hay algunos niños que tienen muchas dificultades para hacerlo.

Allison hablaba pensativamente.

—¿Cuál es su diagnóstico? —preguntó Steven.

—Me gustaría poder decirlo con seguridad, Steven —respondió Allison—. Hay quien diría que se trata del trastorno reactivo del apego, aunque todavía hay poco consenso sobre cómo hacer ese diagnóstico. Otros dirían que es trastorno de estrés postraumático, aunque sus síntomas son tan generalizados e intensos que es probable que sus dificultades respondan a algo más que a un TEPT tal y como se entiende ahora con respecto a los niños. Existe una clasificación llamada trauma del desarrollo que se aborda en centros de trauma infantil en Estados

Unidos, pero en este momento no es un diagnóstico reconocido de enfermedad mental. Está causado por un trauma intrafamiliar o interpersonal, y lo más probable es que describa bien a Katie. Por ahora, me decantó por un grave trastorno de estrés postraumático acompañado de confrontación y actitud desafiante, y añadiría que la causa probable de que sus síntomas no cambien podría ser su historial de trauma, de probable abandono y de patrones que cuadran con el apego desorganizado. La desorganización del apego es una clasificación de investigación que se da con frecuencia entre los niños de acogida y se considera un factor de riesgo para el desarrollo de problemas psicológicos importantes. Sencillamente no sabe cómo confiar y relacionarse recíprocamente con buenos padres y con otros cuidadores. Solo sabe intentar controlarlo todo y evitar lo que no puede controlar.

* * *

Esa noche Steven salió de la consulta con más preguntas en el tintero para la doctora Kaplan. Lo que decía tenía todo el sentido. Había descrito perfectamente a Katie al enumerar los síntomas. Pero Steven no tenía ni idea de lo que una madre o una terapeuta podrían hacer de manera diferente para marcar la diferencia. Dos de las madres de acogida de Katie lo habían hecho realmente bien en su trabajo anterior con niños con problemas. Y su terapeuta, Jan, también tenía mucha experiencia con niños de acogida. Tal vez criarla de forma distinta sería un poco mejor, pero ¿habría una diferencia sustancial? Tal vez si recibía algo más de presión en la terapia, no podría evadir sus problemas. Pero si realmente no sabía lo que significa que un padre la quisiera, ¿cómo iba a aprenderlo? Steven decidió que se pondría en contacto con Jackie Keller, ya que parecía tener disponibilidad y venía recomendada por la doctora Kaplan.

* * *

Cuando Steven llegó a casa, Rebecca fue corriendo a la puerta a recibirle alegremente agitando los brazos, sonriendo y gritando "¡Papá!". Él dejó caer su maletín, la abrazó y gritó "¡Becca!". Ambos se rieron y Steven caminó en círculos cogiéndola fuerte y gritando "¡Wiiiiiiiiiii!" hasta que se dejó caer en el sofá con su hija encima de él. Ella le agarró de las orejas y le intentó morder la barbilla, a lo que él contestó "¡Eeeeeee!" hasta que la niña se rio tanto que le soltó la barbilla, y él la levantó para ponerla en el sofá y hacer como que le mordía la barbilla. Le hizo pedorretas en el cuello y la niña lo agarró por las mejillas con los deditos y atrajo la cara de su padre hacia ella. Steven la abrazó con fuerza y se la volvió a poner en el regazo mientras decía "¡Esta es mi Becca!". Ella se quedó quieta un momento y luego se echó hacia atrás y comenzó a bajar del sofá. ¡Había tenido una idea! Cogió a su padre del dedo y empezó a tirar de él hacia la puerta del pasillo mientras señalaba y decía "¡Teléfono!". A sabiendas de lo que se proponía, Steven caminó con ella hacia el área de juegos en la esquina del comedor y se sentó en el suelo. Rebecca cogió el teléfono de juguete, se lo acercó a la oreja y dijo:

—Hola, papi.

—Hola, Becca —dijo Steven cubriéndose la cara con un libro para cubrirse.

Como de costumbre, ella hizo una pequeña pausa y luego dijo:

—A casa, papi.

—Estoy casi en casa, Becca —respondió él—. ¿Qué hay de cenar?

La niña se levantó de un salto y corrió a la cocina. Steven escuchó a Jenny susurrarle algo. Rebecca volvió corriendo, cogió el teléfono y dijo:

—¡Espetiiiiiiii!

—¡Espaguetis! —contestó Steven—. ¡Genial! ¡Voy a casa corriendo! —Rebecca abrió los ojos como platos al observar y escuchar a Steven haciendo ruidos "de coche" detrás del libro. Luego golpeó el libro. Ella se levantó y le quitó el libro de las manos. Él exclamó—: ¡Becca, ya estoy en casa! —Ella sonrió y volvió a abrazarlo. Él la levantó y fueron a la cocina a saludar a Jenny—. ¡Hola, cariño! ¡Me ha dicho Becca que tenemos espaguetis para cenar! —Steven y Rebecca besaron a Jenny, que les dio a cada uno un trozo de apio de la ensalada que estaba preparando—. ¿Y qué habéis hecho Rebecca y tú hoy? —preguntó.

—Pues mira, estábamos en el jardín y hemos visto... arrastrándose por el suelo... unas pequeñísimas...

—¡Hormigas! —dijo Rebecca sonriendo. Al recordarlo, se emocionó y extendió la mano para enseñarle a su papá que había tenido algunas en la mano. Luego le hablaron a Steven de un nuevo libro de la biblioteca que habían leído, del ruidito que le hacía a Rebecca el agua en la tripa al bañarse, del sándwich de mantequilla de cacahuete y plátano, que todavía estaba parcialmente escondido debajo del sofá, y de cuando Rebecca se había puesto la chaqueta y el sombrero de Jenny y se había convertido en "mami".

Después de cenar, fueron a ver si las hormigas todavía andaban por el jardín. Al poco rato Rebecca estaba lista para irse a la cama. Después de algo de aseo, de ponerse el pijama, de dos canciones y de un cuento, ya estaba durmiendo. Para entonces, Jenny y Steven también habían fregado los platos y habían tenido tiempo para charlar. Jenny siempre tenía muchas cosas que contarle sobre el día de Rebecca. Necesitaba contárselas todas a Steven, y él tenía que escucharlos uno por uno.

Más tarde, Steven le contó a Jenny lo de la reunión con la doctora Kaplan.

—Me ha dejado más confuso que nunca, pero de alguna manera creo que tiene razón. Lo que ocurre es que Katie no tiene ninguna relación con nadie. Ninguna relación real. No es como Becca con nosotros. Nunca lo había pensado. Seguramente Katie nunca se divirtió tanto con sus padres como hemos hecho nosotros con Becca estas dos horas. Me cuesta imaginármelo. Yo creía que sabía lo que suponía el maltrato para un niño. Pero resulta que el hecho de que en su vida faltaran abrazos, risas, canciones y charla es igual de malo que lo que yo pensaba.

—Según lo que ha dicho la doctora Kaplan, puede ser incluso peor —apuntó Jenny—. Rebecca necesita imperiosamente que pase horas con ella todos los días. No puedo ni imaginarme lo que supondría para ella que la dejara sola durante largos periodos, que ignorara sus movimientos hacia mí y no hiciera nada con ella. Sé que le haría mucho daño.

—Cuando Becca y tú estáis juntas, es como si no existiera nada más —dijo Steven—. Estáis tan sincronizadas que es difícil saber dónde empieza una y acaba la otra. Como si fuerais una sola persona.

—Supongo que el apego es eso —dijo Jenny—. Es una experiencia única. Parecido a lo que hay entre tú y yo, pero a la vez diferente. Soy muy consciente de sus sentimientos, de sus pensamientos y de sus acciones. A veces siento que los experimento al mismo tiempo que ella. Y tengo la sensación de que solo quiero ayudarla a sacarlos, a expresar lo que sucede dentro de ella, a hacerle saber que, sienta lo que sienta, es algo especial para mí y me parece bien. ¡Quiero ayudarla a descubrir la persona maravillosa e increíble que es, esa persona que tiene un impacto tan poderoso en mí!

—Entiendo lo que quieres decir, Jenny. Yo me siento igual con ella, aunque no paso con ella tanto tiempo como tú. Ahora parece relacionarse contigo de manera diferente o más intensa que conmigo. Tal vez sea porque estás más tiempo con ella o porque eres su madre y la has parido. No lo sé. Puede que sea por ambas cosas.

Se cogieron de la mano y siguieron pensando un rato en su hija. Luego Steven dijo:

—Creo que ya sé a qué se refería la doctora Kaplan. Privar a una niña como Katie de miles de experiencias como las que hemos estado comentado no es otra cosa que abandono. No me extraña que no pueda encajar en una familia. Tiene casi siete años. ¡Siete años! Durante los primeros cinco nadie quiso cogerla ni abrazarla, y durante los últimos dos ha sido ella la que no ha querido que lo hicieran. Confió en sus primeros padres y traicionaron su confianza. Ahora desconfía de todos los padres, a pesar de que sean de fiar.

Jenny abrazó a Steven y le pidió que dejaran de hablar de eso esa noche. Su relación con Rebecca hacía que le costara mucho pensar en esta niña desconocida llamada Katie.

COMENTARIO

La evaluación de Katie que hizo Allison consistió en conocer su historial lejano y reciente, así como observar y abordar con cuidado sus interacciones en la consulta. Primero, Steven le hizo un resumen de sus experiencias de maltrato y abandono, así como de su historial de acogida. Quería saber si Katie había tenido relaciones estables y positivas durante sus primeros años, cuando se estaba desarrollando su historial de apego. Quería detalles específicos de su historia para abordarlos brevemente con Katie y observar su respuesta. Allison también quería determinar cómo le había ido con Susan. Quería conocer sus síntomas y sus puntos fuertes. Quería saber su respuesta ante experiencias ligeras y agradables, así como ante las vergonzosas y estresantes. También quería observar las interacciones entre Katie y Susan.

Durante la sesión de evaluación, Allison se relacionó con Katie de manera similar a una sesión normal de terapia, aunque con algo menos de intensidad. Quería observar cómo respondería Katie a las directrices y a los asuntos exigentes, tanto por motivos diagnósticos como por hacerse a la idea de cómo reaccionaría a las intervenciones terapéuticas. ¿Con qué facilidad respondería a la empatía y al juego? ¿Se mostraría receptiva a la curiosidad de Allison por sus pensamientos, sentimientos y comportamientos? ¿Y estaría abierta a nuevas exploraciones sobre el significado de sus experiencias? ¿Cómo expresaría su enfado? ¿Se resistiría a que la llevaran del enfado hacia los sentimientos de tristeza, soledad y miedo que probablemente subyacían a su ira? Si hubiera un conflicto entre ellos, ¿podría Katie aceptar ayuda para reparar su relación? Allison quería observar e intentar luego desarrollar una visión compuesta de Katie que podría usarse para los fines de la evaluación.

Durante la evaluación, Allison estuvo un rato a solas con Katie, algo que rara vez hacía durante su psicoterapia con niños con problemas significativos de apego y trauma si tenían una figura de apego disponible. Si los niños no tenían una figura de apego, los veía a solas, al tiempo que abogaba por la búsqueda de una persona así. Quería ver si Katie respondía de manera diferente a como lo hacía cuando estaba en presencia de su madre de acogida. ¿Habría usado a su madre de acogida como una presencia que la ayudara a tener una sensación de seguridad? ¿Sería más o menos crítica con su madre de acogida cuando esta no estuviera presente? ¿Sería más capaz de expresar diversas emociones? ¿Expresaría alguna culpa o responsabilidad por los problemas en su hogar de acogida o expresaría solo excusas y culparía al resto de la familia? ¿Podría tener acceso a algún sentimiento de tristeza por estar tan sola en el mundo y por algún deseo de aprender a desarrollar apego con su madre? ¿Qué límites psicológicos y físicos tendría al hablar con Allison a solas? ¿Cómo se relacionaría Katie con ella?

La relación de Steven y Jenny con su hija, Rebecca, demuestra el contraste entre cómo se desarrolla un apego saludable y cómo se había desorganizado el apego de Katie, principalmente a través de profundas diferencias en la ausencia o presencia de interacciones cotidianas. Los actos específicos de maltrato de Katie fueron ciertamente traumáticos. Pero también lo era la vida cotidiana que vivía con sus padres. Las experiencias intersubjetivas rutinarias —y a la vez mágicas— entre Rebecca y sus padres sirven como base para el desarrollo de su sentido del *self* y del mundo, y también de sus relaciones de apego presentes y futuras. Sin ellas, una niña no puede experimentarse a sí misma como algo especial y que vale la pena. Tampoco confiará en sus padres ni se identificará con ellos ni los hará únicos y especiales para ella.

CAPÍTULO 7

UN NUEVO ENFOQUE

Dos días después, Steven fue a conocer a Jackie Keller. Habían quedado en hablar para averiguar si Katie y Jackie podrían hacer buena pareja. Jackie vivía en la ciudad de Vassalboro, a unos quince kilómetros al norte de Augusta, en una casa gris de estilo colonial con un gran comedor construido alrededor de una enorme chimenea de piedra. Steven pensó que tendría que ir de visita en invierno para sentir el calor que debía de desprender. El marido de Jackie, Mark, era profesor de ciencias en el instituto Gardiner. Tenían dos hijos biológicos, Matthew y Diane, ambos en secundaria, y un hijo de acogida, John, que tenía dieciséis años y llevaba dos años viviendo con ellos. John había sufrido maltrato físico a manos de su padre. Mantenía una relación con sus padres, pero lo más probable es que no volviera a vivir con ellos. También tenían un labrador negro grande y canoso llamado Whimsy al que le encantaba demostrar a lametazos su gusto por cualquier cosa que se moviera.

Hacía dos meses que Gabe, otro hijo de acogida de once años, se había mudado a otro hogar adoptivo después de vivir con los Keller durante dos años. Jackie echaba de menos a Gabe y todavía hablaban de vez en cuando. De hecho, al principio había algunos planes para que viniera de visita desde su hogar de acogida en Annville, Pennsylvania, en algún momento de agosto.

A Steven le gustó Jackie inmediatamente. Parecía cariñosa y relajada. Su casa tenía un aire informal pero a la vez organizado y activo. Steven se imaginó cómo sería cuando tres adolescentes volvieran de la escuela. Pero en muchos sentidos, Jackie le recordaba a Susan. ¿Sería distinto esta vez? ¿Podría Jackie darle a Katie el cariño que la niña necesitaba sin sentirse abrumada por su ira?

—Háblame de Katie, Steven —dijo Jackie mientras le traía un café—. Dices que ahora está en su tercer hogar de acogida. ¿Cómo es?

—Pues es una niña enfadada y controladora. Cuando las cosas van como ella quiere, es como cualquier otra niña, pero si no es así, se enfada enseguida. La doctora Kaplan dice que tiene problemas traumáticos y de apego y trauma similares a los del niño que vivía aquí hace poco. Supongo que por eso me sugirió que te llamara.

—Vamos, que podría estar complicándome si acepto —dijo Jackie—. Aunque me gusta la idea de volver a trabajar con Allison.

—No la está tratando la doctora Kaplan. Lo que pasa es que la evaluó hace unos días —dijo Steven.

—No tengo claro que pueda quedarme con Katie si Allison no es su terapeuta, Steven —dijo Jackie.

—¿Por qué es tan importante que la lleve la doctora Kaplan? —preguntó Steven—. Katie tiene una buena terapeuta que puede abordar las dificultades de apego de Katie ahora que sabemos cuáles son.

—No me cabe duda, pero es que no conozco a su terapeuta —dijo Jackie—. El mero hecho de saber que tiene problemas de apego significativos no garantiza que un terapeuta tenga la capacidad y la preparación para tratarlos. Pero conozco a Allison y sé que su modelo de trabajo puede ser determinante con niños como Katie. Confío muchísimo en ella, y me consta que sabe cómo conectar con niños que no quieren conectar con nadie. Con Allison yo sería parte de la terapia. Fui a todas las sesiones de Gabe, y eso fue muy importante para su progreso. Además, confío completamente en Allison y creo que ella confía en mí. Necesito ese tipo de relación con la terapeuta de Katie, y esa confianza se desarrolla muy despacio. Es un trabajo muy duro, Steven, y si no puedo trabajar con Allison, me temo que no voy a poder comprometerme a trabajar con Katie. No quiero convertirme en su cuarta casa fallida.

—Pero ella ha trabajado con su terapeuta, Jan, durante más de un año y medio. No tiene sentido romper su apego con Jan si estamos tratando precisamente de ayudarla a desarrollar apego con la gente —dijo Steven con firmeza.

—Lo entiendo, Steven —dijo Jackie—, y habría que gestionar muy bien la despedida de su terapeuta. Pero si Allison está en lo cierto y la niña tiene problemas significativos de apego, es probable que no tenga un apego seguro con su terapeuta. Estoy segura de que Jan es importante para Katie de alguna manera, y puede que Katie disfrute de algunos aspectos de sus sesiones con ella, pero creo que no confía en su terapeuta más de lo que ha podido confiar en su anterior madre de acogida. Por mucho que ambas intentaran que funcionara, hasta ahora la terapia no ha bastado para ayudar a Katie a cambiar para que pueda beneficiarse de las casas que le has buscado. Realmente creo que para que Katie cambie, hace falta algo distinto a la terapia individual que ha estado recibiendo. Pero entiendo que eres su tutor y que debes hacer lo que creas que es mejor. Sin embargo, sintiéndolo mucho, no podré convertirme en su madre de acogida si decides que siga con su terapeuta actual.

—Bueno, tendré que pensarlo y hablar con Jan —dijo Steven.

—Vale —dijo Jackie—. Lo entiendo perfectamente. Es una decisión importante para Katie, y tienes que asegurarte de que estás haciendo lo mejor para ella. ¿Te dijo algo Allison acerca de cómo criaría a Katie si viniera a vivir con nosotros?

—No, no me dijo nada —dijo Steven—. ¿Supondría algún cambio?

—Sí, yo diría que podría suponer un gran cambio para ti. Yo no crie a Gabe como estoy criando a mis propios hijos, ni siquiera como estoy criando a John. Cuando empecé a trabajar con Allison, me costaba seguir sus sugerencias. Me notaba demasiado protectora, como si tomara demasiadas decisiones por él. Pero acabé dándome cuenta de que las cosas que Allison sugería sobre lo que necesitaba Gabe de mí y cómo tenía que criarlo eran necesarias. Si no hubiera seguido sus recomendaciones, sé que Gabe no habría cambiado nunca. Así que necesito saber que cuento con tu apoyo en la manera de criarla antes de acceder a ser su madre de acogida y a intentar que forme un apego conmigo.

—¿Puedes ponerme un ejemplo de lo que quieres decir? —preguntó Steven.

—Bueno, si vienes de visita, lo más probable es que veas que la estoy supervisando mucho. La tendré muy cerca todo el rato y, al principio, yo tomaré la mayoría de las decisiones y le dejaré muy poco margen de elección. Se ha perdido mucho de lo que necesitaba en sus primeros años, así que ahora necesita que yo esté ahí para ella de la misma forma que lo estaría si fuera una niña mucho más pequeña. Además, ha dado muestras que querer hacer daño a los demás. Aunque creo que mis otros niños pueden cuidar de sí mismos, debo tener cuidado con Whimsy. Ese perro la va a adorar sin atender a razones, así que va a necesitar mi protección para que ella no sea mala con él ni le haga daño. No quiero que Whimsy pase por eso, pero lo que es más importante, tampoco quiero que lo haga Katie, así que va a necesitar mi apoyo y supervisión con eso. Además, al principio voy a tener que pedirte que no la lleves demasiado por ahí a divertiros. Quiero que te vea y que todos pasemos tiempo juntos, pero quiero que busque consuelo y alegría en su familia. Tiene que aprender esa seguridad y confianza de nosotros antes de obtenerla de otras personas importantes como tú. Si vienes y te la llevas por ahí, lo más probable es que Katie piense que tú eres bueno y que sus padres acogida son los malos, y tener demasiadas figuras paternas puede resultar confuso para los niños que están aprendiendo a desarrollar apego. Tiene que conectar conmigo primero para aprender realmente a relacionarse bien con los demás. Le enseñaré a conseguir relaciones, risas y éxito dentro de la estructura y supervisión que yo le proporcione.

Steven no sabía qué decir. Ninguna madre de acogida había sido tan directa con él sobre el tipo de apoyo que quería. Jackie parecía estar diciendo que iba a criar a Katie como ella quisiera y que él no tendría nada que decir al respecto. No sabía si estaba de acuerdo, ni siquiera si quería estarlo. Él era el tutor de Katie.

—No sé, Jackie. ¿Qué se supone que debo hacer si creo que estás siendo demasiado restrictiva con ella?

—Steven, no voy a hacer nada que viole las normas y procedimientos básicos de tu departamento. Si creo que necesita cualquier forma de crianza que no se ajusta a tus pautas, te pediré permiso primero. Lo que me gustaría es que al principio aceptaras mis decisiones con respecto a la atención que le estoy brindando. Puedes hablar con Allison y conmigo sobre cualquier cosa que yo esté haciendo y te diremos el motivo. Pero necesito que me apoyes y que Katie sepa que me apoyas —dijo Jackie con firmeza—. Eres su tutor. Sé que tienes que hacer lo que crees que es mejor para ella. Al decirte ahora cómo es probable que tenga que criarla, solo intento evitar volver a hacerle daño si decides llevártela de mi casa porque no estás de acuerdo con lo que estoy haciendo. Quiero que sepas cuanto más mejor para que, si no estás de acuerdo, dejes de considerarme una posibilidad para Katie ahora mismo y nos ahorremos problemas futuros. Sé que algunas de las formas en que necesito criar a Katie pueden parecer diferentes a lo que esperarías. Si es así, quiero que intentemos aclarar nuestras diferencias ahora.

Steven estaba empezando a darse cuenta de que Jackie no iba a dejar que Katie la abrumara. Tenía fortaleza y confianza en lo que Katie realmente necesitaba y en lo que obtendría. Steven todavía no estaba seguro de si podía aceptar que Jackie tuviera ese poder decisorio en el cuidado de Katie. Era como si le estuviera quitando a él algunas de sus responsabilidades. Había dicho que seguiría las normas básicas del régimen de acogida. Pero dentro de esas normas, quería que discutiera con ella sus preocupaciones y, si era necesario, se sometiera a su criterio. Tendría que hablarlo con Kathleen.

—Sé que puede sonar como si fuera a criar a Katie como si esto fuera un campamento militar —dijo Jackie—. Y ten por seguro que a ella se lo va a parecer, porque no podrá tomar el control que tan desesperadamente quiere tener sobre todo. Pero no será ningún campamento militar. Será un hogar que le proporcionará la estructura, el consuelo, el disfrute, los cuidados, las risas y las reglas que los buenos hogares brindan a sus hijos. Y cuando esté con ella, mi actitud distará mucho de parecerse a un campamento militar. Allison la llama La Actitud.

—¿A qué tipo de actitud te refieres? —preguntó Steven.

—La Actitud tiene cuatro cualidades, que son mostrar alegría, aceptación, curiosidad y empatía, a lo que en conjunto nos referimos como

PACE. Y todos estos aspectos se expresarán dentro de una motivación basada en mi amor hacia ella. Formarán parte de todas mis interacciones con una niña como Katie y marcarán la diferencia. Sin esta actitud, la estructura y supervisión firmes que necesita no serían nada terapéuticas. Con suerte, la ayudarán a experimentar que la estructura y la supervisión son un regalo para ella, no un castigo. Un regalo que le reportará éxito, no fracaso.

Steven pensó en lo que había dicho Jackie. La Actitud le ayudaba a comprender un poco mejor la estructura y la supervisión que Jackie pensaba que Katie iba a necesitar.

Antes de que Steven se fuera, Jackie le dijo que le gustaría hablar con Susan y reunirse con Katie antes de decidir. También sugirió que antes de que ambos tomaran una decisión, deberían reunirse con la doctora Kaplan para discutir más detalles sobre sus planes para Katie. Steven se marchó con la sensación de que iba a perder algo de autoridad si trabajaba con Jackie. Eso le hacía sentirse incómodo y algo vulnerable. Al mismo tiempo, sabía que Katie necesitaba una persona competente que tuviera la confianza que tenía Jackie y que estuviera con ella constantemente, tomando decisiones por ella que pudieran ayudarla a aprender a vivir en un buen hogar.

* * *

El 19 de mayo de 1994, Steven y Kathleen se reunieron con Jackie y con la doctora Kaplan en su consulta. Steven había previsto que ambas podrían pedir cosas que requerirían la aprobación de Kathleen, por lo que le había pedido que estuviera presente.

—Me comenta Jackie que sigue interesada en que Katie se convierta en su hija de acogida —comenzó a decir Steven—. Ha dejado claro que querría que la terapeuta de Katie fuera usted, doctora Kaplan, así que abordé esta petición con Kathleen y con Jan Temple y acordamos que si decidimos que Jackie sea su madre de acogida, y si usted puede hacerse cargo de la terapia, se la transferiríamos.

—Genial —respondió Allison—. Jackie y yo trabajamos bien juntas, y puedo hacerme cargo de Katie. Pero me sentiría más cómoda si me tutearas, ya que vamos a trabajar codo con codo. De hecho, Katie me llamará Allison, así que tú también deberías.

—Está bien, Allison —dijo Steven.

—Steven me dice que puede que Jackie y tú trabajéis con Katie de maneras con las que él podría no estar de acuerdo —dijo Kathleen—. ¿Es ese el motivo de esta reunión?

—Sí —dijo Allison—. El DHS tiene la custodia de Katie. El tipo de tratamiento y cuidado diario que más le conviene es decisión vuestra. No quiero empezar a trabajar con ella si tenéis alguna discrepancia de peso con respecto a mi enfoque con ella o al estilo de crianza de Jackie. Es obvio que no será bueno para Katie si dentro de seis meses nos decís que en realidad no confiáis en lo que Jackie y yo intentamos conseguir y que tenéis que volver a interrumpir el proceso.

—Me parece justo —dijo Kathleen—. ¿Por qué no nos esquematizas lo que tienes pensado?

—Claro —comenzó Allison—. Lo primero que quiero dejar claro es que si queremos que Katie cambie y comience a confiar en su madre y a depender de ella, la niña tendrá que reducir su necesidad generalizada de controlarlo todo y deberá poder sentirse conforme con que Jackie esté a cargo de los principales aspectos de su vida. Como ya habéis visto, si esperamos a que Katie renuncie voluntariamente al control va a pasar demasiado tiempo, y si ocurre, lo más probable es que sea demasiado tarde para criarla. Ha pasado casi dos años en tres hogares diferentes y no ha mostrado ninguna disposición a que la críen. Como bien sabes, Katie quiere tener el control de forma compulsiva. A causa de su miedo a confiar en los demás, evita cualquier experiencia de dependencia saludable de su madre y no puede aprender que esas experiencias son placenteras y seguras. Además, no es capaz de desarrollarse hasta llegar a solicitar esas experiencias. Por lo tanto, Jackie se mostrará amable, pero llevará las riendas firmemente en casa, al igual que haré yo en terapia. Pero no lo haremos por las malas. Le daremos mucha empatía y apoyo porque sabemos lo difícil que es para ella no tener el control. No nos enfadaremos con ella y aceptaremos su rechazo a que tomemos decisiones por ella. Y cuando esté lista, comenzaremos a devolverle lentamente el control. No queremos que este control sea autoritario. Nos hacemos cargo nosotras porque en este momento ella no es capaz de manejarlo en absoluto. Mientras tenga el control será incapaz de desarrollar un apego seguro, algo crucial si queremos que se desarrolle de manera saludable. En realidad, en los hogares donde los niños cuentan con un apego aseguro, nadie tiene realmente "el control". La maternidad se basa en que tanto la madre como la niña sepan qué es lo que más le conviene a la niña y en que la niña acepte el liderazgo de la madre cuando difieran o cuando la niña se muestre insegura. Y cuando digo que Jackie "llevará las riendas", no me refiero a fijar un objetivo de enseñarla a obedecer. Más bien, le mostraremos la naturaleza de una relación bidireccional entre madre e hija en la que lo que ella piense, quiera y sienta será muy importante para nosotras. Al mismo tiempo, le haremos ver que por ahora tendremos que tomar por ella muchas decisiones sobre sus rutinas y actividades, porque, debido a su terrible historia, sus decisiones no tienden a redundar en su beneficio ni en el de la familia. Cuando limitemos sus decisiones de adoptar comportamientos que creemos que son perjudiciales para ella y para los demás, lo haremos aceptando plenamente su deseo de participar en esos comportamientos y trabajaremos arduamente para descubrir sus pensamientos y sentimientos asociados a nuestros límites. —Allison se volvió hacia Jackie—. ¿Por qué no les cuentas a Steven y Kathleen algunos ejemplos concretos de cómo piensas estructurar la vida de Katie cuando vaya a vivir contigo?

—Por supuesto —dijo Jackie—. Empecemos por el momento en que se mude a mi casa. Le haré saber de inmediato lo que espero y cuál es la estructura y las rutinas de mi hogar. También iré averiguando lo que le gusta y lo que quiere, y luego expresaré alegría por la posibilidad de que pueda conseguir algunas de esas cosas mientras viva conmigo, a la vez que seré empática ante el hecho de que haya otras cosas que no sean posibles, al menos por ahora. Le diré que debe de ser difícil para ella tener que aprender a vivir en tantos hogares diferentes, pero que yo estaré encantada de enseñarle. Le haré saber que soy consciente de algunos de sus comportamientos del pasado y que aun así quiero que viva conmigo.

Va a necesitar ayuda para aprender a cambiar esos comportamientos en mi casa. Pero si llegaras a escucharme teniendo esta conversación con Katie, Steven, lo más seguro es que te sorprendiera lo poco que se parece a un sermón. No será una presentación racional de reglas y expectativas. Será una conversación ligera para ir conociéndonos y para que le quede claro que habrá momentos duros y otros muy fáciles conforme pasen los días.

—¿Y que pasará si se hace caca en tus hamburguesas? —preguntó Steven.

—Buena pregunta —dijo Allison—. De hecho, voy a abordar eso con Katie en terapia cuanto antes.

—Mi primer objetivo será evitar que haga algo así en mi casa. Ahí es donde entra en juego el alto nivel de supervisión, además de darle opciones y responsabilidades que sepa que puede manejar. Sin embargo, si de algún modo llegara a hacerse caca en la hamburguesa —dijo Jackie—, definitivamente ambas querríamos saber qué es lo que ocurre con la ayuda de Allison y trabajaríamos juntas para arreglarlo. Sin embargo, mi plan ideal es evitar que eso ocurra para que las cosas le salgan bien, para que no fracase. Por lo tanto, lo más seguro es que no le quite ojo en la cocina durante bastante tiempo. Puede que le diga que la voy a vigilar muy de cerca cuando esté cerca de la comida por el momento porque me preocupa que decida hacer caca en las hamburguesas o en la sopa. Pero no la amenazaré ni la avergonzaré. Me limitaré a hacerle saber con calma que sé lo que hizo en el pasado y que por eso actúo así, porque quiero que le vaya bien con nosotros.

—Una de las razones por las que lo discutimos en la terapia es que sea consciente de que sabemos lo que hizo y ayudarla a conocer algunos de los factores por los que lo hizo —dijo Allison—. Que sepa por qué se comporta de forma tan intolerable no implica darle una excusa, sino ayudarla a sentir menos vergüenza por sus comportamientos para que pueda afrontarlos gradualmente y darles sentido.

—¿Realmente creéis que se siente avergonzada? —preguntó Steven—. Sus otros padres adoptivos dicen que nunca muestra remordimiento alguno por lo que hace.

—Sé que esto puede resultar confuso, pero la vergüenza no es lo mismo que la culpa, Steven —dijo Allison—. Lo más probable es que su sentimiento de culpa sea extremadamente débil, ya que es una emoción más compleja y de desarrollo más maduro que la vergüenza. Pero siente vergüenza, puede que casi todo el tiempo, y no se permite experimentarla. El rechazo y la humillación que debe haber experimentado una y otra vez con Sally y Mike la habrán convencido de que "no sirve para nada". Su rabia frecuente radica en su esfuerzo por controlar a los demás y mantener a la vez su precaria sensación de seguridad, pero también por bloquear la dolorosa experiencia de la vergüenza. El hecho de que mienta y niegue constantemente su comportamiento también muestra su intenso esfuerzo por evitar la vergüenza. Si accediera a su vida interior y tratara de comprender por qué ha hecho algo y cómo ha perjudicado su comportamiento a los demás, se sentiría abrumada por la vergüenza. La vergüenza le impide descubrir quién es porque todo lo que es capaz de ver y de creer en el fondo es que es una niña mala y despreciable que no le importa nadie y a la que, por supuesto, nadie quiere.

Después de una pausa, Allison continuó:

—En terapia, podría sugerirle que las reuniones familiares como la de Susan deben de ser difíciles para ella porque todos los demás se están divirtiendo pero ella no consigue encajar porque no tiene ni idea de cómo divertirse. Entonces siente el deseo de aguarle la fiesta a todo el mundo. Le muestro empatía hacia esos sentimientos y luego le digo que puede que lo mejor por el momento sea que la supervisen todo el rato en casa de Jackie durante la reunión familiar. Si eso todavía es demasiado difícil para ella, no podrá participar y Jackie le preparará otras cosas para asegurarse de que está segura hasta que esté lista para participar en fiestas familiares con el apoyo de Jackie. Pero le dirá que la echarán de menos en la reunión familiar y que Jackie trabajará mucho con ella para que pueda asistir en un futuro.

—¿Pero eso no la haría sentirse fuera de la familia? —preguntó Kathleen—. ¿Y no ralentizaría el desarrollo del apego que buscamos?

—Gran pregunta, Kathleen, porque incide en la esencia de este enfoque —dijo Allison—. Si le proporcionamos experiencias placenteras en las que fracasa, no la ayudaremos a desarrollar un apego seguro. Simplemente se sentirá más fracasada, su vergüenza aumentará y estará menos receptiva a otras experiencias agradables. Es como coger a una persona que ha estado perdida en el desierto durante tres días y darle un bidón de agua para que beba. Darle mucha agua parece lo correcto porque está deshidratado y aparentemente la necesita. Pero esa cantidad de agua no lo ayudará; lo matará. Necesita que se la suministren cuidadosamente en pequeñas dosis. No puede beber más rápido de lo que puede absorber porque eso no lo ayudará. Con Katie pasa lo mismo. Si le damos una gran cantidad de experiencias que la mayoría de los niños encontrarían agradables, solo conseguiremos que le entre ansiedad y se desregule, pero no podrá disfrutarlas realmente. No podrá integrarlas. Son demasiado emocionantes. No se ajustan ni a su percepción de sí misma ni a la visión que tiene de los padres. Es demasiado para ella, la hace sentir ansiosa e incómoda y provocará comportamientos de rechazo e ira, que le resultan más cómodos.

—Todavía estoy perdido, Allison —dijo Steven—. Si sus primeros años de privación son la fuente de sus problemas, ¿cómo es posible que privarla ahora de experiencias agradables cause el cambio que buscamos?

—Nuestras metas para Katie son las mismas que para cualquier niño que tenga dificultades. Queremos que experimente una relación de amor con sus padres, que tenga muchas oportunidades de disfrute y satisfacción en su vida y que tenga la libertad de elegir lo que más le conviene entre numerosas opciones. Sin embargo, al igual que otros niños con dificultades para formar apegos seguros, Katie muestra una dificultad extrema para integrar experiencias de diversión, amor y libertad de elección. No puede estar lo suficientemente regulada como para experimentar la diversión, socava cualquier esfuerzo por quererla y toma constantemente decisiones que la perjudican. En esencia, queremos que sus decisiones la beneficien, necesita mucho apoyo para recibir y aceptar experiencias de diversión y amor mientras aprende a tomar mejores decisiones. Además, tenemos que reducir su vergüenza generalizada. Intentamos separar las experiencias de rechazo, humillación y desprecio de sus experiencias de socialización asegurándonos de que trabajamos dentro de su ventana de capacidades. Lo más importante es que reconectemos rápidamente con ella en el plano emocional después de su experiencia de vergüenza cuando las cosas salgan mal, cuando tome una mala decisión o cuando Jackie establezca un límite que no le guste. Entonces podrá percibir su valía y sentir los comienzos de seguridad en su apego hacia Jackie, incluso puede que se enfade por los límites que están presentes en la estructura y supervisión que Jackie le proporciona. Queremos para ella lo mismo que queréis vosotros. Pero a juzgar por sus acciones durante los últimos veintiún meses, queda bastante claro que estos objetivos deben ser a largo plazo. Debemos desarrollarlos lentamente, paso a paso, minimizando el fracaso y mostrándole gradualmente cómo vivir bien dentro de una buena familia.

—Pero, ¿cómo vais a motivarla si no tiene por lo que trabajar? —preguntó Steven. Si sois tan restrictivas, ¿por qué iba a querer cambiar?

—Jackie y yo realmente no vamos a ser muy restrictivas, Steven —respondió Allison—. Y desde luego que no vamos a enfadarnos y a rechazar sus comportamientos. Más que nada, queremos volver a las interacciones entre padres e hijos que ella debería haber recibido durante sus primeros dos años de vida. Le proporcionaremos con paciencia y persistencia las innumerables experiencias de aceptación e intersubjetividad que los bebés y los niños pequeños deben recibir, pero que Katie no recibió.

—¿Qué quieres decir con "intersubjetividad"? —preguntó Kathleen.

—La intersubjetividad se refiere a las experiencias tempranas de intereses y alegría recíprocos que los padres y el bebé tienen una y otra vez durante los primeros años de vida y que en realidad nunca acaban en una buena relación entre padres e hijos. Se refiere a aquellos momentos en que el padre y el bebé se pierden en su contacto visual mutuo, gestos faciales, movimientos sincronizados y enfoque compartido que elimina cualquier otra realidad cuando están tan implicados. El padre y el bebé están compartiendo sus vidas afectivas. Están compartiendo su atención. Y están aprendiendo sobre los deseos y las intenciones de cada uno. Están teniendo un impacto en sus mutuas experiencias subjetivas.

Katie necesita esas experiencias con Jackie, y necesita recibirlas todos los días, independientemente de sus comportamientos. De hecho, si Jackie consigue involucrarla en ese nivel, es probable que el comportamiento de Katie se vuelva más beligerante y hostil en su intento por hacer que Jackie pare. Al brindar estas experiencias a Katie, Jackie le pedirá que vuelva a intentar tener experiencias relacionales que solo le reportaron dolor y vergüenza cuando trató de tenerlas en sus primeros años. Eso es mucho pedir. Con suerte, a medida que pase el tiempo y Katie comience a sentirse más segura en su relación, comenzará a buscar estas experiencias y Jackie podrá darle lo que necesita, es decir, la experiencia de alegría e interés mutuos con una persona que la quiere y que no la rechazará a pesar de sus comportamientos. Esa es la experiencia más motivadora que puedes proporcionar a un niño.

Esto hizo que Steven se interesara aún más. ¡Allison estaba hablando de Jenny y de Rebecca! Pero todavía no podía entender cómo podía Jackie proporcionar esas experiencias a una niña peleona de casi siete años.

—¿Cómo puede Jackie dar a Katie toda ese cariño y atención si Katie no para de meterse en problemas?

Jackie se echó a reír y dijo:

—Con dificultad. Pero también con práctica y cierto descanso, y con algo de apoyo por parte de Allison, de mi esposo Mark y de vosotros y de otras personas. No la corregiré con ira. Cuando establezca un límite que la moleste, será una oportunidad para aumentar la seguridad de su apego conmigo en lugar de un obstáculo para ello.

—¿Cómo es eso posible? —preguntó Steven.

—Cuando tengamos un conflicto y ella se enfade, primero la ayudaré a regular la angustia causada por lo que la haya hecho enfadarse conmigo. La actitud PACE será de mucha ayuda para esto. Estaré corregulando su estado afectivo. Si quieres, luego te doy ejemplos de cómo lo haré. Le proporcionaré empatía en lugar de fastidio cuando la limite. Esperemos que haya experiencias de aceptación y disfrute mutuos inmediatamente antes y después de las malas conductas que le provocan vergüenza. Cuando haya un conflicto que tense nuestra relación, estaré atenta para reparar nuestra relación lo antes posible. Le haré saber que le va a resultar difícil hacer estos cambios y que seré paciente al enseñarla a hacerlo. Cada vez que resolvamos un conflicto sin que Katie experimente abandono o maltrato, su sensación de seguridad aumentará en el contexto de su relación conmigo.

—¿No te vas a enfadar con ella? ¿No te parece poco realista? —preguntó Steven.

—No puedo asegurar que no me vaya a enfadar nunca, pero después de haber criado a Gabe durante dos años, estoy segura de que los momentos en los que me enfade con Katie serán para lograr un objetivo con ella, y no por una pérdida de control por mi parte. Si Katie consigue "enfadarme", sabré que tiene el control, de modo que las dos saldremos perdiendo. Desarrollar esta forma de responder fue difícil, pero Allison me mostró lo importante que es y ahora me resulta bastante fácil conseguirlo la mayor parte del tiempo. Además, si voy a ayudar a Katie, no creo que tenga otra opción. Sé que a veces me enfado y desearía no haberlo hecho. Soy humana. Así que lo reconoceré, me disculparé si creo que procede y volveré a reparar mi relación con ella.

—Allison, ¿quieres decir que si un padre se enfada con su hijo le está haciendo daño y perjudicando su apego mutuo? —preguntó Steven.

—No me refiero a niños saludables que ya tienen un apego seguro con sus padres —dijo Allison—. Esos niños pueden lidiar con la ira de sus padres sin socavar su propio sentido de valía o su confianza en el amor que les profesan sus progenitores. Pero si los niños han sido maltratados y no cuentan con un historial de apego seguro, la ira rutinaria o incluso un leve enfado si es frecuente perjudicarán nuestros esfuerzos para facilitar su capacidad de formar un apego seguro. En estos niños, la ira a menudo desencadena una respuesta de vergüenza generalizada que viene acompañada de autodesprecio y desconfianza en relación con las intenciones de los padres a la hora de corregir. El enfado continuo hacia Katie solo solidificaría su sensación de falta de valía.

—Quiero asegurarte —dijo Jackie— que aunque me mantendré firme con Katie y tendré unos estándares altos acerca de mis normas para el comportamiento que es capaz de desarrollar, no la rechazaré y no seré dura. Fui bastante permisiva con mis propios hijos, es la forma en que prefiero criarlos. Pero ser permisiva no valía para Gabe, y creo que para Katie tampoco, así que me vi obligada a cambiar mi estilo para satisfacer sus necesidades.

—Pero, Jackie —dijo Kathleen—, ¿cómo puedes tener unas expectativas tan altas si vas a pedirle a Katie que cambie "paso a paso"?

—Si mis expectativas no son altas, no cambiará en absoluto. Sin embargo, limitaré sus elecciones. No le daré opciones que la hagan fracasar, aunque haya otros niños de su edad a los que esas opciones puedan salirles bien. Mis expectativas se basarán en su edad de desarrollo, no en su edad cronológica. Dentro de las elecciones que le ofrezco, mis expectativas serán altas. Pero cuando no cumpla mis expectativas, seguiré aceptándola, no la castigaré ni me enfadaré con ella.

—Sigo sin entenderlo —dijo Kathleen.

—Kathleen —dijo Allison—, aunque Katie tiene casi siete años, Jackie tendrá expectativas para ella que son más propias para un niño de tres o cuatro años. Pero esperará de ella que cumpla esas limitadas expectativas bastante bien. Si Katie no hace un buen trabajo, entonces Jackie le pedirá que siga intentándolo hasta que lo haga bien; puede que la ayude más o que haga algunas cosas por ella, o incluso que reduzca esas expectativas para que se asemejen a las de un niño más pequeño, pero siempre le pedirá que haga un buen trabajo con ellas. Lo que no aceptará es que Katie falle en sus comportamientos. Katie necesita ser socializada con éxito si queremos que consiga vivir en casa de Jackie y en la comunidad. Por ejemplo, puede que Katie no sepa bien cómo compartir una actividad familiar como jugar a algo, algo que podría demostrarse en que discutiera sobre las reglas, hablara a gritos o hiciera trampa. Jackie no le dará la oportunidad de fracasar en esas cosas; jugará con ella a cosas menos competitivas y estimulantes. Serán más como los juegos interactivos y atractivos que hacemos con niños pequeños. Pero no perderá el tiempo corrigiéndola mil veces en juegos interminables y llenos de conflictos que le queden grandes por su edad de desarrollo.

»Las correcciones repetitivas probablemente indican que nuestras expectativas son demasiado altas. Pueden ser apropiadas para su edad cronológica, pero no para su edad de desarrollo. Nos gusta el lema "conectar antes de corregir". Nuestra prioridad principal es construir una conexión fuerte con la niña, y una vez que se desarrolle adecuadamente, nos aportará un conocimiento más profundo sobre ella para conocer su edad de desarrollo. La conexión también le proporcionará apoyo para gestionar el estrés de que la corrijan, la ayudará a confiar en los motivos de su cuidadora y facilitará la reparación de la relación después de la corrección.

—Allison —dijo Steven—, el otro día Jackie me habló de cierta actitud concreta que tendrá con Katie. ¿Cómo encaja eso con lo que estás diciendo ahora?

—La Actitud es otra forma de referirme a lo que acabamos de describir —respondió Allison—. Las cuatro cualidades de La Actitud proporcionan un contexto emocional en el que Katie podrá aceptar experiencias intersubjetivas. Le permitirán tolerar el estrés de nuestras expectativas de comportamiento y supervisión, que podría provocar vergüenza. La ayudarán a reconectar con nosotros después de la vergüenza. En esencia, la ayudarán a saber en qué consiste un apego seguro.

—¿Qué es es de La Actitud? —preguntó Kathleen.

—Durante los últimos años, algunos terapeutas, padres y yo misma hemos ido dándonos cada vez más cuenta de cómo somos realmente cuando nos relacionamos satisfactoriamente con niños con dificultades de apego. Identificamos cuatro características, que en realidad son muy similares a la actitud que tiene un padre cuando está en sintonía con su bebé o con su niño pequeño. Las características son alegría, aceptación, curiosidad y empatía. Creemos que las cuatro son necesarias y que esta actitud debe convertirse en el telón de fondo, tanto en la familia como en la terapia, si queremos que el niño responda a las intervenciones proporcionadas. Cuando una madre como Jackie ha desarrollado esta actitud como una forma fácil y natural de interactuar con su hijo, es bastante fácil evitar las interacciones marcadas por el enfado, la frustración y la tensión la mayor parte del tiempo. Cuando la madre aprende a mantener esta actitud, tanto para el disfrute recíproco como para la reparación de la relación después de las experiencias vergonzosas, la crianza de los hijos se vuelve mucho más fácil, sin importar lo escandalosa sea la conducta del niño.

—¡Lo dices como si fuera fácil! —dijo Jackie riéndose—. No, ahora en serio, Allison tiene razón. Cuando pierdo esa actitud, cada minuto se complica. Cuando consigo mantenerla, siento que, aunque en realidad es muy duro criar a alguien tan desafiante, puede resultar gratificante e incluso divertido. Consigo relajarme y disfrutar más de ella. No trato de predecir y controlar sus comportamientos. Muestro curiosidad y aceptación hacia ellos, y eso me mantiene abierta a ella y libre para responder con empatía a sus luchas. Me ayuda a aceptar realmente la forma en que está experimentando las cosas, y así puedo satisfacer mejor sus necesidades. Puedo separar su experiencia (que acepto) de su comportamiento (que a lo mejor debo limitar). Puedo mostrarme alegre y cariñosa en mis respuestas. Ella no puede controlar mis emociones, así que soy capaz de usarlas para implicarme emocionalmente con ella sin importar lo que haga. Esta actitud me recuerda a cómo era con mis hijos biológicos, Matthew y Diane, cuando eran pequeños. Hace que criar a niños complicados sea mucho más fácil. Es bueno para ambas partes.

—¿Podrías resumirnos lo que sucederá en tus sesiones de terapia? —preguntó Kathleen.

—Por supuesto —respondió Allison—. Me reuniré con ella al menos una vez a la semana y las sesiones durarán cerca de noventa minutos, aunque la primera parte de la sesión será solo con Jackie, que siempre estará presente durante la sesión. Su presencia es necesaria porque mi objetivo es facilitar un apego seguro con Jackie, no conmigo. Además, no quiero reunirme con Katie a solas porque me sentaré cerca de ella y a veces la tocaré de manera reconfortante, para apoyarla o para jugar. Debido a su historial de maltrato, Katie y yo nos sentiremos más seguras si Jackie está presente.

»Al comienzo de cada sesión, hablaré solo con Jackie sobre lo que ha ido sucediendo en casa para desarrollar algunas ideas para las intervenciones que podría probar en la sesión. También podría darle algunas sugerencias para las intervenciones que podría intentar en casa. No quiero que Katie sepa lo que voy a recomendarle hasta saber si Jackie está de acuerdo conmigo. Además, si Jackie está agotada, enfadada y tensa, primero tendré que atenderla a ella. Puedo ayudar a Katie más ayudando a Jackie en esos momentos. Tampoco quiero tratar con Katie los problemas relacionados con el terror o la vergüenza si Jackie no es capaz de manifestar La Actitud.

»Gran parte de mi rutina en terapia se basa en las secuencias de apego que se dan en la vida diaria entre madre e hijo. Primero quiero establecer con Katie una relación en cada sesión que tenga las características de un estado afectivo compartido (sintonía) y La Actitud de la que hemos hablado. Puede que charlemos un rato —incluso que nos riamos— sobre acontecimientos triviales de la semana anterior. Entonces lo más probable es que inicie una conversación sobre una experiencia asociada con la vergüenza en su vida actual en su hogar de acogida o en sus primeros años de vida con sus padres biológicos. Uno de nuestros objetivos a largo plazo será ayudar a Katie a desarrollar una narrativa coherente sobre sí misma y sobre su vida, y para hacerlo necesitaré saber todo lo que sepáis vosotros sobre sus años de maltrato y abandono. Finalmente, trabajaré para restablecer la reparación de la relación con ella si se ha enfadado con Jackie o conmigo al centrarnos en algunos aspectos estresantes de su vida. Esto la ayudará a reducir e integrar gradualmente su experiencia de vergüenza generalizada y también a ser más receptiva al consuelo y a descubrir que sus experiencias de vergüenza no dañarán su relación con Jackie o conmigo.

»Es probable que esta secuencia de establecer una conexión intersubjetiva, experimentar una ruptura en la relación debido a la vergüenza, la frustración o el conflicto que puede darse al abordar una dificultad y luego restablecer la relación ocurra una o más veces durante cada sesión. De una sesión a otra, me centraré en estar con Katie de una manera que muestre mi profundo interés en quién es y mi aceptación y valoración de ella. Iré percibiendo las formas en que Jackie la cuida y ayudando a Katie a que las perciba. Quiero despertar la curiosidad de Katie acerca de ese cuidado y hacer frente a esa creencia generalizada que tiene de que es mala y de que cualquiera que la conozca de verdad también acabará viendo que es mala y odiosa.

—Me cuesta imaginar cómo vas a hacer eso —dijo Kathleen—. ¿Te limitarás a sentarte a su lado y a jugar con ella y luego le hablarás de sus problemas antes de volver al juego?

—Las cualidades de La Actitud impregnarán todos los aspectos de las secuencias. Katie experimentará aceptación, curiosidad y empatía en cada interacción. Experimentará mi intensa curiosidad sobre su vida interior, sobre lo que siente y piensa acerca de todo, y a menudo vivirá estas interacciones con una cierta ligereza, suavidad y desenfado. Aunque no voy a transmitirle que sus problemas son "divertidos", mostraré confianza en ella. Le haré ver que percibo en su interior un *self* saludable que no será destruido, ni siquiera amenazado, por ninguna experiencia traumática o estresante que haya podido tener. Estaré "descubriendo" en su interior las maravillosas cualidades que todo niño posee y que sus padres apenas vieron. A medida que descubra esas cualidades, le comunicaré mi experiencia acerca de ella de manera bastante directa, tanto verbal como no verbalmente, y Katie también las descubrirá. Cuando consiga reírse con nosotras sobre sus dificultades para aprender a vivir en casa de Jackie y manifieste tristeza al recordar su vida con Sally y Mike mientras Jackie la reconforta, habrá dado un paso de gigante para formar un apego seguro con Jackie mientras que al mismo tiempo organiza una sensación coherente de sí misma.

Después de una pausa, Kathleen dijo:

—Allison, creo que podemos y debemos aprobar que trabajes con Katie y que se mude a la casa de Jackie. Me gusta lo que dices, aunque quiero ver cómo funciona en el día a día. ¿Tendrías algún inconveniente en hablar con Steven con regularidad sobre cómo va la terapia y en que vaya a casa de Jackie con más frecuencia de la habitual?

—En absoluto —respondieron tanto Allison como Jackie.

—Es más, también puede participar en algunas sesiones con Katie, con Jackie y conmigo si quiere.

—Eso estaría genial —respondió Steven.

—Vamos a intentarlo entonces —dijo Kathleen—. Os garantizamos que no vamos a interferir con lo que hagáis, incluso aunque no estemos seguros de que sea útil. Os dejaremos tomar la iniciativa, siempre y cuando sigáis las normas del departamento de cuidados de acogida. Si creéis que es necesario modificar alguna norma, consultadlo con nosotros y, si estamos de acuerdo, veremos si en la oficina central pueden hacer una excepción. Comenzaremos con seis meses hasta la primera revisión del tratamiento y de la asignación de Katie. ¿Será suficiente?

—Puede que no sea suficiente como para que Katie consiga un progreso sustancial —dijo Allison—, pero debería bastar para mostraros lo que estamos haciendo y para que todos podamos ver algunos cambios iniciales sobre los que esperamos poder basarnos.

—¿Qué porcentaje de éxito existe al usar de este enfoque con niños que tienen tantas dificultades para progresar en buenos hogares de acogida? —preguntó Kathleen.

—Me encantaría poder daros resultados de investigación sólidos —respondió Allison—, pero hay muy poca investigación sobre el trauma del desarrollo y aún menos sobre los enfoques terapéuticos y de crianza de los niños con estas graves dificultades. Puedo hablarte de mis propias experiencias en los últimos veinticinco años.

—Sería muy útil —dijo Kathleen.

—Bueno, una estimación aproximada sería que alrededor del 40% de los niños como Katie con los que he trabajado han logrado un progreso muy significativo, otro 40% han conseguido algún progreso que ha resultado ser bastante útil y un 20% ha conseguido muy poco o nada en absoluto. Lo único que he logrado con ese 20% ha sido ayudar a sus familias a aprender a vivir con ellos para proteger el entorno familiar, mantener al niño a salvo y esperar que en el futuro el niño —o el adolescente— sea capaz de lograr una vida mejor. En este caso, mi objetivo es restringir las consecuencias de los problemas del niño al propio niño de manera que no perjudiquen a los otros miembros de la familia. Y ayudo a los padres a explorar las posibilidades dolorosas de tener que internar al niño en una instalación grupal si es necesario.

—Tengo que reconocer que esos resultados me desaniman un poco —dijo Steven.

—Lo entiendo —dijo Allison—. Pero son mucho mejores que los resultados que obtenía antes cuando utilizaba los diversos enfoques terapéuticos tradicionales en los que me formé. En aquel entonces, habría tenido que decir que con niños como Katie, mis intervenciones tenían poco o ningún efecto en el 80% o 90% de las veces. Ahora veo efectos positivos en cuatro de cada cinco casos, y en muchos de esos casos los efectos son muy significativos. Así que estoy eufórica acerca de los resultados que veo ahora, aunque me duele no poder ayudar a ciertos niños y familias. Necesitamos una buena investigación sobre enfoques creativos e integrales para estos niños. Tienen problemas psicológicos muy importantes que no responden fácilmente al tratamiento.

—¿Hay otros enfoques para estos niños tan traumatizados y desconfiados? —preguntó Kathleen.

—Me temo que ninguno que esté basado en la investigación —respondió Allison—. Hay algunos hallazgos de investigación positivos relacionados con el tratamiento de traumas simples, pero estos traumas no pueden compararse con el daño causado por los traumas del desarrollo. Estoy familiarizada y apoyo el tratamiento Theraplay, que también se basa en los principios del apego y que complementa bastante bien mi tratamiento, la PDD.

Los cuatro se quedaron sentados en silencio unos instantes. Todos experimentaron tristeza por cada niño que había sido maltratado o abandonado por sus padres y que carecía de la posibilidad de tener un apego seguro con padres capaces y entregados cuando finalmente se les daba la oportunidad. Una vida de pesadilla.

—Muy bien —dijo Kathleen—. ¿Por qué no fijamos una fecha para que Katie se mude a casa de Jackie?

COMENTARIO

Allison y Jackie necesitaban presentar una descripción detallada de la forma en que intervendrían en la vida de Katie porque era crucial que sus estrategias fueran comprendidas y aceptadas antes de que la asignaran a casa de Jackie con Allison como terapeuta. Algunas de las intervenciones en el hogar y en la terapia difieren de los puntos de vista tradicionales de lo que constituye la crianza apropiada del niño. Muchos de esos enfoques hacen hincapié en la necesidad de dar opciones al niño y dejar luego que aprenda de las consecuencias de estas opciones, incluso si falla una y otra vez. Con demasiada frecuencia, las elecciones se basan en su edad cronológica y no en su edad de desarrollo. Muy a menudo, los conflictos y límites que producen enfado se evitan disminuyendo las expectativas para que el niño no se enfade, a costa de no aprender a afrontar la frustración ni a alcanzar logros más difíciles.

Allison y Jackie recalcan repetidamente la necesidad de mantener una actitud terapéutica PACE para poder influir en el desarrollo de Katie. Esa actitud es la que hace que las estrategias empleadas sean terapéuticas. Si es preciso que Katie se pierda una fiesta familiar, Jackie debe presentar este límite de la manera que se describe en La Actitud que hemos visto anteriormente para que sea terapéutico. Jackie le dirá a Katie: "Me da pena que no estés lista para participar en la fiesta con nosotros. Tengo muchas ganas de que aprendas a gestionar mejor la diversión con nosotros para que puedas unirte a la familia en momentos como este". Esa afirmación es terapéutica. Nunca se dice con sarcasmo y solo se usa cuando refleja las verdaderas intenciones de los padres. El niño no está siendo castigado a no acudir a la fiesta, y además se le proporcionan actividades alternativas que pueden reportarle diversión y también gratificación.

Comparemos la afirmación anterior con esta: "No puedes estar en la sala de estar mientras estemos celebrando la fiesta. ¡Hasta que no aprendas a actuar correctamente, no puedes estar con nosotros!". Otro comentario que conviene evitar sería: "¡Nunca haces lo que se te dice! ¡Si no puedes estar con nosotros es por culpa tuya!". Las tres intervenciones implican apartarla de la fiesta. La naturaleza de la actitud que se transmite es lo que determina si la intervención es o no terapéutica. Una forma igualmente destructiva de gestionar la situación sería dejar que Katie asistiera a la fiesta tras haberle hecho cinco advertencias sobre cómo debe comportarse adecuadamente, aunque en las últimas tres fiestas parecidas su comportamiento fuera muy perturbador y agresivo y no hubiera motivo para pensar que esta fiesta fuera a ser diferente. Luego, cuando fracasara y hubiera que echarla, le gritarían: "¡Has tenido tu oportunidad! ¡Te dije lo que iba a pasar!". Esas intervenciones no ayudarían a Katie.

Con demasiada frecuencia, los cuidadores dan a niños como Katie docenas de oportunidades para tomar la decisión adecuada, incluso cuando han fracasado sistemáticamente. Los cuidadores responden a cada fracaso con enfado, con un sermón y con un "nuevo comienzo", lo que se describiría con más precisión como una "repetición obsoleta" del fracaso. Sería una excelente manera de aumentar el sentimiento de vergüenza y falta de valor de Katie. Si un niño de sexto de primaria lee como un niño de tercero, ¿es conveniente que soporte un "nuevo comienzo" todos los días intentando leer un libro de sexto? ¿No es mucho mejor reconocer que su nivel de lectura es de tercero, darle un libro de ese curso, albergar la expectativa de que trabaje en su nivel de capacidad y alentar sus pequeños pasos hacia un mayor desarrollo de sus habilidades lectoras? Los niños restringidos a causa de traumas del desarrollo no tienen un funcionamiento emocional, cognitivo o conductual apropiado. Necesitan un entorno que reconozca ese hecho, que responda a sus logros potenciales y que se base en el cuidado de los padres, en la supervisión y en las expectativas que fomenten su desarrollo paso a paso. Si Katie funciona con un nivel de habilidades más propio de un niño pequeño —como de hecho ocurre—, entonces necesita el mismo grado de experiencias intersubjetivas, supervisión y expectativas que podríamos dar a un niño pequeño. La actitud PACE garantiza que las intervenciones del tratamiento serán terapéuticas —con suerte exitosas—, pero no punitivas ni humillantes.

CAPÍTULO 8

JACKIE KELLER, HOGAR DE ACOGIDA N.º 4

El jueves 9 de junio de 1994, Katie se mudó a la casa de Jackie y Mark Keller en Vassalboro, Maine. La niña, que aún tenía seis años, había estado en régimen de acogida durante veintiún meses y este era su quinto hogar, contando su vida con Sally y Mike. Como en ocasiones anteriores, Steven la llevó a casa de Jackie con la mayor parte de su ropa. Hacía aproximadamente una semana, Susan le había contado a Katie que se iba a mudar a un nuevo hogar en el que podrían satisfacer mejor sus necesidades. Katie apenas reaccionó. No hizo ningún esfuerzo por hacer que Susan cambiara de opinión. Más bien, estaba interesada en cómo era la casa de Jackie. La había conocido unas semanas atrás, pero no la recordaba bien. Jackie y Mark vivían en un camino sinuoso a kilómetro y medio de la Ruta 201, a unos quince kilómetros al norte de Augusta. Mark había construido una ampliación de dos dormitorios a la casa hacía cinco años cuando decidieron cuidar a niños de acogida. Katie dormiría en una de las dos habitaciones de abajo. Jackie y Mark dormían en la otra y los tres adolescentes dormían arriba.

Cuando Steven llegó a las dos de la tarde, Jackie y Whimsy estaban esperando en el gran comedor. No había nadie más. Jackie saludó a Katie con entusiasmo. Whimsy la lamió e inmediatamente quiso ser su mejor amiga. Katie le daba palmaditas al perro mientras miraba alrededor de la cocina. Jackie la ayudó con sus maletas y cajas y las llevó a la habitación de Katie. Steven y Whimsy esperaron en la cocina hasta que regresaron para tomar un poco de leche y galletas saladas.

—Bueno, Katie, me encanta que estés aquí. Me alegra que vayas a convertirte en un miembro de nuestra familia. Antes de cenar conocerás a tu nuevo padre de acogida, Mark, y a nuestros otros hijos. Ahora tenemos un rato para que me conozcas y para que veas cómo es vivir aquí. ¿Quieres leche y galletas saladas?

—Quiero galletas normales. Eso es lo que meriendo siempre —dijo Katie.

—Me encanta que me cuentes lo que quieres, Katie. A mí también me gustan las galletas. Pero aquí tenemos galletas saladas y leche o fruta para merendar. Puede que al principio no te guste, pero creo que te acostumbrarás con el tiempo. ¿Prefirieres algo de fruta?

—¡No me gustan las galletas saladas! —dijo Katie.

—Pues no te las comas, Katie. Tómate solo la leche, o no te la tomes si no te apetece. También te puedes comer una naranja —dijo Jackie.

Katie miró la leche y las galletas saladas que tenía delante. Parecía estar haciendo un puchero y no daba la sensación de saber qué hacer.

—Veo que no te gusta que las galletas saladas sean la única alternativa a las galletas. Podrías estar pensando que soy un poco mala. ¡Y eso que me acabas de conocer! Madre mía, incluso puede que te estés preguntando si esta va a ser una casa horrible que vas a odiar totalmente. Eso sería empezar con muy mal pie.

—¡Eres mala! —exclamó Katie, y de repente movió el brazo y tiró el vaso de leche por los aires. Casi toda la leche cayó sobre la mesa, y el resto fue directo al suelo. Una buena parte de la que cayó sobre la mesa salpicó y fue a parar a los pantalones de Steven.

Steven dio un salto hacia atrás levantándose de la silla mientras se cogía los pantalones y gritó:

—¿Por qué has hecho eso, Katie?

Jackie se puso rápidamente entre Steven y Katie, centró toda su atención en la niña y dijo:

—¡Jolín, sí que estás enfadada! Me has dejado claro enseguida hasta dónde te puedes enfadar cuando no consigues hacer lo que quieres.

Supongo que querías decir: "¡No quiero tu leche para nada!". ¡Seguro que querrías que me hubiera caído a mí en vez de a Steven!

Jackie se volvió hacia Steven y le dijo que cogiera una toalla del baño si quería secarse los pantalones. Luego se volvió hacia Katie de nuevo y se inclinó colocando el brazo en el respaldo de su silla. Le dijo en voz baja:

—Katie, veo que esto te resulta difícil. Has tenido que mudarte un montón de veces. ¡Cuántas familias! ¡Galletas, galletas saladas, fruta! Siempre acostumbrádote a cosas nuevas. Tiene que ser difícil… —Katie seguía mirando hacia el lugar de la mesa en el que había estado su vaso de leche hacía un momento—. Yo quiero ponértelo lo más fácil posible, cariño. Es muy importante para mí que sepas desde el principio cómo vivimos aquí. No sería justo engañarte para que pensaras que puedes merendar galletas cuando aquí merendamos galletas saladas o fruta. A lo mejor te parece una tontería. "Aquí no se meriendan galletas". Pero es que así es como vivimos todos aquí. Ni siquiera yo meriendo galletas.

Se quedó cerca de Katie unos momentos mientras que esta superviviente de seis años parecía sopesar sus opciones. Jackie se mostraba relajada y tolerante. El comportamiento de Katie podría ser muy comprensible si uno pudiera ver en vídeo los miles de momentos de enfado e indiferencia de sus padres que pudo haber experimentado durante sus primeros años de vida. Ahora percibía cualquier negativa a concederle lo que quería como un nuevo signo de desprecio hacia ella y de completa apatía por lo que sentía y quería.

Puede que Katie percibiera la tolerancia de Jackie. Puede que pensara en adoptar otro enfoque o que simplemente hubiera decidido esperar a otra ocasión. Katie cogió una galleta salada y cuando se la llevó a la boca pidió en voz baja un poco más de leche.

—Ay, Katie, me encantaría que pudieras tomarte la leche ahora, pero es que la has tirado toda en la mesa, en el suelo y en los pantalones de Steven. Vamos a hacer una cosa. Cuando hayamos limpiado la leche, te daré algo que beber con tus galletas saladas.

—¡Quiero más leche ahora! —gritó Katie mientras tiraba la galleta salada al otro lado de la habitación. Golpeó en un armario, se rompió en cien pedazos y se unió a la leche en el suelo.

Jackie se agachó y cogió las dos galletas saladas que quedaban.

—Voy a guardar estas, Katie. ¡Estás muy enfadada conmigo! ¡Ni galletas, ni leche, ni más galletas saladas que tirar! A lo mejor quieres tirarme a mí, ¡pero peso demasiado! —Katie se levantó e intentó quitarle las galletas saladas de la mano, pero Jackie reaccionó rápidamente y le apartó la mano mientras las colocaba sobre la encimera—. Ahora voy a por un cubo y unos trapos para limpiar la leche del suelo.

Katie gritó e intentó darle una patada a Jackie. Jackie la cogió de la muñeca y mientras la llevaba a una silla le dijo:

—Ay, menudo comienzo más difícil que estás teniendo, Katie. Nada divertido. —Katie comenzó a forcejear mientras Jackie la llevaba a la silla sujetándola por los hombros para que Katie no pudiera darle patadas—. Estás muy enfadada conmigo y veo claramente que ahora no quieres ayudarme a limpiar el suelo. No te preocupes, ya lo haremos luego. No puedo dejar que me des una patada. ¡Guau! (Jackie está igualando la intensidad de la voz enfadada de Katie, pero sin estar enfadada). ¡Ya veo que intentas hacerme saber que puedes enfadarte! ¡Todos nos enfadamos de vez en cuando!

Katie se sentó visiblemente enfadada. Miró hacia otro lado y golpeó con los brazos sobre la mesa. En ese momento, Steven volvió a entrar en la habitación. Katie levantó la vista y gritó:

—¡No quiero vivir aquí! ¡La odio! ¡Llévame a casa de Susan!

Steven se quedó sin habla. Jackie rompió rápidamente el silencio.

—Katie se ha enfadado mucho conmigo, Steven. Para empezar no había galletas, luego no la he dejado que tomara más leche. Luego le he dicho que teníamos que limpiar la que había tirado. Y para acabar, después tirar su galleta salada, le he quitado las otras, ha intentado darme una patada y ahora está demasiado enfadada como para que limpiemos la leche y la galleta del suelo, y seguro que todavía quiere darme una patada. ¡Y eso que aún no le he dicho que me gustaría que se disculpara contigo por haberte tirado la leche! Puede que no le guste en absoluto.

—¡Te odio! —gritó Katie.

—¡Supongo que ahora mismo incluso me odia! No me extraña que no quiera vivir aquí conmigo —dijo Jackie. Luego habló con Steven en voz más baja, aunque en realidad dirigió sus palabras a Katie—. Yo creo que estaba esperando que le tocara finalmente una madre que le gustara de verdad. Y ahora tiene miedo de que yo sea la peor madre que haya tenido. Debe ser muy difícil para ella.

Steven se sentó y habló con Katie.

—Siento que te hayas enfadado con Jackie, Katie, pero no te voy a llevar otra vez a casa de Susan. Conozco a Jackie, y creo que cuando tú también la conozcas, te gustará.

—¡No quiero quedarme aquí! —volvió a gritar Katie.

—Me temo que tienes que hacerlo, Katie. Este es tu nuevo hogar y espero que algún día te guste, y Jackie también —dijo Steven, sin mucha confianza en sus propias palabras.

—¡No me va a gustar nunca! —gritó Katie.

—Steven, ahora mismo Katie está muy, muy enfadada y no creo que puedas hacerla cambiar de opinión. Puede que sea mejor que te vayas ahora para que Katie empiece a acostumbrarse a estar aquí.

—¡No! —gritó Katie levantándose de la silla de un salto. Cogió a Steven mientras este se dirigía a la puerta. Jackie consiguió interponerse entre Steven y la niña, aunque Katie trató de alejarla mientras seguía gritando. Cuando Steven llegó a la puerta, Jackie le sugirió que la llamara al día siguiente para contarle cómo se estaba acomodando Katie.

Steven no sabía qué hacer, aparte de marcharse de la manera más normal posible. No se le ocurría nada que decirle a Katie que pudiera ayudar en esa situación, así que se conformó con decirle "Adiós, Katie" mientras cerraba la puerta tras él.

Mientras Steven salía de la propiedad con el coche, Katie siguió gritando y luego se sentó en una silla de espaldas a Jackie.

—¡Ay, Katie, qué difícil debe de ser para ti! Ni siquiera me conoces y ahora estás a solas en la casa conmigo. Steven te ha dejado aquí con alguien a quien odias y no conoces. Sé que puede que no me creas, pero te prometo que estarás a salvo, no importa lo enfadada que estés conmigo. Nos mantendré a las dos a salvo mientras que estés enfadada conmigo. —Katie ignoró a Jackie. Jackie dijo en voz baja—: Lamento que tu vida haya sido tan dura.

Luego fue a la encimera y comenzó a preparar las cosas para la cena. Durante los siguientes quince minutos, Katie continuó ignorando a Jackie mientras Jackie empezaba a cocinar. Entonces un coche se detuvo en la entrada. Un minuto después, se oyó a Diane, a John y Matt en el porche, y al poco entraron por la puerta. Se detuvieron y miraron a su madre, a una niña enfadada y a un montón de leche tirada por el suelo.

—Niños, quiero que conozcáis a Katie. Ahora vive con nosotros —dijo Jackie de una manera informal y relajada.

—¡Hola, Katie! —dijo Diane. Sus hermanos mostraron menos entusiasmo.

—Katie está pasando un momento difícil, pero todo está bien —dijo Jackie—. Si queréis un poco de leche y galletas saladas, cogedlas vosotros. Y no piséis la leche.

Diane se acercó a Katie.

—Bueno, así que eres mi nueva hermana. Me alegro de no ser ya la única chica. Parece que mamá y tú habéis tenido un desacuerdo. ¿Qué quiere que hagas?

—¡Dice que tengo que ayudarla a limpiar la leche! ¡Y no me quiere dar galletas! —dijo Katie mostrando a la vez interés en Diane y molestia por su situación.

—Qué rollo, hermanita. Bueno, cuando lo hayáis arreglado, te enseñaré la casa.

Diane se fue a su habitación y Katie la siguió con la mirada.

—Limpiaré la leche y no necesito que me ayudes —dijo Katie con firmeza.

Jackie se sorprendió por lo repentino del cambio de humor de Katie y su disposición a hacer lo que esperaba de ella. Puede que la llegada de los tres adolescentes hubiera cambiado el ambiente. Tal vez quería impresionar a Diane y empezar con buen pie con ella. Diane y sus hermanos podrían ser aliados contra la malvada madre.

—Parece que ya no estás enfadada, Katie. Pero no te conozco muy bien. ¿Seguro que estás lista para ocuparte de la leche?

—Sí, lo estoy —dijo Katie con tranquilidad.

—Bien, Katie. —Cogió un cubo y una esponja de debajo del fregadero, lo llenó un poco de agua y se lo dio a Katie. La niña lo cogió y se puso a limpiar la leche sola, sin pedir ninguna ayuda a Jackie. En ese momento, Diane entró y cogió una manzana.

—Estás haciendo un buen trabajo, Katie —dijo Diane—. A lo mejor ahora mamá no me pedirá que la ayude todo el rato.

Katie sonrió y siguió limpiando. Lo hizo realmente bien y le devolvió el cubo a Jackie cuando acabó.

—Diane, creo que Katie todavía sigue un poco enfadada conmigo. ¿Le enseñas tú el resto de la casa, el garaje y el columpio?

—Claro, mamá —dijo Diane sonriendo a Katie—. Vamos, hermanita. Empezaremos por tu habitación y luego te enseño la mía.

Katie se fue con Diane y parecía más feliz que nunca. Whimsy las siguió. Jackie estaba agotada, pero Katie parecía estar llena de energía. Jackie pensó que nunca llegaría a acostumbrarse a esos bruscos cambios de estado de ánimo y actividad en niños como Katie, sin rastro alguno de lo que acababa de pasar. Se preguntó un instante si la vida no sería más fácil así: seguir adelante sin arrepentirse de nada. Aunque lo más probable es que eso convirtiera la vida en algo más fragmentado, con menos continuidad e integración de las diversas experiencias y del aprendizaje vital.

* * *

En el camino de regreso a su oficina, Steven albergaba sus dudas sobre Jackie y Allison y todo lo que habían dicho. Aunque sonaba bien, la realidad parecía ser diferente de la teoría. ¿Acaso no necesitaba Katie sentirse acogida y relajada el primer día? ¿Por qué no podría haberle dado Jackie una dichosa galleta? ¿Tanto le costaba? ¡Y luego tuvo que hacer un mundo con lo de la leche! ¿Es que no veía que la niña había tenido un mal comienzo? ¿Por qué la había presionado así?

* * *

Tres días después, Steven llegó a la consulta de Allison para la primera sesión de terapia de Katie. Se reunió primero con Allison y Jackie mientras que Katie estaba en la sala de espera.

—¿Cómo va todo? —le preguntó Allison a Jackie.

—Pues bastante en la línea de lo que esperaba. Steven presenció el primer berrinche, que ocurrió unos cinco minutos después de que llegara. Katie ha tenido unos cuantos más desde entonces, pero básicamente creo que está jugando sus cartas mientras se hace con la nueva situación. Está invirtiendo mucha más energía en tratar de ser amable con los niños que en tratar de acercarse a mí. Sospecho que está buscando puntos débiles que pueda usar para atacar en el futuro.

—Me preguntaba por qué parecías querer que Katie tuviera una rabieta cuando llegó —dijo Steven—. Creo que podrías haberla evitado si lo hubieras intentado.

—Puede que sí, pero no creo que eso la hubiera ayudado en nada. Quería salirse con la suya, y estaba comprobando si tener una rabieta la ayudaría a tomar el control de nuestra relación. Pero yo no tenía ningún interés en que tuviera una rabieta, Steven. Habría preferido que no la tuviera. Sin embargo, si la hubiera evitado activamente, tendría que evitar muchas más en los próximos días y meses.

—Con niños como Katie, Steven, intentar evitar los berrinches no es una buena estrategia. Necesita trabajar para evitar las rabietas —sugirió Allison—. Si nos ve a nosotras hacer el trabajo, es probable que piense que nos da miedo que se enfade o que no puede gestionar las frustraciones rutinarias. Y Katie no necesita ninguno de los dos mensajes. Jackie no generará situaciones con el propósito de causarle una rabieta. También intentará proporcionarle el entorno adecuado para que esas rabietas no se den. Y tratará de ayudarla si se molesta por tenerla cerca corregulando sus intensas emociones a través de la comprensión y la sincronización de sus expresiones afectivas. Pero evitar establecer límites para evitar las rabietas no le será de ninguna utilidad.

—¿Pero había que hacerlo desde el primer minuto? ¿Por qué no dejar que Katie eligiera entre galletas o galletas saladas? —preguntó Steven.

—Porque lo más seguro es que hubiera buscado alguna otra cosa para justificar una rabieta —respondió Allison—. Quería descubrir cómo de fácil sería para ella controlar a esta nueva familia. Necesitaba saber que podía tener una rabieta sin problemas. Pero Jackie no la rechazó por tenerla, ni tampoco la consintió. Si hubiera elegido aceptar lo que Jackie le ofrecía, eso también habría valido. En realidad, es probable que Katie se haya beneficiado más por tener la rabieta y ver la respuesta de Jackie que si hubiera elegido "portarse bien".

Steven aún se mostraba escéptico, pero decidió no insistir más en el tema. Jackie continuó describiendo los primeros días.

—Katie parece estar durmiendo bien hasta el momento, y también come bien. Se quejó por algunas de sus tareas diarias los primeros dos días, pero luego participó en ellas conmigo, sobre todo en las que más le gustaban. Se molestó un par de veces por no poder salir con los mayores.

Después de comentar un rato más los comportamientos recientes de Katie y las estrategias para la semana siguiente, Allison fue a por Katie a la sala de espera. Jackie y Steven escucharon a Katie charlar con entusiasmo en el camino de vuelta.

—¿Qué hacen ellos aquí? —le preguntó a Allison al entrar a la sala.

—Buena pregunta, Katie. Estás acostumbrada a la terapia con Jan, y ella te veía a solas, ¿verdad? Bueno, en las sesiones que tengas conmigo, tu madre, Jackie, siempre estará con nosotras, y a veces Steven también —dijo Allison con calma.

—¡No quiero que estén aquí! —gritó Katie.

—Ya lo veo —respondió Allison—. Pareces un poco enfadada por su presencia aquí con nosotras.

—¡Diles que se vayan! —gritó Katie.

—¡No te gusta nada que estén aquí! Y me parece que quieres decidir cómo hacer las cosas —dijo Allison—. Bueno, me alegra saber lo que quieres, pero yo debo decidir cuál es la mejor manera de utilizar la terapia para ayudarte con los problemas que has tenido en tu vida durante tanto tiempo. Y es muy necesario que tu mamá esté aquí.

—¡Ella no es mi mamá! —volvió a gritar Katie. Estaba buscando algo con lo que retomar el control, ya que su petición de que Jackie y Steven se fueran no había funcionado.

—Uy, Katie, pareces muy enfadada conmigo y con tu madre de acogida. Las cosas no están yendo como tú quieres, ¿verdad?

Katie no respondió. Estaba sentada en un extremo del sofá y apartaba la vista de Jackie y de Allison. ¡No era una niña feliz! No le gustaba la idea de la terapia, a menos que pudiera controlar lo que sucedía allí. No tenía ningunas ganas de que Jackie estuviera presente. Allison no iba a hacer que Jackie se fuera, pero tampoco podría obligar a Katie a hablar. ¡Katie la ignoraría!

Allison se sentó en el sofá cerca de Katie y dijo en voz baja:

—Es una lástima que esto haya tenido un comienzo tan difícil para ti, Katie. Tu madre de acogida dice que tampoco has querido hablar mucho con ella en casa. ¡Debe de ser difícil tener que acostumbrarse a tantas mamás en seis años! No me extraña que no quieras otra mamá. No me extraña que quieras decirle a las mamás: "¡Dejadme en paz!". —Allison le puso énfasis a la última frase para intentar que Katie supiera que entendía su enfado por verse obligada a mantener una relación con Jackie. Continuó, en voz baja, y más lentamente—: Estás cansada de mamás. Te han hecho mucho daño. Especialmente Sally. No me extraña que a veces prefieras estar sola a estar cerca de una madre. No me extraña que a menudo quieras decir: "Ya no quiero más mamás".

Katie estaba sentada sin moverse, retraída en una realidad a la que rara vez asistía. Normalmente, no dejaba que ningún sentimiento o pensamiento se desviara hacia esas experiencias que le habían hecho renunciar a las personas. No era consciente de a dónde la llevaban sus pensamientos, porque si lo fuera ya se habría puesto a gritar por cualquier otra cosa. La ira era siempre su distracción más segura.

Allison notaba en su falta de movimiento y en su mirada distante y triste que Katie estaba respondiendo en algún lugar dentro de sí misma a sus palabras y a su empatía. Continuó con sus comentarios, incluso más lenta y deliberadamente que antes, observando a Katie en busca de alguna pista sobre su respuesta emocional.

—Probablemente desearías no necesitar a ninguna mamá. Quizás te preguntes por qué no hay alguna otra persona que se encargue de darte comida, ropa y un lugar en el que dormir. ¡Alguien que no sea una mamá! Alguien a quien tienes claro que nunca querrás agradar ni tener cerca. —Allison apoyó suavemente la mano en la de Katie y luego la retiró antes de que Katie protestara. Permitió un momento de silencio antes de continuar—. Vamos a cambiar de tema, Katie —dijo Allison cambiando de tono de voz y de postura—. ¡Me he enterado de que Diane te va llevar a nadar después de la sesión de hoy!

—¡Sí! Vamos a un gran lago. ¡Y vamos a llevar algo de comida! —respondió Katie entusiasmada.

—¡Parece que va a ser una hermana genial! —dijo Allison.

—¡Sí! —contestó Katie sonriendo.

—Entonces supongo que querrás que acabemos con la terapia por hoy para ir al lago con Diane —sugirió Allison. Katie la miró expectante—. Bueno, Katie, sé que has tenido algunos momentos difíciles y probablemente no estuvieras muy contenta con Sally y con Mike ni luego en las otras tres casas en las que viviste antes de ir a vivir con tu mamá, Jackie, ¿verdad?

—Sí —respondió Katie.

—¿Crees que probablemente tuviste problemas con ciertas cosas que hicieron más difícil tu estancia en esos hogares de acogida? ¿Crees que sería buena idea que yo te ayudara a ser más feliz en esta casa que en las otras? —preguntó Allison.

—Sí.

—Bueno, está bien, Katie, pero eso probablemente significa que tendrás que trabajar bastante, porque has tenido muchos problemas durante mucho tiempo. ¿Te parece bien?

—Sí.

—¡Oh, dios mío, eso son UN MONTÓN de síes! ¿Dónde se han ido todos los noes? —dijo Allison sonriendo mientras cogía a Katie por los brazos. Con una gran sonrisa, continuó—: ¡Bueno, ya está bien de contestar "sí"! Ahora quiero algunos de esos "¡No quiero!", que sé que tú puedes… —Katie hizo una pausa, sonrió y vaciló sin saber qué decir—. ¿Dónde están? —siguió Allison, y miró juguetonamente detrás de la oreja de Katie como si buscara un no.

—¡Sí! —dijo Katie con una sonrisa todavía mayor.

—¡No! —dijo Allison con los ojos como platos y una sonrisa radiante. Le tocó un costado ligeramente y Katie rio a carcajadas.

—¡No quiero! —dijo Allison en voz alta.

—¡Sí! —gritó Katie en respuesta.

Allison volvió a tocarla ligeramente, y esta vez añadió un rápido masaje en el pelo.

—¡No quiero!

—¡Sí!

—¡No quiero!

—¡Que sí!

—Katie, si no dices "No quiero" te vas a meter en un lío —dijo Allison exagerando el gesto de fruncir el ceño.

—¡Sí!

Allison abrazó a Katie rápidamente.

—¡Como digas eso otra vez te voy a dar dos abrazos!

—¡Sí!

Allison volvió a abrazar a Katie mientras decía "¡Uno!". La soltó, le sonrió mirándola a los ojos y dijo "¡Dos!" mientras la abrazaba de nuevo.

—Creía que habías dicho que querías que te ayudara —dijo Allison con el mismo tono de voz.

—¡Sí!

—Bueno, Katie, si te ayudo, tendrás que cooperar. ¿De acuerdo? —preguntó Allison.

—¡Sí!

—¡Genial, Katie! Sé que voy a poder ayudarte si trabajas mucho conmigo. ¡Y te has ganado un gran abrazo por eso! —dijo Allison abrazándola de nuevo.

—¡No! —gritó Katie mientras se reía.

Allison se inclinó y susurró:

—Puedo ser una terapeuta muy astuta. Ándate con ojo o te daré un millón de abrazos.

Katie miró a Allison, sonrió y dijo:

—¡No!

Allison sonrió, volvió a inclinarse y le susurró:

—Tú también puedes ser muy astuta. ¡Mola! ¡Seguro que somos gemelas! —dijo abrazando a Katie otra vez.

—¡No lo somos! —dijo Katie mientras seguía riendo y gritando. Su sonrisa era genuina, espontánea e inesperada.

Allison se recostó en su asiento respirando profundamente y pensó: "Esta niña es inteligente. Sabe lo que está pasando. Va a ser divertido conocerla".

Katie miró a Allison sin saber qué decir o hacer a continuación. Estaba mucho más receptiva con Allison de lo que había estado al principio. Se había divertido un poco, a pesar de sí misma. Se había divertido a pesar de tener a Jackie sentada al lado sonriéndole. ¿Había hecho lo que ellas querían que hiciera? Si era así, no había sido esa su intención. Puede que tuviera que llevar más cuidado con la listilla de Allison…

Allison alternaba la charla trivial con interacciones lúdicas que implicaban tocarse ligeramente, imitar expresiones faciales y algún abrazo escandaloso. Era como si estableciera una interacción con Katie y luego la abandonara, una y otra vez. Katie la seguía todas las veces, y Allison no quería mantener la conexión más allá de lo que a Katie le resultara aceptable, así que rompía esa conexión antes de que lo hiciera Katie, de manera que podía dirigir las interacciones y el tono afectivo general de la sesión. Estimulaba la capacidad de Katie para tolerar la comunicación y el disfrute recíprocos. Estas interacciones, tan básicas para los niños sanos, eran una condena para Katie. Allison lo sabía y ajustaba la sesión en consecuencia.

Allison pensó que a Katie podría venirle bien que la llevaran a un área de sí misma que aún no había recibido atención. Sabía que los rasgos centrales de la personalidad de Katie estaban enterrados bajo la vergüenza. Mientras estas áreas permanecieran intactas e inexploradas, mantendrían eficientemente la barrera que la separaba de los demás, especialmente de Jackie.

¡Cómo es la vergüenza! Descendía sobre Katie cada vez que hacía algo que implicara la más mínima pregunta, limitación o crítica. La vergüenza la equiparaba con lo malo, lo poco valioso, lo desagradable y lo insignificante. La vergüenza le impedía aceptar la realidad de la disciplina como algo fundamental para la socialización en la comunidad humana. La vergüenza la incapacitaba para entender cómo se conectaban sus comportamientos con las consecuencias. Y si la vergüenza permanecía enredada en la esencia de su ser, nunca podría creer que era especial para alguien. La vergüenza no dejaría espacio para los apegos significativos; no permitiría la existencia de un *self* cuyas características y sentido de valía surgieran de un apego seguro.

Al igual que haría a lo largo de toda la terapia, Allison se aproximó a los dominios de la vergüenza de una manera calmada, cuidadosa y práctica. Quería que Katie supiera que esta área de sí misma y de su vida serían exploradas como las demás. Su actitud y su tono emocional no cambiarían. Allison aceptaba esta área de Katie y no la juzgaba, al igual que aceptó y no juzgaba ninguna otra área.

—Katie, me he enterado de que la llegada a tu nuevo hogar fue algo accidentada. No te gustaron para nada esas galletas saladas. Tú querías de las otras. ¡Y creíste que tu madre estaba siendo mala contigo por no darte ninguna! ¡Así que tiraste el vaso de leche! Madre mía, ¡sí que estabas enfadada! ¡Y fue a parar al pantalón de Steven! ¡Y él se enfadó! Y tú pensaste que todo era culpa de tu madre.

Katie no respondió ni miró a Allison. No se esperaba nada de esto, y Allison pensó que sería demasiado difícil para Katie gestionarlo y seguir manteniendo una conexión emocional activa con ella. Esperaba que su empatía por lo que Katie probablemente había estado pensando y sintiendo le permitiera permanecer tranquila y receptiva.

—Me gustaría que hicieras dos cosas, Katie. Sé que esto puede ser difícil para ti. —Allison hizo una pausa y volvió a tocar suavemente la mano de Katie—. Primero, me gustaría que le dijeras a Steven que sientes haberle tirado la leche.

Allison dejó su mano sobre la de Katie y esperó tranquilamente. Si Katie no se disculpaba, aceptaría su decisión y lo haría en su lugar haciéndose pasar por Katie. Como no necesitaba que Katie respondiera, podía seguir mostrándose tolerante sin juzgarla. Esta actitud propiciaría que Katie eligiera hacerlo.

Pasados unos momentos, Katie levantó la vista, miró por la ventana y dijo que sentía haberle tirado la leche a Steven.

—Gracias por decírmelo, Katie —respondió Steven—. ¡Era la leche más fría de todo el condado de Maine!

—Muy bien, cariño —dijo Allison despreocupadamente—. Ahora quiero que le digas a Steven que la próxima vez que vaya a tu casa de visita, le ofrecerás leche y galletitas saladas y no le tirarás nada.

Katie sonrió y volvió a mirar a Steven.

—La próxima vez que vengas a mi casa te daré leche y galletas saladas y no te tiraré nada.

—Eso sería fantástico, Katie —respondió Steven con cariño.

Allison sonrió y tiró suavemente de Katie. La abrazó y dijo:

—¿Sabes qué pasará si le tiras a Steven una sola gota?

—No —respondió Katie con cierta confusión e interés.

—Pues que Steven me lo dirá y la próxima vez que te vea te abrazaré siete veces, te achucharé cuatro veces, te pellizcaré dos veces la nariz y te despeinaré tres veces. ¡Así que más te vale llevar cuidado!

Katie se echó a reír, y Allison se recostó en su asiento. Se volvió hacia Jackie y le dijo:

—Creo que hoy Katie ha estado de verdad con nosotros.

Jackie estuvo de acuerdo.

—Parecía no molestarle que yo estuviera aquí al compartir contigo lo que hizo. Eso debería ayudarme a ayudarla mejor en casa.

—Sí —dijo Allison—. Y seguro que necesita ayuda de mamá, aunque en este momento no le entusiasme.

* * *

Después de la primera sesión, Steven volvió a tener dudas sobre Allison y Jackie. Lo que habían hecho tenía sentido, pero ¿por qué no le daban a Katie ni un respiro? Sabía que Allison no la había presionado demasiado, pero a la vez era como si en realidad sí que lo hubiera hecho. ¿Era absolutamente necesario volver a sacar el tema de la leche después de haber tenido una sesión bastante buena? ¿Merecía la pena el riesgo? ¿Por qué restregárselo? La vida de Katie había sido muy dura. ¿Por qué dar tanta importancia a algo tan nimio que solo había ocurrido una vez en casa de Jackie? Además, ¿Katie no tenía derecho a pedir que Steven y

Jackie no estuvieran en su sesión? Si se sentía más cómoda viendo solo a Allison al principio, ¿no deberían concederle sus deseos? Steven no sabía qué pensar. Así las cosas, habló con Betty Norton en la oficina. Betty siempre reaccionaba visceralmente a las cosas y, la mayoría de las veces, su respuesta era de lo más lógico. Le contó el episodio de la leche y las galletas saladas, así como la primera sesión de tratamiento.

—A ver si lo he entendido bien —dijo Betty con interés, aunque parecía disfrutar con los problemas de Steven—. Esta niña te tiró un vaso de leche y te entraron ganas de estrangularla. Luego te enfadaste con su madre de acogida, discutiste con su terapeuta y sentiste pena por la niña. Luego, ella se lo pasó genial con la terapeuta, obedeció y te dijo que lo sentía. ¿Voy bien por el momento?

Steven se sentía incómodo con el rumbo que estaba adquiriendo la historia de Betty y, al mismo tiempo, disfrutaba del placer de su colega ante sus dudas.

—Y finalmente, la niña te ofrece galletas saladas y leche la próxima vez que vayas a visitarla, sin tirarte nada, pero tú crees que tal vez las cosas deberían ser diferentes. ¿Es así?

Steven sonrió y respondió con dificultad:

—Sí.

—Bueno, Steven —dijo Betty con seriedad—, creo que tienes razón. Deberías haber esperado que fueran Jackie y Allison quienes te sirvieran la leche y las galletas. ¿Cómo se les ocurre a hacer que la niña se centre en los comportamientos que la han hecho pasar por tres hogares de acogida mientras se divierten con ella? —Steven se echó a reír—. Creo que lo están haciendo muy bien hasta ahora. No sé si esto va a ayudar a Katie, pero creo que están hasta ahora están acertando. Esta niña tiene problemas muy gordos. No podemos hacer como si todo funcionara con normalidad.

* * *

Los siguientes días fueron bastante tranquilos en casa de Jackie. Katie quería estar todo el rato con Diane, y cada vez que Diane estaba cerca, se mostraba servicial y encantadora. Sin embargo, cuando Diane se iba con sus amigos o quería estar sola en su habitación, el estado de ánimo de Katie era más voluble. Cuando Jackie le hablaba, a veces no le respondía. Cuando Jackie se involucraba en alguna actividad con ella, Katie a veces no participaba. A ratos estaba alegre y amistosa, y a ratos indiferente e irritable. Cuando Katie quería algo de Jackie, estaba más amistosa y entregada, pero nunca tan encantadora como cuando estaba con Diane. Puede que Katie estuviera buscando una ventaja, un modo de establecer un cierto control sobre Jackie. Y cuando la encontrara, ¡se iba a enterar Jackie de quién tenía realmente las riendas!

* * *

El 20 de junio, Katie estaba desayunando tranquilamente. Jackie ya la conocía lo suficientemente bien como para suponer que este podría ser uno esos días de "va a ser que no". Katie terminó sus cereales y su zumo, se levantó y se dirigió a su habitación, probablemente para ver si Diane se había levantado ya.

—Veo que no tienes ganas de poner tu tazón en el fregadero hoy. Bueno, cariño, yo te echo una mano si necesitas ayuda —dijo Jackie con una sonrisa.

—¿Qué? —replicó Katie enfadada.

—¿Qué? Estás haciendo como que no has oído lo que te he dicho. ¡No tienes ninguna gana de poner tus cosas en el fregadero! —siguió Jackie de una manera relajada y alegre.

—¿Qué se supone que debo hacer? —preguntó Katie.

—Cariño, si creyera que se te ha olvidado, te lo diría sin problema si me lo preguntaras de una forma agradable y cariñosa. Pero sé que lo sabes. Y tendrías que preguntarme de manera distinta a como lo acabas de hacer. —Jackie paró cuando Katie miró hacia la mesa—. ¿Por qué no me preguntas de una manera más amable y yo hago como que no lo sabes y te lo digo?

—¿Qué tengo que hacer? —volvió a exigir Katie con casi tanta rabia como la primera vez.

—A mí eso no me ha sonado amable, cariño. ¿Quieres volverlo a intentar? —preguntó Jackie sin renunciar a su tono cariñoso y conciliador.

Pero Katie había decidido que ser amiga de Jackie era lo último que quería hacer en ese momento. Fue bruscamente hacia la mesa, cogió el cuenco y el vaso, los llevó a la encimera y los soltó de golpe. Mientras se daba la vuelta para irse, gritó:

—¡ODIO QUE ME DIGAS LO QUE TENGO QUE HACER!

Jackie mantuvo su actitud relajada y receptiva. Le dirigió a Katie una última mirada y le dijo:

—¡Ya lo creo, Katie! ¡Menudo grito malhumorado que te ha salido!

Y se volvió hacia la encimera. Katie parecía estar confundida, y no tardó nada en salir de la cocina.

* * *

Esa misma mañana un poco más tarde, cuando Diane se fue a hacer de canguro a casa de una vecina, Katie puso la tele en la sala de estar. Durante sus primeros días en la casa, Jackie le había dicho dos veces que tenía que preguntar antes de encender la tele. Jackie necesitaba saber qué quería ver Katie. Jackie le dijo que normalmente solo podía ver una hora al día y que no era algo que la familia hiciera mucho. Jackie le explicó que era mejor que los niños hicieran cosas activas en lugar de li- mitarse a ver la tele.

Jackie se esforzaba en saber dónde estaba Katie en todo momento, así que enseguida se dio cuenta de que la televisión estaba encendida. Entró tranquilamente en la habitación.

—Katie, ¿estás fingiendo que se te ha olvidado la regla de la tele?

—¡No la he puesto yo! —gritó Katie.

—Te cuesta decir la verdad, ¿eh? Bueno, apágala, por favor.

—¿Por qué? La ha encendido Diane antes de irse —dijo con un tono casi convincente.

—Entonces te agradecerá que la apagues por ella —respondió Jackie.

—¡Yo no la he encendido! —gritó Katie.

—Está claro que hoy te está costando mucho obedecer, cariño.

—¡Que no la he encendido yo!

—Si quieres la apago yo por ti, cielo, pero entonces ya no podrás verla más hoy.

Jackie se mantuvo en calma. Su actitud indicaba que realmente le daba igual que Katie la apagara o no. No le importaba hacerlo ella. Katie miraba la televisión, tan enfadada como siempre. Jackie esperó un momento y luego la apagó.

De vuelta al comedor, Jackie escuchó la televisión otra vez. Se detuvo, se rio entre dientes y volvió a la sala de estar.

—Bueno, ya veo que hoy te resulta MUY, MUY DIFÍCIL hacer lo que te digo. ¡Y que estás CABREADÍSIMA conmigo! —Jackie apagó la tele, se acercó a Katie y se sentó a su lado en el sofá—. Katie, ¿tienes alguna idea de lo que te molesta tanto hoy? —le preguntó.

—¡Cállate y déjame en paz! —le gritó Katie.

—Así es que hoy estás enfadada por la regla de la tele y por la regla del desayuno. ¿Se te ocurre por qué precisamente hoy?

—¡QUE TE CALLES! —dijo Katie aún más fuerte.

—¡Qué cabreo! Pero ¿por qué hoy? No es que te encante, pero no sueles enfadarte tanto por ello.

—¡Te he dicho QUE TE CALLES!

—Vale, cariño, si quieres intentar arreglarlo, me lo dices. Se me ocurren algunas cosas. Pero ahora es mejor que vengas conmigo al comedor. Estoy haciendo unas cosas allí y es mejor que te quedes cerca de mí. Buscaremos algo que puedas hacer.

—¡No, quiero irme a mi habitación! —gritó Katie.

—Sé que probablemente no te apetezca estar cerca de mí, pero tienes que hacerlo un ratito. Ya te diré cuándo te puedes ir a tu habitación.

Katie entró de mala gana en el comedor. Jackie encontró algunos Legos y se los dio, y luego se fue a su escritorio para hacer algunos trámites. Se pasó los siguientes treinta minutos trabajando, comentando la construcción de Katie, hablando sobre qué comer ese día y murmurando en voz baja para sí misma. Quería que Katie fuera consciente de su calma y su receptividad sin pedir ninguna respuesta. El conflicto no iba a perjudicar la relación entre ambas. Jackie iba a tener que comunicarle eso muchas más veces de las que sería capaz de contar.

* * *

En la segunda sesión de terapia, Jackie le contó a Allison que Katie se estaba relacionando con ella de una manera impredecible y marcada por el momento. Igual se mostraba amable, servicial y aparentemente contenta que estaba tensa, retraída e irritable. No parecía haber ninguna conexión con lo que estuviera sucediendo en ese momento. Katie parecía resignada por el horario diario que Jackie le había diseñado. Tenía varios arrebatos verbales al día, y desde su llegada había sido necesario sujetarla dos veces, aunque brevemente, por comportamientos agresivos hacia Jackie. En general, Katie respondía con expresiones verbales de enfado cuando Jackie se mostraba empática, se hacía eco de su afecto y aceptaba lo que parecía sentir, y algunas veces incluso parecía sentirse un poco triste —aunque no solía durar más que un momento— y no se permitía responder a ningún consuelo que Jackie le ofreciera.

Steven preguntó si había algo que podía hacer de otra forma para no tener que sujetarla.

—A mí no me importa hacerlo si eso es lo que necesita para no hacerme daño —dijo Jackie.

—Pero por el bien de Katie, ¿no sería mejor encontrar una alternativa? —preguntó Steven.

—Entiendo que te preocupen ese tipo de restricciones. A mí tampoco me gusta verme obligada a sujetar a una niña traumatizada porque ha perdido el control. Probablemente esté aterrorizada porque no puede controlarse y luego se asuste aún más cuando la controle una adulta. Si necesita que la retengan hasta que pueda regularse lo suficiente como para estar segura, creo que es mi responsabilidad hacerlo.

Jackie se mantuvo firme en su intención de no seguir el enfoque de Steven con Katie. A Steven le preocupaba que las restricciones fueran un fracaso que perjudicara a Katie; a Jackie no.

—Steven, sé que cuesta un poco acostumbrarse a la idea de que a veces Katie necesita que la retengan para que pueda regularse y calmarse lo suficiente como para sentirse segura y de que esto sea aceptable e incluso beneficioso para ella —comentó Allison—. Si se hace con cariño, ella aprende cosas muy importantes. Para empezar, no recibirá rechazo o dolor al enfurecerse y ponerse agresiva. Además, se mantendrá a salvo. Y, por último, comprobará que Jackie está tan volcada en ella que no le importa acabar agotada y probablemente magullada para darle lo que necesita. No me importaría que hubiera que contener a Katie todos los días siempre que Jackie pudiera seguir queriéndola y aceptándola. Por supuesto que exploraría si hay algo que pudiéramos variar para que no hubiera que hacerlo con tanta frecuencia. Podría preocuparme por la salud y el aguante de Jackie, ¡pero no por Katie! Puede que realmente necesite que la sujeten ahora que se muestra agresiva. No podemos dejar de hacerlo si le hace falta. Creo firmemente que en algún momento Katie será capaz de enfadarse sin ponerse agresiva y ya no será necesario hacerlo. Pero por el momento, necesita que Jackie corregule su ira sujetándola. En algún momento, Jackie podrá corregir su ira con una mirada de preocupación, únicamente con la empatía en su voz o con una firmeza confiada en su trato hacia ella. Entonces Katie podrá inhibir su ira en la medida en que no represente un peligro para sí misma o para los demás y, por lo tanto, no hará falta sujetarla. Finalmente, Katie podrá regular su ira por sí misma.

—Por supuesto, no la "configuraremos" para que haya que castigarla dándole expectativas que sean demasiado difíciles para ella. Intentaremos estructurar su día y darle la supervisión que le permita mantenerse regulada de la mejor forma posible tanto en su afecto como en su comportamiento. Pero no eludiremos situaciones importantes para el aprendizaje ni huiremos de los límites normales que necesita para evitar la posibilidad de que Jackie tenga que sujetarla. —Allison hizo una pausa y luego añadió—: En realidad, Jackie probablemente esté ayudando a Katie a evitar que haya que sujetarla con su propia actitud de calma y aceptación. Sujetar a un niño innecesariamente ocurre con mayor frecuencia cuando el cuidador está tenso y enfadado y el niño nota esa actitud de disgusto. Eso no está sucediendo con Jackie.

—Tenéis razón. Acostumbrarse a esto lleva su tiempo. No sabéis la de veces que he hablado con padres y con cuidadores de acogida acerca de evitar conflictos, especialmente los que podían volverse físicos —dijo Steven.

—Y probablemente eso sea lo más seguro con muchas familias. A Jackie se le da bien reducir estos conflictos con La Actitud y con su estructura y supervisión sensibles. Sin embargo, cuando esto no basta para evitar las peligrosas expresiones físicas de rabia, Jackie trata esos arrebatos de una manera que facilita la relación y no la perjudica. No creo que Katie aprenda a confiar verdaderamente en Jackie si no pierde el control de su afecto y su comportamiento a veces y luego experimenta que Jackie acepta esa ira y la mantiene a salvo. Son experiencias vergonzosas para ella, y necesita poder experimentarlas sin ser rechazada o humillada y sentir que el apoyo emocional y la empatía de Jackie siguen estando disponibles para ella. También necesita ver que Jackie cuenta con la suficiente fuerza emocional y física como para mantenerla a salvo cuando no pueda controlar su propia conducta —dijo Allison—. ¿Tenemos que hablar de algo más antes de que llame a Katie? —preguntó Allison.

—Me he dado cuenta de que no duerme bien —dijo Jackie—. Le cuesta mucho conciliar el sueño y está inquieta. Nunca tuve ese problema con Gabe.

—Podrías intentar remeter la sábana por los tres lados —dijo Allison—. Eso mantendrá una leve presión sobre su cuerpo y puede que la ayude a sentirse más contenida y segura. Juega con las rutinas de antes de acostarla para ver si alguna de ellas la ayuda a calmarse. Si nada de eso funciona dímelo y exploraremos otras ideas. Puede que esté teniendo pesadillas o terrores nocturnos sobre el maltrato o el abandono con los que podríamos ayudarla.

Cuando Katie entró en la sala, estaba amable y expresiva. Le dijo a Allison que esa tarde iba a ir a nadar con Diane. Luego comenzó a hablar de lo mucho que le gustaba su nuevo hogar. Allison se metió de lleno en la charla, le dio pie y le preguntó más sobre lo de nadar y sobre su nueva habitación. Entonces Katie le preguntó si podía jugar con los osos de peluche que había en una esquina de la habitación. Allison comprobó que Katie había decidido hacerse con las riendas de la sesión a través de su charla y sus preguntas. Si eso podía llevarla a jugar con los juguetes, mejor que mejor. El enfado con el que se puso a dar órdenes al inicio de la primera sesión no la había llevado a controlar la situación; puede que su encanto fuera más eficaz.

—Guau, Katie, parece que hoy tienes ganas de hablar. Me gustaría seguir haciéndolo ahora, y luego, en algún momento, podemos invitar a los osos a que se unan —dijo Allison alegremente—. Quiero que me cuentes mejor por qué te gusta tu nuevo hogar.

—Diane es mi nueva hermana. Me gusta —respondió rápidamente Katie.

—Me alegro de que tengas una buena hermana mayor, Katie —respondió Allison—. ¿Y qué piensas de tu nuevo papá, Mark?

—Es agradable. Me empuja en los columpios.

—Genial, Katie. Sí que parece agradable ¿Y tu madre?

—Bien —respondió Katie de forma plana.

—¿Cocina bien? —preguntó Allison.

—Sí, ¡hemos comido pizza!

—¡Pizza! —exclamó Allison—. Con razón te gusta tu nuevo hogar y tu mamá. ¿Me has traído un poco? Tengo hambre —preguntó Allison con una sonrisa.

—¡No! —respondió Katie sonriendo.

—¿No? —dijo Allison haciéndose la sorprendida. Se acercó a Katie y le metió un dedo en el bolsillo de la camisa—. Yo creo que tienes un poco de pizza escondida. Tengo que encontrarla.

Katie se rio y se echó hacia atrás:

—¡Me la he comido toda!

—¿Que te la has comido toda y no me has dejado ni un poco? ¿Pero cómo has podido, Katie? —dijo Allison riéndose también.

—¡Ella también ha comido un poco! —dijo Katie señalando a Jackie.

—¿Quién ha comido también? —preguntó Allison.

—¡Jackie! —respondió Katie.

—¡Ah, tu mamá! Bueno, no pasa nada. La ha hecho ella —dijo Allison.

—No la ha hecho ella. La hemos comprado en Pizza Hut —respondió Katie sonriendo.

—Creía que habías dicho que Jackie era buena cocinera. ¿La ha comprado? ¿Estás segura de que es una buena cocinera? —bromeó Allison.

—¡Sí, porque hizo una tarta de chocolate! —dijo Katie.

—Ah, entonces sí que lo es. Por un momento he pensado que no era buena cocinera. Creía que te lo habías inventado para no meter a tu mamá en líos por ser mala cocinera. A veces las hijas defienden así a sus madres —dijo Allison con sensatez. Luego se acercó y dijo en voz baja—: Ahora tengo una gran pregunta que hacerte. Me he enterado de que Steven pasó a verte ayer. ¿Qué pasó con las galletas saladas y la leche?

—Se lo di todo y no tiré nada —dijo Katie con una sonrisa.

—¡No tiraste nada! —dijo Allison sorprendida.

—¡Nada de nada! —dijo Katie con convicción.

Allison se volvió hacia Steven y le preguntó:

—¿Está diciendo la verdad, Steven?

—Y tanto que sí. Y además estaba todo muy rico.

—¡Más pruebas de que Jackie es una buena cocinera! —respondió Allison. Luego miró a Katie con una mirada de fastidio—. ¡Y encima no tiraste nada! Ahora ya no puedo meterme contigo como dije que haría si tirabas algo. Me cachis. ¡Yo quería meterme contigo y ahora no puedo!

—¡No, no puedes! —replicó Katie complacida y emocionada.

—Bueno, pues entonces no me queda más remedio que mostrarte lo feliz que estoy de que no tiraras nada. —Allison se agachó y le quitó los zapatos a Katie. Le cogió un pie y dijo con una gran sonrisa—: Este cerdito se fue al mercado...

Esto cogió a Katie por sorpresa. Parecía estar tratando de recordar algo de su pasado, pero no estaba segura de lo que Allison estaba haciendo. Iba a hacer algo inesperado, y Katie se puso alerta. Cuando Allison dijo: "¡...todita, todita se la comió!", Katie gritó de la risa. Luego Allison le cogió el otro pie y repitió el juego. Katie gritó aún más fuerte.

—Bueno, Katie, supongo que tienes que estar preguntándote por qué hay una señora fastidiándote, haciéndote cosquillas y haciendo jueguecitos —dijo Allison.

—Sí —respondió Katie.

—Pues supongo que ya es hora de contártelo —dijo Allison mientras sonreía y apretaba el dedo gordo de Katie—. Mira, quiero encontrar formas de ayudarte a relajarte y a divertirte como una niña en tu nueva familia. ¡Sé que has estado en TRES hogares de acogida y ahora estás en el CUARTO! Eso es DEMASIADO para una niña como tú. Mudarse es DEMASIADO: nuevos padres, nueva habitación, nuevas reglas, nueva escuela, nuevos amigos. Es DEMASIADO ¡SE ACABÓ LO DE MUDARSE! —Katie asintió—. El caso es que he pensado que podría encontrar maneras de ayudarte a aprender a vivir en una buena familia. —Allison se inclinó hacia adelante y dijo lenta y silenciosamente—: Sé que de pequeña no viviste en una buena familia. Sally y Mike no te cuidaban bien. No sabían que los bebés y los niños pequeños necesitan reír... y que los abracen... y estar calentitos y alimentados... y que les sonrían... y que les hagan cosquillas... —Allison sonrió, tocó ligeramente el dedo de Katie hasta que la niña le devolvió la sonrisa y luego continuó—: Así que nunca supiste lo que era vivir con una buena mamá y un buen papá. Bueno... Katie... Jackie es una buena mamá y Mark es un buen papá... pero te cuesta... te cuesta mucho darte cuenta de que lo son. ¿Cómo ibas a darte cuenta? Es difícil distinguir a una buena madre de una que no lo es cuando tu madre cometió grandes errores cuando eras un bebé.

Allison se echó hacia atrás otra vez, sonrió con ternura y luego volvió a apretar el dedo de Katie. La niña estaba muy callada y atenta. Se quedó inmóvil en el sofá con las piernas dobladas y Allison a sus pies. Miró a Allison a los ojos. Esta respiró hondo y dijo en voz baja:

—Es difícil... muy difícil.

Luego Allison se inclinó hacia delante y con un brillo en los ojos susurró en voz alta:

—Mira a Jackie, Katie. ¿Podrías decir si es una buena madre por la coleta de su pelo negro? ¿No? ¿Y por ese hoyuelo que tiene en la mejilla? ¿Y qué me dices de esas zapatillas blancas con la línea roja en un lado? ¿No? Debe de haber algo en ella que te diga que es una buena madre. Vamos a mirarla con atención.

Katie comenzó a reírse y Allison se le unió. Al poco, Jackie y Steven también se echaron a reír. Finalmente, Jackie se quejó:

—Oye, parad ya, ¡que me estoy poniendo colorada!

—Bueno, Katie, supongo que no hay forma de saber si Jackie es una buena madre con solo mirarla. Así que voy a tener que enseñarte a comprobar por ti misma que es una buena madre. Una vez que lo sepas, será mucho más fácil vivir con ella. Comenzarás a... sentirte más feliz... y no te importará que te enseñe cosas... y querrás hacer galletas con ella... recoger mazorcas de maíz en el jardín con ella... e incluso abrazarla cuando te ayude a encontrar esa muñeca especial que habías perdido. ¿Te parece bien? —Katie asintió con la cabeza—. Así que, peque... mmm... peque... ¡me gusta! A partir de ahora te pediré que digas y hagas cosas cuando vengas aquí. Y diré cosas por ti cuando a ti te resulte muy difícil decirlas. Y os sugeriré a tu nueva mamá y a ti que hagáis cosas juntas en casa. Me gustaría que ambas estuvierais de acuerdo en hacer las cosas que os diga. Si las hacéis, podrás saber si Jackie es una buena mamá. Y si lo es, tu vida debería ser mucho mejor de lo que ha sido durante tanto tiempo. ¿Esto tiene sentido para ti, peque? —preguntó Allison.

—Sí —respondió Katie.

—Genial, peque. En terapia tendré muchas sugerencias preparadas para Jackie y para ti. Si ambas hacéis lo que os sugiero, las cosas mejorarán más rápido. Si no las hacéis, irán más despacio. A veces no querrás hacer lo que sugiero. No pasa nada. Ningún niño quiere hacer lo que se le dice todo el tiempo. Tampoco pasa nada si la terapia va más despacio. Deprisa, despacio. Despacio, deprisa. Seguramente haya cosas que Jackie tampoco quiera hacer. En cualquier caso, te llevarás unos cuantos abrazos —dijo Allison sonriendo—. ¡Y Jackie también! Así que... ¿empezamos, peque?

—Sí —dijo Katie.

—Ya estamos otra vez con el "sí". ¿Es que no sabes decir otra cosa? —preguntó Allison mientras le apretaba el dedo a Katie.

—¡No! —Katie gritó y se rio.

Allison se dirigió a Jackie:

—¿Vas a ayudar a Katie a saber si eres una buena madre, Jackie?

—Claro que la voy a ayudar —respondió Jackie—. Y yo también pondré todo mi empeño.

—Genial. Si estáis las dos tan entregadas, mi trabajo va a ser muy fácil —dijo Allison—. Ahora tenemos que hacer algo para averiguar lo que Katie va a aprender. —Allison se sentó en silencio, se llevó la mano a la cara y dijo—: Mmm, hummm… —Miró alrededor de la habitación y de repente gritó—: ¡Ya lo tengo!

Miró a Katie y sonrió maliciosamente. A Katie se le abrieron los ojos como platos, esbozó una amplia sonrisa y dijo:

—¿Qué?

—Jackie, quiero que cojas el dedo gordo del pie izquierdo de Katie. Yo voy a coger el del pie derecho. Si mi cerdito llega a casa primero, entonces eso querrá decir que eres una buena madre. ¡Y si es tu cerdito el que llega a casa primero, eso significa que eres una gran madre! —dijo Allison alegremente.

—¡Noooo! —dijo Katie gritando.

Jackie se agachó, cogió el pie izquierdo de Katie y poco después comenzó la carrera de cerditos.

—¡Es una gran madre! —gritó Allison al final de la carrera. Apenas podía hacerse oír por encima de las risas y los gritos de Katie. Allison continuó—: ¡Qué gran comienzo, peque! Vas a aprender un montón de cosas sobre tu nuevo hogar y tus nuevos padres. Me pone muy feliz que después de todos esos años vayas a tener por fin la oportunidad de saber realmente… cómo es una gran madre… de verdad. —Allison hizo una pausa, volvió a respirar profundamente y continuó—: Ahora me gustaría hablar contigo sobre cómo vivir con tu nueva mamá. Me he enterado de que a veces hacéis cosas divertidas juntas, otras veces hacéis cosas normales y otras veces mamá te pide que hagas cosas, y eso a veces hace que te enfades mucho. ¿Es así? —Katie asintió y Allison continuó—. ¿Qué te parece si hablamos un poco con tu mamá sobre cómo es vivir con ella ahora? Puedes decir lo que tú quieras, o si te resulta más fácil puedo hablar yo por ti.

—Habla tú —dijo Katie rápidamente.

—Vale, pero si me equivoco, dime lo que preferirías que dijera. Y si quieres que pare, solo tienes que decírmelo.

Allison continuó hablando ahora como si fuera Katie:

—Jackie, no te conozco muy bien y tú tampoco me conoces muy bien a mí. Soy Katie y tú eres mi madre de acogida y hay veces en las que ya me gusta vivir contigo y otras que no. A veces no me gusta lo que me dices y a veces me enfado contigo. —Allison notó lo tranquila y atenta que parecía estar Katie acerca de lo que ella estaba diciendo. Volvió a cambiar la voz, esta vez hablando en voz muy baja—. Y a veces creo que no te gusto.

Allison hizo un gesto con la cabeza a Jackie para que respondiera a Katie como si la niña hubiera hablado. Jackie dijo con calma:

—Me alegra que ahora estés viviendo conmigo y con el resto de la familia, Katie. Sé que a veces no te gusta lo que te digo que hagas y te enfadas conmigo. Sé que a veces piensas que soy una mala madre. Entiendo que te enfades conmigo y que pienses que soy una mala madre. Sé que a veces es difícil acostumbrarse a vivir conmigo y seguir mis reglas. No pasa nada. Haré todo lo posible por encontrar maneras de que te resulte más fácil confiar en mí. Y, por último, Katie, no sabes cuánto siento que tengas la sensación de que no me gustas. Debe de ser difícil pensar que a tu mamá no le gustas, sobre todo porque se supone que tienes que importarle. Sí que me gustas. Me gustas mucho. Incluso cuando te enfadas conmigo y crees que soy una mala madre, incluso en esos momentos me gustas.

Katie parecía algo ansiosa mientras Jackie le hablaba. Luego Allison volvió a hablar por Katie:

—Mamá, me resulta difícil oírte decir eso. No estoy segura de si quiero gustarte, mamá. Es confuso gustarte, y da un poco de miedo. No entiendo por qué iba yo a gustarte, mamá.

Jackie respondió con calma a Katie, como si ella le hubiera hablado. —Debe de ser difícil confiar en que me gustas, Katie, cuando te niego cosas. Da la sensación de que te resulta difícil sentir que le gustas a alguien, y a lo mejor no estás segura de si puedes gustarle a la gente. Espero que algún día descubras por qué me gustas, Katie, y que lo creas de verdad aquí dentro —dijo colocando suavemente la mano sobre el pecho de Katie.

—Bueno, Katie —continuó Allison—, vamos a tener varias conversaciones como la que acabamos de tener. Sé que hablar te resulta difícil. Creo que muchas veces simplemente no sabes lo que piensas ni lo que sientes. O a lo mejor no estás segura de querer decirlo. Hablaremos de todo tipo de cosas: cosas difíciles, cosas fáciles, cosas divertidas, cosas que dan miedo, cosas tontas, cosas tristes. Cuando la cosa se ponga difícil, yo sugeriría que Jackie te diera un abracito o que te sentaras a su lado. Me gustaría que pudieras aprender a dejar que Jackie te ayude en los momentos difíciles. Y que descubrieras lo bien que sienta eso. Y si quieres que te acurruque durante un momento difícil, o durante uno divertido, tú díselo y ya veremos lo que dice ella. Yo diría que le va a parecer muy bien. ¿Te cuadra todo esto que te estoy diciendo?

—Sí —respondió Katie.

—Genial, Katie. Ahora voy a hablar de un montón de cosas. ¿Estás lista?

—Sí.

Katie se mantuvo bastante pasiva, pero no se mostraba reticente a cooperar.

—Dime cuántos codos tienes.

—¡Dos! —dijo Katie gritando y riéndose.

—Ahora dime cuántos dedos tienes.

—¡Diez!

—Ahora dime cuántas pecas tienes —dijo Allison.

Katie se detuvo sorprendida.

—¡No lo sé! —exclamó.

—¿Cómo que no lo sabes? —dijo Allison fingiendo sorpresa. Pues vamos a tener que averiguarlo. ¡Jackie, cuéntalas!

Jackie empezó a tocar las pecas de la cara de Katie mientras contaba en voz baja. Al principio Katie se echó a reír, pero luego se quedó callada y, finalmente, en paz.

—¡Sesenta y dos! Madre mía, Katie, ¡son un montón de pecas! —dijo Jackie con una sonrisa—. ¡Eso quiere decir que vas a averiguar que eres una niña especial en una buena familia! Y si se te olvida, solo tienes que mirarte al espejo y ver sus sesenta y dos pecas. Te recordarán lo que estás descubriendo. ¿No es genial?

Katie no respondió.

—¿No es genial? —dijo Jackie con un tono bastante juguetón.

Katie se rio y dijo:

—¡NO!

—¿Cómo que no? —dijo Jackie animada—. ¡Di que sí, peque!

—¡No! —volvió a decir Katie.

Jackie fingió estar horrorizada y le tocó en un costado.

—¡Di que sí, Katie!

—¡No! —contestó Katie riéndose y gritando. Siguió gritando "¡No!" cuando Jackie le tocó la mejilla, la despeinó y le dio un abrazo rápido. Cuando le tocó el cuello brevemente, Katie gritó "¡Sí!". Jackie gritó "¡Sí!" también y le dio otro abrazo rápido.

—Bueno, Katie, ¡ya sabes cómo se hace esta terapia! Bien hecho.

Allison se echó hacia atrás y respiró hondo. A menudo, cuando cambiaba de un tono de implicación activa a otro de simple relajación y conexión, hacía que fuera muy obvio. Hasta ahora, Katie había seguido el cambio de tono con bastante facilidad sin ser consciente de ello. Luego Allison entabló una pequeña charla con Jackie para saber cómo le iba y para dar a Katie un descanso de la conversación.

Pasado un rato, sin cambiar el tono de su voz, Allison dijo:

—Bueno, Katie, tu madre me ha contado que te enfadaste con ella en casa el otro día porque te apagó la tele. ¡No sé qué fue lo que te enfadó tanto, lo que te resultó tan complicado! ¿Tú qué crees?

Katie se puso tensa inmediatamente. Los músculos de la cara y del cuerpo se le pusieron rígidos. Jackie le acarició suavemente el pelo y le acarició el hombro y el brazo hasta que Katie empezó a relajarse de nuevo.

—¡No lo sé!

—Es lo que yo pensaba, Katie, que realmente no sabías por qué te enfadaste TANTO cuando tu mamá te dijo que apagaras la tele. Pero a ver, Katie, ¿por qué crees que tu mamá te dijo eso?

—¡Porque es mala conmigo! —contestó Katie levantando la voz.

—Ahora empiezo a entender por qué te enfadaste, Katie. Creías que tu madre estaba siendo mala contigo. Vaya, Katie, eso tiene que ser difícil, porque se supone que mamá tiene que mantenerte a salvo y ayudarte a ser feliz, ¡y en vez de eso es mala! ¡Qué complicado!

Katie estaba sentada tranquilamente, mirando a Allison a los ojos como si estuviera esforzándose para entender lo que Allison estaba diciendo. Katie apenas pensaba en sus arrebatos de rabia. Nunca se preguntaba por qué hacía las cosas enfadada. Probablemente, si lo hubiera pensado, habría concluido que era otro ejemplo más de lo mala que era.

Allison continuó:

—Katie, estoy pensando en lo difícil que tiene que ser que creas que tu madre quiere ser mala contigo. ¿Por qué iba a querer ser mala contigo? ¿Por qué?

La voz de Allison fue animándose, lo que dejaba entrever su profundo deseo de entender algo importante, muy importante.

—¡Es que no le gusto! —gritó Katie rápidamente.

Allison igualó la intensidad de su expresión.

—¡Madre mía, Katie! Por eso te enfadaste tanto. ¡Creíste que a Jackie no le gustabas cuando apagó la tele! ¡Creíste que no le gustabas! ¡Menuda madre sería si no le gustaras! ¡No me extraña que te enfadaras, Katie! ¡No me extraña nada!

Katie miró a Allison y su gesto se suavizó y se volvió vulnerable. ¡Parecía tan cansada!

Allison paró un momento y luego pidió tranquilamente si podía hablar como si fuera Katie con Jackie. Cuando Katie accedió, Allison dijo con cierta intensidad:

—Me enfadé contigo, mamá. ¡Sí, me enfadé! ¡No me dejabas ver la tele! Yo solo quería verla y tú me dijiste dijo: "¡NO!". ¡Y creo que estabas siendo MALA conmigo! ¡Muy mala! —Luego rebajó el tono y habló más despacio—. Y creo... que creo que eres mala porque... porque no te gusto —añadió con un tono aún más tranquilo—, y por eso, mamá, por eso me enfadé contigo. Creo que no te gusto.

Jackie volvió a apretar la mano de Katie y dijo en voz baja:

—Ay, Katie, eso tiene que ser muy difícil para ti. Cuando te niego algo, piensas que soy mala. ¡Y crees que no me gustas! Ahora ya sé por qué te enfadas tanto conmigo. Ya lo sé. Muchas gracias por contármelo, Katie. Muchas gracias.

Allison respondió con un tono muy suave:

—Jackie, creo que Katie ha sido muy valiente al contarte lo que piensa y lo que siente cuando le dices que no. Muy valiente.

—Sí, Allison, estoy de acuerdo. Muy valiente.

Jackie cogió la mano de Katie, y la niña no se resistió. Allison se inclinó y dijo con calma:

—Katie, ha sido difícil contarle a tu mamá lo que estabas pensando y sintiendo. ¿Te parece bien si le digo algo más a tu mamá haciendo de ti? —Katie asintió y Allison continuó con un poco de ansiedad en su voz—. Tengo miedo, mamá... Me da miedo que cuando me enfade contigo, tú te enfades conmigo... que te enfades tanto que pienses que soy mala y que me pegues y me hagas daño.

Jackie apretó la mano de Katie y la niña la miró.

—Dios mío, qué tremenda preocupación para una niña tan pequeña. No, cariño, me da igual cuánto te enfades conmigo, incluso aunque sea yo quien se enfade, no te voy a pegar ni te voy a hacer daño —dijo Jackie cálidamente.

—Gracias, mamá, pero me cuesta creerte —dijo Allison como si fuera Katie.

—Sé que te cuesta, cielo. Espero que cada vez te resulte más fácil —dijo Jackie.

—Yo también lo espero, mamá —dijo Allison.

Jackie inmediatamente le dio a Katie un gran abrazo.

—¡Buen trabajo, chicas! —dijo Allison alegremente—. ¡Qué maravilla de madre e hija que sois! ¡Hacéis una pareja genial! —dijo sonriéndoles a ambas.

Durante los minutos de sesión que quedaban, Allison dirigió la conversación hacia lo que Jackie pensaba de las habilidades de Katie para la natación y le preguntó a los peluches si pensaban que Katie sería una buena nadadora. ¡Comprobaron los músculos de sus brazos y decidieron que seguro que lo sería! Acabó la conversación diciéndoles:

—Me gustaría que ambas hicierais algo antes de la próxima sesión. Katie, quiero que hagas un dibujo de un momento en el que creas que tu nueva mamá está siendo mala contigo y otro dibujo de un momento en el que pienses que está siendo amable contigo. Jackie, me gustaría que tú también hicieras dos dibujos. Quiero que intentes adivinar los dibujos que Katie ha hecho y que los dibujes también. Así, durante la próxima sesión veremos los cuatro dibujos. ¿Qué os parece? —Jackie y Katie estuvieron de acuerdo—. Por último, Katie, me gustaría que le contaras a Mark lo que hemos hecho hoy y que te cuente lo que le parece. No pasa nada si no lo recuerdas todo. Tu mamá te ayudará.

Katie accedió y la sesión terminó. Allison escuchó a Katie hablar con entusiasmo con Jackie cuando salían del edificio. Steven se quedó para poder hablar con Allison unos minutos.

—Eso me ha parecido genial, Allison —dijo Steven—. ¿Pero Katie quería decir realmente lo que has dicho como si fueras ella?

—¿Qué significa "realmente", Steven? ¿Habría podido decirlo Katie sola? No. ¿Siente lo que dije por ella? Hasta cierto punto. Su cara demostraba que estaba realmente implicada con lo que yo estaba diciendo. Creo que esas palabras conectaron con un aspecto pequeño y profundamente oculto de sí misma que debe desarrollar si quiere que todo salga bien. Esperemos que esas palabras le hayan suscitado dudas y también una posibilidad dentro de su conciencia de que podría haber algo especial en su relación con Jackie. Lo espero de verdad —dijo Allison con calma.

—¿Te refieres a que si le hablas con la suficiente frecuencia de relaciones sanas entre madres e hijas, empezará a creérselo? —preguntó Steven.

—No es solo cuestión de "hablarle". Si te has fijado bien, las palabras siempre iban integradas en una interacción que era emocionalmente significativa para ella. Estaba atenta, receptiva y curiosa. El mero hecho de darle un sermón o de intentar convencerla de que se crea lo que yo ya sé que es cierto no tendrá ningún efecto. Las palabras que recibe deben surgir naturalmente de una actitud empática y enriquecedora por parte de Jackie y por la mía. Lo que se comunica se hace en su mayoría de forma no verbal. Así es como se desarrolla el lenguaje en bebés y niños pequeños sanos, y así es como debe ser si queremos que lo incorpore y que le influya. Además, el comportamiento de Jackie hacia ella en casa, hora tras hora, día tras día, tendrá que refrendar esas palabras para que sean reales si queremos que empiece a sentir lo que significan y que se las crea de verdad. El objetivo de Jackie será mantener esa actitud lúdica y/o empática y enriquecedora en tantas interacciones con Katie como sea posible. Como te decía, así es como los bebés generan apego con sus madres. ¿Has visto esa forma tan especial en que una madre interactúa con su bebé de seis meses?

—Ahora que lo dices —sonrió Steven—, mi esposa Jenny y yo tenemos una niña de dieciocho meses, Rebecca. Y sí, sé a lo que te refieres, aunque creo que deberías incluir a los padres en tu descripción de la forma en que los progenitores interactúan con sus bebés.

—Genial, Steven, y sí, lo siento por no haber incluido a los padres —dijo Allison—. Pues cuando estés con Rebecca, imagina que así es como Jackie intentará relacionarse con Katie. Y así es como estoy tratando de relacionarme con ella aquí también.

—Qué fácil parece —dijo Steven.

—Ojalá lo fuera. El problema es que ahora Katie no quiere esa forma de estar con sus padres, al contario que Rebecca. Tiene que desaprender muchísimas cosas antes de sentirse segura para conectar. Además, su comportamiento es complicado y aleja a la mayoría de la gente. Eso hace que sea mucho más difícil para Jackie mantener esa actitud hacia ella. Ya te digo yo que esto no va a ser nada fácil.

—Sé que tienes razón —dijo Steven en voz baja—. Es que me preocupo mucho por esa niña y quiero que lo consiga.

—Entonces tendremos que seguir trabajando en ello —dijo Allison con una sonrisa—. Mientras tanto, significa mucho que Katie nos importe tanto a Jackie, a Mark, a ti y mí.

* * *

Cuando Jackie y Katie llegaron a casa después de la sesión, Jackie se acordó de que Allison le había dicho que probablemente Katie no estaría en su mejor momento. La niña se había relajado en su empeño por controlar la sesión y se había permitido acercarse un poco más a su madre de acogida. Jackie esperaba que pudiera hacer algo enseguida para restablecer su idea de cómo debería ser su relación. Podía intentar negar cualquier cosa que hubiera dicho o hecho durante la sesión y encontrar maneras de alejar a Jackie.

Cuando salieron del coche, Jackie se paró en el camino que conducía hacia la puerta de la cocina para esperar a Katie. Miró hacia atrás y vio a Katie al otro lado del coche. Katie se inclinó, aparentemente para coger algo, pero no se reincorporaba.

—Vamos, Katie... tenemos que entrar en casa —dijo Jackie sin obtener respuesta ni apreciar movimiento—. ¡Katie! —dijo Jackie más fuerte.

—¿Qué? —respondió la niña gritando, con un tono de ira en su voz.

—Ven aquí, Katie —dijo Jackie. La vio ponerse de pie y caminar rápidamente alrededor del coche. Algo había hecho—. ¿Qué estabas haciendo? —le preguntó.

—¡Nada! —respondió Katie, ahora ya más molesta.

—¿Qué estabas haciendo detrás del coche? —volvió a preguntar Jackie.

—¡Te he dicho que nada! —gritó Katie.

Jackie la cogió de la mano y dijo:

—Tengo que comprobarlo, cariño. La forma en que me estás hablando me hace pensar que has hecho algo que no debías. Ojalá me equivoque. Ahora veremos.

Jackie lo tenía claro.

—Déjame en paz. ¡No he hecho nada!

Katie se estaba enfadando, pero la acompañó. Jackie dio la vuelta al coche y miró al suelo. Allí no había nada. Todo correcto.

—Bueno, Katie, pues parece que tenías razón y que yo estaba equivocada. Lo siento. Llegará el día en el que sepa que me estás diciendo la verdad y no tendré que comprobar nada. Pero ahora tengo que hacerlo.

Al girarse en dirección a la casa, volvió a mirar el coche. Inmediatamente notó un arañazo de unos quince centímetros en la puerta del copiloto. Era nuevo, así que ya sabía por qué Katie se había arrodillado al salir del coche.

—Katie, has rayado el coche. ¡Estoy muy enfadada! En esta casa no estropeamos las cosas de los demás solo porque nos enfademos entre nosotros. ¡No me gusta nada lo que has hecho! Si estás enfadada conmigo, puedes gritar y gemir y llorar... o decírmelo, ¡pero no quiero que rompas las cosas! —Katie miró hacia el suelo y no se movió. Entonces Jackie respiró hondo y volvió a hablar, esta vez con su habitual tono empático y enrique-cedor—. Katie, sé que es difícil aprender a vivir con buenas personas en una familia. Y aprender a encajar. Superaremos este tipo de cosas. Yo te ayudaré. Formas parte de la familia y entre todos te ayudaremos a aprender estas cosas.

Jackie le dio un rápido abrazo, la cogió de la mano y la acompañó a la casa. Cuando entraron, Jackie se agachó y puso las manos sobre los hombros de Katie—.

—Qué lástima, Katie... después de lo bien que hemos pasado con Allison, y vas y haces una trastada. Supongo que lo querías realmente es hacer que me enfadara contigo. Bueno, cariño, me he enfadado por lo que has hecho durante un minuto, pero ya está. Vamos a la cocina —dijo Jackie.

—¡No he hecho nada! —gritó Katie. Intentó zafarse de su brazo, pero Jackie la sujetó con fuerza—. ¡Suéltame!

—Ahora te tienes que quedar cerca de mí. Veo que te estás poniendo nerviosa y me temo que te vas a meter en más problemas si no te quedas cerca de mí.

Jackie había sido muy clara. Katie se quedaba con ella. La niña se resignó; aunque seguía gritando que no había hecho "nada", ya no confiaba en salirse con la suya. Jackie abrió la puerta y la llevó a la mesa.

—Siéntate aquí por ahora —dijo Jackie con calma. Katie se sentó. Jackie fue a la encimera para empezar a preparar la comida—. Voy a preguntarle a papá cuánto va a costar arreglar esa puerta. Y luego tú y yo encontraremos la manera de que contribuyas a pagar el arreglo.

—¡No he sido yo! —gritó Katie.

—Estoy preparando un poco de sopa de tomate. También hay sándwiches de queso.

—¡No quiero queso!

—No pasa nada, cariño, con la sopa es suficiente —dijo Jackie sin darle importancia.

—¡Quiero mortadela!

—Hoy sólo hay sándwiches de queso y sopa de tomate. Pero no hace falta que comas —dijo Jackie y siguió preparando la comida. Entonces Diane y John entraron corriendo con los bañadores puestos.

—Date prisa con la comida, Katie —dijo Diane—. Mi amiga Susan viene en quince minutos para llevarnos al lago.

—Me temo que Katie no va a ir hoy contigo, Diane. Está teniendo problemas porque nuestra sesión de terapia de hoy ha sido difícil. Va a tener que quedarse cerca de mí toda la tarde para que no tenga más problemas —dijo Jackie con decepción.

—¡Voy a ir a nadar! —gritó Katie. No se le había ocurrido que rayar la puerta iba a costarle no ir a nadar. No tenía sentido para ella. ¡Diane le había dicho en el desayuno que la iba a llevar! ¿Cómo se lo iba a prohibir ahora Jackie?—. ¡Voy a ir a nadar!

—Ojalá que pudieras ir. Habría sido genial; hace un día tan cálido y agradable... Pero yo no voy, y tú tienes que quedarte cerca de mí ahora. La sesión te ha hecho sentir todo tipo de cosas complicadas.

Jackie mostró empatía por la rabia y la confusión de Katie.

—Siento que no puedas ir, Katie —dijo Diane—. Volveré a llevarte cuando mamá diga que ya puedes.

—¡No! —gritó Katie, y levantó la cuchara de sopa para tirarla. Jackie estaba de pie cerca, y ya se esperaba algo así. Se acercó rápidamente y cogió la cuchara de la mano de Katie.

—¡Te odio! — le gritó Katie a Jackie, y se levantó de un salto para intentar salir corriendo de la habitación.

Jackie la detuvo.

—Tienes que quedarte conmigo durante la comida, cariño. ¡Sé que estás enfadada conmigo! Vale. Pero ahora estás demasiado enfadada como para estar sola. Tienes que sentarte aquí.

—¡No! ¡Te odio! —volvió a gritar Katie. Cuando intentó pegar a Jackie, esta la cogió del brazo, la atrajo hacia ella y se sentó en la silla con la niña en su regazo.

—Por favor, Diane, ¿puedes echarle un vistazo a la sopa? ¿Y podrías apartar el queso? Ahora tengo que estar con Katie y ayudarla con su ira.

—¡Suéltame! ¡Que me sueltes! —gritó Katie luchando por zafarse. Pero tenía que quedarse en el regazo de Jackie durante un rato. Cuando se calmó, Jackie la sentó en otra silla. Luego cogió su sopa y su sándwich y se sentó a su lado.

—¿Quieres tu sándwich de queso o tu sopa ahora, Katie? —Katie la ignoró—. Esta siendo un día difícil para ti, y eso que solo es la una del mediodía.

Jackie se sentó un poco con ella y luego se fue hacia el fregadero. Poco después, Katie estaba comiéndose su sándwich de queso y su sopa.

Katie pasó la tarde con su nueva madre. Jackie tenía que recoger judías en el jardín y Katie la ayudó a regañadientes. Jackie estimó que la niña trabajó durante aproximadamente treinta minutos del tiempo que estuvieron en el jardín. Luego hicieron la colada y Katie se ocupó de clasificar la ropa. Jackie charlaba como si todo estuviera bien entre ellas. Katie habló muy poco, y con esfuerzo. Luego hicieron dibujitos de criaturas de colores extraños y decidieron que cuando Mark volviera a casa les pondría nombre. Jackie estaba satisfecha consigo misma. Se mostraba bastante abierta e implicada. Su paciencia estaba allí, al igual que su empatía. Pero pensó para sí misma que podría ser un verano muy largo. ¡Esta niña no iba a renunciar a su forma de vivir tan fácilmente!

COMENTARIO

Desde el momento en que Katie llegó a su casa, Jackie la trató como si hubiera vivido con ella durante meses. Jackie no quería ser "amable" con Katie durante el primer día e ignorar sus malos comportamientos.

Necesitaba mostrarle rápidamente cómo sería la vida en su hogar. Pero no lo hizo de una manera autoritaria o dura. Simplemente comentó sus expectativas y luego respondió a Katie en función de cómo respondió la niña a sus expectativas. También se apresuró a expresar empatía por la ira y la angustia de Katie, a seguir aceptándola y a hacerse cargo de su propia respuesta emocional ante el incidente de la leche y las galletas saladas. Jackie quería que Katie supiera lo que podía esperar de los próximos meses. Si hubiera "cedido" ante Katie en su primer día, Katie habría esperado que "cediera" siempre. Luego, cuando Jackie hubiera comenzado finalmente a imponer rutinas y expectativas regulares, Katie habría pensado que Jackie se estaba volviendo más estricta. Llegaría a la conclusión de que a medida que Jackie la conocía más, le gustaba menos y, por lo tanto, que se estaba volviendo más mala con ella.

Hay varios cursillos que instruyen a los padres y trabajadores en cuidado infantil en técnicas para sujetar de manera segura a los niños que necesitan algún tipo de restricción. Muchos programas de cuidado de crianza terapéutica, instalaciones residenciales y hogares grupales para niños y adolescentes forman a los padres y al personal en la utilización de estas técnicas. El objetivo es organizar una estructura y unas rutinas que reduzcan la necesidad de estas técnicas de sujeción, así como detectar los signos de ira en el niño de forma temprana para poder regularlos más fácilmente sin tener que recurrir a la sujeción. Contener al niño brevemente con paciencia y cuidado es preferible a que tenga que mudarse de casa en casa, a que acabe con frecuencia en el hospital o, lo que es más probable, a que se le controle químicamente con una cantidad significativa de fármacos.

Durante la primera sesión de terapia, Allison estableció el marco general del tratamiento. Durante la segunda sesión, le contó a Katie de forma natural cómo era la terapia. Allison dejó claro desde el principio que Jackie estaría presente durante las sesiones. Las razones de la presencia de Jackie son numerosas. Jackie brindaría a Katie un apoyo emocional y tendría oportunidades para disfrutar con ella. Su presencia también ayudaría a Katie a diferenciar a Jackie de sus padres biológicos y a llevar las experiencias terapéuticas al hogar. Allison también usaría la presencia de Jackie para fomentar su autoridad parental y sus razones para establecer límites, y también para comunicar su confianza en las habilidades de crianza de Jackie y en su compromiso con Katie. Finalmente, la presencia de Jackie sirve para proporcionar seguridad psicológica tanto a Allison como a Katie mientras se encuentran sumidas en interacciones emocionales que a veces pueden resultar muy estresantes.

Durante las dos primeras sesiones, Allison demostró que la terapia proporcionaría el escenario para facilitar las experiencias intersubjetivas y para disminuir la vergüenza. Inicialmente establecería una atmósfera de apoyo caracterizada por interacciones lúdicas, de aceptación, curiosas y empáticas. En la esencia del trabajo, establecería una conexión con Katie en la que demostraría abiertamente tanto verbal como no verbalmente su placer e interés en todos los aspectos de Katie. Más tarde, exploraría temas relacionados con la vergüenza de una manera que reduciría el sentimiento de vergüenza de Katie y la haría más capaz de abordar e integrar estas experiencias. Al principio Allison habló mucho como si fuera Katie, ya que era muy poco probable que Katie tuviera la capacidad o la motivación para hablar por sí misma. En la primera sesión, Allison centró la mayoría de las interacciones en la respuesta de Katie hacia ella. En la segunda sesión, comenzó a dirigir la atención y las respuestas de Katie a Jackie con más frecuencia.

Como haría en el transcurso de la terapia, Allison aceptaba la resistencia de Katie siempre que surgía. Cuando solicitaba una respuesta específica y Katie se negaba a darla, Allison la daba por ella o lo aceptaba y exploraba un poco la reticencia de Katie a involucrarse. Quería comunicar a Katie que seguiría implicada con ella en este difícil trabajo, independientemente de lo que Katie hiciera para evitar involucrarse, para provocar ira y frustración o para resistirse a una cuestión terapéutica. Allison no se enfadaba con Katie ni evitaba explorar estos importantes temas. Abordaba un tema superficialmente, lo exploraba un poco hasta que Katie dejaba en claro que no iba a involucrarse o que iba a dejar de participar en la conversación y luego lo dejaba de lado hasta otro día. Entendía las razones de esa resistencia y era paciente. A lo largo de las sesiones, mantenía la misma actitud en terapia que Jackie en casa.

Hacia el final de la segunda sesión, Allison mencionó con calma a Katie y a Jackie que puede que la sesión hubiera sido estresante para Katie y que podría enfadarse y querer hacer algo para enfadar a Jackie cuando volvieran a casa. Esto sucede con frecuencia. A medida que la niña accede a una forma ansiosa de relación y percepción, tanto de sí misma como de los demás, a menudo parece hacer algo para sugerir que realmente no quiere cambiar y que sigue siendo la "niña mala" de siempre. Al reconocer que esa respuesta puede darse, es menos probable que ocurra o que dure demasiado. Luego, la madre y la terapeuta pueden mostrar empatía por la ansiedad asociada con el cambio y dejar claro que el progreso que se produjo durante la terapia o durante un evento domestico fue real. Al reconocerlo, el significado de la conducta se entiende mejor como una consecuencia de la vulnerabilidad que la sesión ha generado a la niña que como el hecho de la que la niña "no fuera en serio".

Después de que Katie rayara la puerta del coche, Jackie se enfadó un momento, se centró en el comportamiento y luego reparó la relación. Ciertos comportamientos requieren una breve respuesta de enfado. Los cuidadores deben expresar ese enfado con "mensajes en primera persona" claros del tipo "Estoy muy enfadada". A esto le sigue un breve razonamiento y luego un comportamiento alternativo. Para que esa respuesta sea efectiva, la madre necesita reparar la relación rápidamente, ya que la niña se está dirigiendo con la misma rapidez hacia los dominios de la vergüenza. Con la vergüenza, la respuesta enfadada a la conducta tendrá el efecto contrario. Es probable que el comportamiento se acreciente.

Jackie cometió un error por la mañana al dejar que Diane le dijera a Katie que la iba a llevar a nadar por la tarde. Los largos períodos de espera antes de que ocurra algo a menudo generan ansiedad, y la niña suele acabar haciendo algo para que sea menos probable que ocurra. Además, si algún comportamiento perturbador o desregulado o una circunstancia externa cancela la actividad programada, la niña a menudo experimenta algo cercano a la traición. En esta etapa de la estancia de Katie, habría sido mejor decirle a Katie que podía ir a nadar (siempre y cuando fuera conveniente) justo antes de que Diane fuer a salir para el lago.

CAPÍTULO 9

LA VIDA CON JACKIE

Hacia el 12 de julio, Katie ya se había hecho un poco a la rutina con la presencia activa y la orientación de Jackie. Incluso iba a nadar con Diane algunos días. Obviamente, estaba supervisada gran parte del tiempo. Cuando Jackie o Mark no la estaban vigilando, sabían exactamente dónde estaba y qué estaba haciendo. Se mantenían alerta ante cualquier sonido extraño o movimiento que viniera de Katie. El estado de ánimo de la niña era impredecible. Cuando quería algo, se mostraba alegre y servicial. La mayoría de las veces se dedicaba simplemente a planear qué hacer a continuación mientras se quejaba de lo que estaba haciendo en ese momento. Quería saber todo lo que estaba pasando. Si Mark y Jackie estaban hablando, ella estaba cerca. Cuando los otros niños estaban cerca, ella los interrumpía constantemente o intentaba participar en sus planes. No quería estar sola, pero no conseguía relajarse ni divertirse cuando estaba con algún miembro de la familia. En vez de eso, era como si toda su energía estuviera dedicada a encontrar formas de obtener algo o de controlar una actividad. Cuando la reconducían, se enfurruñaba y se quejaba.

A estas alturas, los otros chicos estaban perdiendo la paciencia con ella. Diane le había dado algunas de sus viejas muñecas y Katie las destrozó rápidamente. También había cogido algo de dinero de la cartera de Matthew y había roto el reloj de John. Habían comenzado a evitarla, lo que significaba que pasaban menos tiempo con Jackie y más tiempo en sus cuartos o con sus amigos. Jackie ya había vivido algo así, justo después de que Gabe llegara a su casa. Su actitud negativa afectó enseguida a toda la familia. La atmósfera en casa se había vuelto tensa y hostil, e incluso Mark y ella habían empezado a pelearse por muchas tonterías. También habían discrepado mucho sobre Gabe. Mark pensaba que Jackie era demasiado estricta con él, ya que la mala conducta del niño había generado días de mucha estructura y supervisión. Jackie quería estar segura de que Katie no iba a arruinar también su ambiente familiar. Si era capaz de mantener su actitud PACE, entonces el efecto de Katie sobre los otros miembros de la familia sería menor. Katie tenía que formar parte de la familia en su mejor versión: amable y servicial, relajada y solidaria. Cada miembro de la familia tenía su propio espacio e intereses. También se cuidaban mucho los unos a los otros, y todo lo demás ocurría en ese contexto. No tenían que ser como Katie. Ya había demasiada ira, terror, desesperación y vergüenza en el mundo.

∗ ∗ ∗

El 4 de agosto de 1994, Katie cumplió siete años. Allison y Jackie habían hablado de su cumpleaños en la última sesión de terapia. Sabían que Katie encontraría la manera de estropearlo. Desde que la niña había llegado a casa de Jackie, no había habido ni una sola una actividad feliz y divertida que no la hubiera dejado tensa e irritable. Encontraría algo destructivo o desafiante que hacer, ya fuera durante la actividad o inmediatamente después. ¿Debería darle a Jackie la oportunidad de volver a hacer lo mismo en su cumpleaños? ¿Sería beneficioso el breve "placer" de disfrutar de una gran fiesta con bonitos regalos a pesar de la ansiedad y la vergüenza que seguramente acarrearía y que la llevarían a hacer algo para estropear tanto su día como el de toda la familia? ¿El mensaje transmitido al recibir los regalos superaría a la vergüenza que sentiría después de destruirlos? ¿Debería Jackie darle la oportunidad de aprender de las "consecuencias naturales" de cargarse su día especial?

Jackie y Allison decidieron que probablemente Katie ya había experimentado las "consecuencias naturales" de destrozar experiencias felices y bonitos regalos y posesiones docenas de veces en su corta vida sin mostrar signos de aprender de esos actos compulsivos y vergonzosos.

Las probabilidades de que respondiera de manera diferente esta vez eran extremadamente bajas. ¿Por qué configurarla para el fracaso en lo que debería ser una feliz celebración de su vida? El fracaso no tiene ningún valor cuando no se aprende de él. Era difícil imaginar que pudiera "celebrar" su vida dado su autodesprecio y su desconfianza hacia todos los que la rodeaban. Por lo tanto, Jackie y Allison decidieron celebrar el cumpleaños de Katie muy discretamente. Así probablemente sería asequible para ella y podría integrar la experiencia satisfactoriamente. Steven no estaba convencido de ese plan. Pero como de costumbre, aplazó su juicio. Jackie se quedó encargada de decírselo a Katie.

La mañana del 4 de agosto, Katie bajó a desayunar y se encontró una tarjeta de cumpleaños apoyada en su tazón de cereales. Katie no le había mencionado su cumpleaños a Jackie, aunque Katie y Diane habían hablado de ello unos días antes. Probablemente Katie pensó que Jackie no se acordaría. Katie tenía mucha práctica a la hora de evitar decepciones. Jackie sonrió y le deseó un feliz cumpleaños mientras la niña miraba su tarjeta.

—Bueno, Katie, hoy es tu cumple. ¡Ya tienes siete años! ¡Espero que pases un feliz día! —dijo Jackie alegremente.

—¿Voy a tener una fiesta? —dijo Katie con esa inocente y encantadora expresión en la cara que podía ablandar incluso el corazón de alguien que odiara a los niños.

—Sí, una fiesta familiar en la cena. Esta noche puedes elegir lo que quieras de postre y papá y yo te hemos comprado un regalo. Y te cantaremos *Cumpleaños feliz* después del postre.

—¿Por qué no puedo tener una gran fiesta? —preguntó Katie. Parecía estar confusa. No llegaba a estar enfadada y no estaba triste en absoluto, solo confusa.

—Bueno, cariño, papá y yo hemos decidido que aún no estás lista para una gran fiesta con niños. Ojalá lo estuvieras. Nos encantaría darte una y estamos tristes por no poder hacerlo. Pero es que cuando te diviertes mucho, te haces un lío y acabas haciendo cosas que lo estropean todo. Queremos que tengas un buen cumpleaños, así que hemos decidido que lo que vamos a hacer es lo ideal para ti en este momento.

Jackie se mostraba clara, tranquila y muy receptiva al estado de ánimo de Katie.

—¡Pero no es justo! ¡Todos los niños tienen su fiesta! ¡Yo tuve una el año pasado! —replicó Katie con enfado.

—Ya lo sé, cariño. Y Ruth nos contó que después de la fiesta te pusiste a gritar y tirar cosas y que tuvo que sujetarte. ¡Y al día siguiente rompiste todos tus regalos! Seguro que estabas muy triste cuando lo hiciste. Creemos que volvería a pasarte si te damos demasiados regalos y te diviertes mucho.

Jackie creía lo que estaba diciendo, pero deseaba desesperadamente poder estar diciendo otra cosa.

—¡No te gusto nada! —gritó Katie.

—Ay, Katie, debes de estar pasándolo mal ahora si crees que no me gustas. Soy tu madre, y si crees que no me gustas, probablemente pienses que no te mantendré a salvo y que no le gustarás a nadie. Me gustas, cariño. Me encantaría darte una gran fiesta y estoy muy triste por no poder hacerlo. Entiendo perfectamente por qué estás enfadada conmigo y por que crees que no me gustas. Debe de ser difícil para ti saber que no estás lista para una gran fiesta con muchos regalos.

—¡Estoy lista! —gritó Katie.

—Ojalá fuera así, cielo. Pero desgraciadamente no lo estás —dijo Jackie con tranquilidad.

—Estoy lista —dijo Katie. Su ira pareció disminuir. Era como si se hubiera retirado a sus pensamientos, y no daba la sensación de estar planeando cómo hacer que Jackie cambiara de opinión o cómo atacarla. Mientras Jackie la observaba, se preguntó si eso era lo más cercano a la tristeza que Katie podía sentir o mostrar. Pensó que si Katie se ponía a llorar en ese momento, su decisión de no montarle una fiesta se desvanecería. Estaría tentada de salir corriendo y llenar el coche con regalos y con la tarta más grande del estado. Pero no fue así. Katie no lloró. Nunca lo hacía. Y el coche se quedó aparcado en la puerta, que era lo mejor.

Después de su discusión, Katie actuó como si no hubiera ocurrido y fuera un día normal. Como solía hacer, se quejaba de las restricciones y también de las actividades que hacía con Jackie que no le gustaban.

Esa noche la cena fue bien. Había elegido tarta de chocolate de postre y se comió su trozo tan rápido como siempre. Katie devoraba los dulces más rápido de lo que se los servían. Sonrió a toda la familia cuando le cantaron *Cumpleaños feliz*. Después de abrir sus regalos y descubrir que eran una comba y un bañador azul brillante, le dio las gracias a todo el mundo y parecía contenta. Esa noche a la hora de acostarse, Jackie se sentó en el borde de su cama como siempre hacía para hablar tranquilamente de cómo había ido el día.

—Me ha gustado mucho pasar tu cumpleaños contigo, Katie. Me alegra que hayas elegido tarta de chocolate. También es uno de mis postres favoritos.

—¿Podré tomar más mañana? —preguntó Katie.

—Pues sé que queda algo, así que me aseguraré de guardarte un poco para que te lo tomes mañana después de cenar —respondió Jackie. Luego añadió en voz baja—: Puede que te sientas confundida por la comba y el bañador, Katie. Sé que es difícil para ti aceptar regalos, aunque sean pequeños. Me alegraré mucho por ti si no los destrozas. Eso probablemente te haría sentir muy triste. Pero son tuyos, así que de ti depende si los conservas o los destrozas. Si quieres que te los guarde para que no los destroces cuando te enfades, lo haré encantada.

—¿Puedo ponerme el bañador en el lago? —preguntó Katie.

—Claro, cariño, si quieres te lo puedes poner la próxima vez que vayas a nadar —respondió Jackie.

Katie no tenía nada más que añadir. De nuevo, parecía más distante y pensativa de lo habitual, pero Jackie no tenía idea de lo que podía estar pensando o sintiendo. Se puso mucho el bañador ese verano. La comba desapareció. Pasaría mucho tiempo antes de que Jackie averiguara que se trataba de un regalo que Katie no podía aceptar en ese momento.

Jackie no apreció signos de progreso significativo en el funcionamiento de Katie durante el resto del verano. Sabía que no debía esperar un progreso continuado, pero era difícil no buscar señales de cambio todos los días. Ya había cometido ese error con Gabe cuando llegó. Al no mostrar signos de mejoría, se desanimó y comenzó a dudar de su capacidad como madre de acogida. Todos los días evaluaba su propio éxito como madre en función de si Gabe se había portado bien o no. Allison había conseguido ayudarla a centrarse más en su propia actitud y comportamiento, no en los de Gabe. Comenzó a repasar cómo se había relacionado con él y cómo había respondió a las crisis y a los conflictos. Cuando consideraba que lo había cuidado de la manera que más le convenía a Gabe que lo cuidaran, estaba contenta independientemente de sus comportamientos. Al mantener esta perspectiva, consiguió aceptarlo más, y eso fue fundamental para el progreso que finalmente logró. También permitió a Jackie no caer en el estado de ánimo y los comportamientos extremos que manifestaba Gabe. Al permanecer más estable, ella misma fue capaz de ayudarlo a reducir esos comportamientos. Esto también hizo que el niño no pudiera tomar el control de la vida emocional de Jackie. Ella esperaba mantener esa actitud con Katie, y por lo general, conseguía hacerlo más a menudo que con Gabe. Allison también le habló sobre el bloqueo de los cuidados, y le ayudó conocerlo para que no le afectara tanto. Allison también le dijo que el bloqueo de los cuidados se reduciría si Mark cuidaba de Jackie cada vez que necesitara un empujón. Así que se aseguró de que él lo supiera.

Al comienzo de la siguiente sesión de terapia, Allison no tuvo problemas en centrarse con Katie en sus rutinas diarias, así como en los comentarios que iban surgiendo, en sus expresiones faciales, gestos, suspiros e incluso en el color de sus calcetines. Sin exigirle nada a Katie y al mismo tiempo relacionándose con ella de una manera suave, juguetona y relajada, la niña se involucró completamente en la interacción inmediata. El objetivo de Allison era básicamente tener una conversación distendida con Katie y con Jackie, algo que lamentablemente es muy difícil para los niños con traumas del desarrollo. Esa cantidad de interés compartido y diálogo recíproco a menudo resulta demasiado difícil.

Allison llevó a Katie y Jackie a su mesa y les indicó que quería que le mostraran sus habilidades de dibujo. Colocó una gran hoja en blanco sobre el escritorio y le pidió a Jackie que se sentara y que colocara su mejilla sobre el papel. Allison le pidió a Katie que recorriera el perfil facial de Jackie con un lápiz largo. Luego Katie trazó un segundo perfil en otra hoja, y después recortó las dos siluetas y pegó una de ellas en un papel azul y la otra en uno rojo. En la primera silueta, le puso a Jackie una gran sonrisa. En la segunda, le dibujó una mirada enfadada. Luego le tocó a Jackie dibujar el perfil de Katie dos veces, recortar las siluetas y completarlas con expresiones alegres y enfadadas. Después, Allison pegó con cinta adhesiva los cuatro perfiles en el respaldo de la mecedora y le pidió a Jackie que se sentara con Katie en el sofá.

—Ahí estáis las dos, y hay DOS versiones de cada una de vosotras —dijo Allison—. Como AMBAS podéis estar TANTO contentas COMO molestas, he pensado que deberíamos ver qué aspecto tenéis en cada versión.

Jackie "se quejó" brevemente de que su nariz no era tan grande como Katie la había dibujado.

—Ahora me gustaría ver la tarea que os encargué a ambas el mes pasado. Katie tenía que dibujar un momento en el que su madre pareciera estar enfadada con ella y otro en el que pareciera ser amable con ella. Jackie tenía que adivinar qué iba a dibujar Katie y luego dibujar sus conjeturas.

Cuando estaban descansando cómodamente en el sofá, Allison mostró el dibujo que Katie había hecho del momento en el que Jackie estaba siendo amable con ella. En él se veía a Jackie dándole a Katie papel y ceras. Ambas figuras sonreían, pero había pocos detalles. Hablaron del dibujo y Katie reconoció que le gustaba Jackie cuando le daba cosas. Pasaron al dibujo en el que Katie tenía que representar un momento en el que le pareciera que Jackie estaba enfadada con ella. En él se veía a Jackie quitándole un juego. Katie había dibujado a Jackie como una figura muy grande y amenazadora, con grandes ojos y manos. Katie era pequeña y estaba sentada en el suelo. A pesar de la postura aterradora de Jackie, Katie parecía estar muy enfadada en lugar de asustada. Katie le dijo a Allison que no le gustaba Jackie cuando no la dejaba tener algo.

—Guau, Katie, Jackie parece muy enfadada contigo aquí. ¡Pero mucho mucho! Si se enfada TANTO contigo... si se enfada tanto... ¿por qué lo hace? ¿Por qué se enfada tanto contigo?

Katie respondió rápida y firmemente:

—¡No le gusto!

—Ay, Katie, ¡crees que a Jackie no le gustas cuando no te deja tener algo que quieres! —dijo Allison expresando empatía de una manera que cuadraba con la expresión afectiva de Katie—. Qué difícil debe de ser para ti si crees que a Jackie no le gustas cuando te dice que no a algo. ¿Por qué crees que cuando te dice que no a algo es porque no le gustas? ¿Qué te hace pensar eso, Katie?

—¡Porque yo tenía muchas ganas de jugar a ese juego! ¡Muchas ganas! ¡Y a ella le dio igual! ¡No me dejó!

—Ah, Katie, ¡ahora entiendo por qué crees que no le gustas a Jackie! Tú tienes muchas ganas de hacer algo y cuando te dice que no, ¡es como si no le importara lo que quieres! Eso también debe de ser difícil para ti. Cuando le cuentas a Jackie lo que piensas sobre por qué te dice que no, ¿ella qué te dice?

—No lo sé.

—Me gustaría saber qué te diría si se lo dijeras. ¿Qué te parece si se lo digo? —Katie asintió con la cabeza y Allison comenzó a hablar imitando la voz de Katie—. ¡Quería jugar a ese juego y no me dejaste! ¡Me dijiste que no! No es justo. ¡Tenía MUCHAS GANAS, pero te dio igual! ¡No te importa lo que yo quiera! ¡Lo que quiero no es importante para ti! —Luego añadió con una voz más tenue y triste—: No soy importante para ti.

Jackie respondió animada, como si acabara de darse cuenta de algo importante sobre Katie, sobre sus pensamientos, sentimientos y comportamiento.

—Ay, Katie, ¡ahora lo entiendo! ¡Claro que te enfadaste conmigo si pensaste que no me importaba lo que querías! Pensaste que lo que querías no es importante para mí. Que no eres importante para mí. Gracias por contármelo. Sería duro... muy duro... si me diera igual lo que quieres... o incluso si tú me dieras igual.

Allison contestó en voz baja, todavía hablando como si fuera Katie:

—Bueno, si te importa lo que yo quiero... ¿por qué me dices que no?

—A veces lo hago porque considero que es importante que hagas otra cosa. O porque creo que lo que quieres hacer no es bueno para ti en ese momento. Me pongo triste cuando te niego algo que quieres y sé que lo quieres de verdad. Me pongo triste cuando veo que te decepciona que no te deje hacer algo. Sé que has tenido muchas decepciones en tu vida antes de conocerme, y no me gusta decepcionarte, pero a veces considero que es mejor que no hagas algo, incluso aunque tengas muchas ganas...

Katie miraba tranquilamente a Jackie y parecía creer sus motivos, o al menos parecía querer creerlos. Era una nueva realidad: una madre que no quería que se sintiera decepcionada, una madre a quien le importaba lo que ella quería, incluso cuando le decía que no a algo. Todo esto era muy confuso. Era difícil creérselo.

Jackie le tocó suavemente la mano y susurró:

—Esto debe de ser difícil de entender, Katie. Espero que confíes en mí. Pero no te preocupes si tardas un tiempo, es normal.

Katie había llegado a su límite. Se sintió incómoda y dijo:

—¡Cállate!

Jackie se apartó un poco y dijo:

—Supongo que ya has tenido suficiente por hoy.

—Creo que sí —dijo Allison. Luego se volvió hacia Katie y añadió—: Creo que te ha sorprendido un poco lo que acaba de pasar y lo que debes de haber sentido. Entiendo que quieres parar aquí. Lo que acabas de hacer debe de haber sido difícil.

—¡Que te calles! —volvió a exclamar Katie.

Allison continuó haciendo movimientos con la boca como si estuviera hablando, pero no profería palabras. Lo hizo un rato más, se hizo la sorprendida y luego movió los labios como si intentara que salieran las palabras. Jackie se echó a reír; y Katie se unió. Luego Allison también se unió y se recostó. Continuaron riendo, y las tres se sintieron felices al mismo tiempo. Esto no sucedía a menudo con Katie.

Mientras se tranquilizaban, Allison dijo desenfadadamente:

—¿Sabes una cosa, Katie? Tener una madre puede hacer que una niña... ESTÉ CONFUSA. Primero te dice que sí; luego te dice que no. Te da y luego te quita. Sí y no. Sí y no. ¡Qué va a pensar la niña! Es casi como si tuviera dos mamás, ¡pero solo hay una! Una, dos, dos, una, ¡qué confuso! ¡Es como tener una mamá sí-y-no!

—¡Una mamá sí-y-no! —repitió Katie riéndose entre dientes.

—¡Esa soy yo! —exclamó Jackie—. ¡Tu mamá sí-no-sí-no-sí-no!

—Así es complicado que un niño se entere, ¿verdad, peque? —preguntó Allison.

—Sí.

—Bueno, peque, por eso hemos hecho estos dos dibujos de ambas —dijo Allison—. ¿Ves? Ambas sois personas sí-y-no. Cuando tu mamá dice que sí, probablemente te parezca feliz y "buena" contigo. Y cuando te dice que no, parece "mala" contigo. Y tú, peque, cuando te sientes feliz, sonríes y piensas que eres "buena". Y cuando te sientes enfadada, tienes esa mirada, y yo creo que en esos momentos puedes llegar a pensar que eres "mala".

Allison dejó que Katie mirara los dibujos un rato. Luego añadió:

—Ambas habéis hecho un gran trabajo con estos dibujos. Volveremos a verlos más veces para que algún día, Katie, no estés TAN CONFUSA sobre quiénes sois tu madre y tú.

COMENTARIO

Entre la quinta y la décima sesión de terapia, Allison continuó involucrando a Katie a través de la actitud PACE. Exploró las experiencias actuales y se preguntó qué pensaba Katie sobre ellas. Con frecuencia planteó otras posibilidades sobre lo que podría haber pensado o sentido, mientras mostraba empatía acerca del hecho de que una niña con su pasado probablemente pensaría y se sentiría como lo había hecho. La niña desplegó su ira hacia ella y hacia Jackie cuando Allison le habló de algunas experiencias vergonzosas que Katie quería negar. Regresó varias veces a lo confuso que debía de ser tener una mamá sí-y-no. Sugirió que Katie también podría tener sentimientos de tristeza y miedo, pero la niña solía rechazar esas ideas. A lo largo de las sesiones, Jackie tocaba mucho a Katie. También la abrazaba brevemente, jugaba con su pelo y le acariciaba la cara. En varias ocasiones, Allison le dio un abrazo a la niña. Katie estaba claramente más tensa cuando Jackie la abrazaba que cuando lo hacía Allison. Era un comienzo. Al final de algunas de las sesiones,

Jackie le leía un cuento. A veces, Allison ponía una música tranquila que ayudaba a crear un ambiente relajado que les resultara agradable a las tres. Katie seguía las conversaciones dirigidas por Allison durante periodos cada vez más largos y toleraba con más facilidad la exploración de experiencias generadoras de vergüenza.

Allison también hablaba más sobre los padres biológicos de Katie, Sally y Mike, en las sesiones terapéuticas. Empezaba a explorar algo que le hubiera pasado con Jackie y luego conectaba la experiencia de Katie de ese episodio con otro que hubiera tenido con Sally y con Mike. El "no" de Jackie activaba el recuerdo de un "no" de Sally o de Mike que podía haber supuesto un maltrato de una forma u otra. Allison también dedicó cierto tiempo a lo que decían los registros del DHS sobre los primeros cinco años de vida de Katie. La niña escuchó atentamente los registros e incluso le pidió a Allison que volviera a leer algunos de los incidentes. Pero aparte del incidente que realmente la condujo al régimen de custodia, Katie parecía recordar muy poco acerca de estos cruciales años de formación. Sin embargo, Allison fue cubriendo este período de su vida un poco más cada vez en el tratamiento, generalmente en pequeñas dosis, a menos que Katie iniciara una conversación más extensa. Lo más probable es que Katie fuera recordando cada vez más cosas de sus años con Sally y con Mike.

Cuando Jackie le dijo a Katie que iba a tener una pequeña fiesta, no una grande, para su cumpleaños, la respuesta de Katie la tomó por sorpresa. Katie mostró más tristeza que rabia por esta restricción. Como la respuesta habitual de Katie era sentirse indignada por la fuente de su frustración en lugar de permitirse sentir tristeza, Jackie, con razón, lo interpretó como que Katie iba aprendiendo a ser consciente de más aspectos de su vida interior, además de su ira. Si Katie era capaz de comenzar a percibir su tristeza o su miedo, podría llegar a aceptar gradualmente esos sentimientos, así como sus profundas vulnerabilidades. También podría comenzar a permitirse sentir la vergüenza que impregnó gran parte de su vida temprana. Para que Katie comenzara a dar pasos en firme en la resolución de los traumas tempranos de su vida, necesitaba estar lo suficientemente segura como para sentirse triste.

Qué objetivo tan paradójico: ayudar a una niña a acceder a su mundo interior de tristeza, miedo y vergüenza. Pero qué paso tan importante hacia la meta de reducir su negación, su evitación y su ira. Si conseguía seguir involucrada en una tarea tan dolorosa, probablemente acabaría acudiendo a Jackie en busca de ayuda y consuelo. Jackie ya no sería únicamente su antagonista; también sería su tutora. Pero un incidente no crea un patrón. Un patrón no crea un *self*. Jackie tendría que ser paciente y continuar con su actitud terapéutica mientras Katie seguía siendo quienquiera que fuera. Durante las sesiones de terapia, Allison quería que Katie empezara a ser consciente de la naturaleza inherente de la ambivalencia en las relaciones sanas entre padres e hijos. Jackie era una mamá sí-y-no porque proporcionaba a Katie cuidados y disciplina, aceptación y expectativas de socialización. Teniendo eso en cuenta, no era de extrañar que a Katie le gustara a veces y no le gustara otras. Era casi como si Katie tuviera dos madres, una buena y una mala. Esta realidad psicológica está presente a menudo en el mundo del niño, cuya tarea de desarrollo es integrar estas experiencias opuestas e interiorizar una relación coherente con su única madre. Los niños pequeños muestran el éxito del proceso de integración cuando sus padres los frustran, evocando enfado, y un minuto después recurren a ellos en busca de consuelo. Este proceso es mucho más lento para los niños que han sufrido maltrato y abandono. Cuando Jackie la frustra, Katie no quiere consuelo, sino quedarse sola o pagarle con la misma moneda.

La mayoría de los días, Katie adoptaba comportamientos "manipuladores". Los padres a menudo responden mal a estos comportamientos. Se experimentan a sí mismos como "utilizados" por el niño. Lo experimentan como alguien falso y califican su comportamiento general como "malo". A los padres les puede resultar de ayuda recordarse a sí mismos que esos comportamientos "manipuladores" respondían a un esfuerzo de adaptación por parte del niño ante el maltrato y el abandono. El niño no era capaz de interiorizar que el padre naturalmente anticiparía y cubriría sus necesidades. No podía creer en que si hacía una solicitud directa acerca de algo que quería y necesitaba, el padre respondería positivamente. Como resultado, tuvo que idear estrategias de "engaño" para que sus padres satisficieran sus necesidades. Si el niño no se hubiera vuelto hábil en "manipular" o "intimidar" al padre, podría haber sufrido mucho más. Es probable que tener esto en cuenta ayude a los padres a no responder a la "manipulación" con rechazo, enfado o represalias. Es probable que la "manipulación" disminuya si el padre es capaz de responder a ella con la actitud PACE. A medida que el padre puede aumentar la sensación de seguridad y confianza del niño en sus buenas intenciones, será más directo y abierto en sus solicitudes. Al igual que ocurre con muchas de las malas conductas de sus hijos, es probable que estas manipulaciones disminuyan cuando el niño consiga aumentar la confianza en sus padres y en sus motivos. Mientras tanto, el padre puede limitarse a reconocer —y a tolerar— el motivo aparente del comportamiento y luego conceder o negar la solicitud oculta. Por ejemplo, un padre podría decir: "Me he dado cuenta de que, justo después de abrazarme, me has pedido un caramelo. Bueno, ahora no puedes comer chuches, pero me encantaría darte otro abrazo".

CAPÍTULO 10

LA COLCHA

A mediados de septiembre, aproximadamente dos semanas después de que comenzara la escuela, ocurrió un incidente que le dejó claro a Jackie que a Katie le quedaba todavía mucho camino por recorrer. Era sábado por la mañana, lo que significaba que todos estaban haciendo algunas tareas. Como la disposición de Katie para hacer sus tareas de manera independiente todavía no era evidente a ojos de nadie, incluida Jackie, hacía sus tareas cuando Jackie podía hacerlas con ella. Las tareas que implicaban movimiento, como separar la colada, quitar el polvo y ordenar eran perfectas para esta etapa. A veces Jackie también le decía que hiciera algunos deberes o que organizara los cajones de su escritorio. Las quejas de Katie por tener que quedarse cerca de Jackie eran cada vez menores. Jackie estaba empezando a pensar que quizás Katie lo estaba aceptando.

Alrededor de las diez de la mañana, Whimsy empezó a ladrar y Jackie escuchó un coche acercándose a la casa. Era Judy Morris, que venía de visita. Judy pertenecía al comité escolar de Vassalboro, y uno de sus hijos era un compañero de clase de Matthew. Ese verano se había pasado gran parte de su tiempo libre haciendo una colcha que el comité escolar planeaba rifar en el Festival de Otoño que comenzaría a principios de octubre. Ahora se la traía a Jackie, que iba a ser la responsable de exhibirla en varias reuniones de la comunidad durante el mes siguiente antes de la rifa real.

Jackie llevó a Judy a la sala de estar, donde Katie y ella estaban doblando la ropa. Admiró la colcha y se la enseñó a Katie. Hablaron de la rifa y de los planes de Jackie para enseñarla. Judy no podía quedarse mucho tiempo, así que Jackie la acompañó a su coche. Estuvieron afuera un momento hablando sobre un nuevo programa extraescolar y quedaron en verse la semana siguiente.

Cuando Jackie volvió a la sala de estar, quiso admirar la colcha de nuevo, pero le entró el pánico inmediatamente cuando vio que no estaba encima de la mesa. ¿No la había dejado ahí? Por supuesto que sí. ¡Katie! Miró a la niña, que estaba ordenando los calcetines en el suelo.

—Katie, ¿dónde está la colcha?

—No lo sé —respondió Katie. Era su respuesta estándar a casi todas las preguntas.

Jackie estaba a punto de volver a preguntarle a Katie cuando vio la colcha en el sofá, doblada pulcramente tal y como estaba en la mesa. ¡Sería que Katie había querido verla! Fue al sofá y la cogió. ¡Algo iba mal! ¡Estaba mojada! El pánico volvió. Jackie estaba horrorizada. Sabía lo que tenía que hacer, pero le daba miedo. Se la acercó a la cara y lo olió. ¡Orina! ¡Era orina! ¡Katie había hecho pis en ella!

Jackie estaba en shock. No podía moverse. Se le llenaron los ojos de lágrimas. Quería gritar y llorar y borrar los últimos diez minutos de su vida. ¿Cómo había podido cometer semejante error? ¿Cómo se le había ocurrido dejar a Katie sola con la colcha? ¿Qué iba a decirle a Judy? ¿Qué iba a hacer ahora?

Lo primero que tenía que hacer era lavar la colcha antes de que la orina la emparara del todo. Sabía que Judy la había hecho con un tejido muy resistente. Corrió hacia el fregadero de la cocina y la empapó en agua tibia. La dejó un rato debajo del grifo. Luego la escurrió y volvió a repetir el proceso varias veces. Sus propias lágrimas se mezclaban con el agua que corría por la colcha. Finalmente, sin saber qué más hacer, la extendió sobre unas toallas que había sobre la cama. No se lo contaría a Judy hasta que se secara y pudieran saber si había algún daño permanente.

Finalmente volvió a la sala de estar. Katie todavía estaba ordenando los calcetines, aunque podía haber acabado hacía mucho. Miró a Jackie como si no hubiera pasado nada.

—¿Puedo comer ya? —dijo Katie sin dar ninguna muestra de que nada fuera mal.

Jackie se sentó en el suelo y se arrodilló frente a Katie. Ella le puso las manos en los brazos y se acercó más a ella.

—¡Katie! —le gritó. Estaba enfadada y Katie lo sabía—. Estoy muy, muy enfadada contigo por hacer pis en esa preciosa colcha. Le has hecho algo horrible a la señora Morris después de todo el trabajo que le ha llevado hacerla. No es justo para los niños de tu escuela, que no podrán hacer un montón de cosas geniales si la colcha se estropea. Y ha sido muy feo hacerme eso a mí, ya que soy responsable de su cuidado. Estoy enfadada contigo. ¡Los miembros de esta familia no tratan a los demás de esa manera! Y tú eres un miembro de nuestra familia. Me enfada mucho que les haya hecho esto a la señora Morris y a nuestra familia.

Jackie estaba observando la respuesta de Katie. Percibió su habitual mirada resentida, la que solía tener cuando tenía que rendir cuentas por su comportamiento. Pero vio también otra mirada. De algún modo, Katie parecía tener miedo de la ira de Jackie y a la vez estaba contenta de que Jackie estuviera enfadada con ella. ¡Había enfadado a Jackie! ¡Tenía el control! Y Jackie finalmente le estaba diciendo que era una niña mala.

Jackie seguía mirando a Katie a los ojos. Respiró hondo. Esto iba a ser difícil para Jackie, pero tenía que seguir hablando con ella.

—Katie —dijo Jackie en un tono de voz mucho más tranquilo—, te quiero, cariño. Te quiero mucho, y es muy importante que siga enseñándote lo importante que es que no hagas cosas así a la gente. Sé que es difícil para ti aprender esto, pero como te quiero, voy a seguir enseñándote hasta que lo consigas.

Jackie seguía mirándola fijamente a los ojos. Katie ahora parecía estar más asustada que cuando Jackie estaba expresando su enfado. Parecía perdida y aterrorizada. Jackie se acercó y le dio un abrazo. Siguió abrazándola a la vez que se ponía a llorar. Se echó hacia atrás y miró a los ojos asustados de Katie. La niña estaba desconcertada. No conseguía entender o expresar el afecto que la envolvía en ese momento. Jackie lloraba como lo habían hecho sus otras madres de acogida. Pero esta vez era distinto, y no sabía por qué. Katie notaba que no tenía el control, y eso la asustaba. Jackie le dio un último abrazo. Luego se levantó y se fue a la cocina.

Decirle que la quería era lo más difícil que Jackie había hecho desde que Katie había llegado a su casa tres meses antes. Habría sido muy fácil seguir gritándole y amenazándola con que iba a tener que mudarse a otro hogar de acogida si volvía a hacer algo así. Habría sido sencillo mirarla con disgusto y no tocarla, o cogerla por los brazos con fuerza y apretarlos. Si le hiciera eso a Katie, Jackie sería como su madre biológica, Sally. Le estaría dando la razón a Sally: Katie no es especial, no es más que una niña mala, y nadie debería preocuparse con ella. Si hiciera eso, le estaría diciendo a Katie que su autoodio también era acertado. No era buena y no había ninguna razón para que intentara aprender a vivir como el resto de la familia Keller. Nunca sería parte de su familia, ni de ninguna otra buena familia. Pero Jackie no iba a hacer algo así. Sabía que Katie sentía una enorme vergüenza por su comportamiento —por la parte de ella que lo había hecho— y muy poca culpa por el comportamiento en sí. Tenía que restablecer conexión con ella, no rechazarla. Katie acabaría aprendiendo a base de sentir cierta empatía por hacer daño a alguien y luego algo de culpa y remordimiento. La pregunta era cuándo. Pero Jackie iba a seguir intentándolo. Y llorando.

Esa noche, Jackie se sentó al lado de Mark en el sofá.

—He estado a punto de zarandearla y de gritarle lo mala que era por lo que había hecho. Gabe nunca llegó a hacer que me enfadara tanto. No paraba de pensar: "¿Y ahora que le digo a Judy?". No paraba de pensar que con esa gran mancha marrón y ese olor, la colcha no serviría ni para tapar a un caballo en invierno.

Mark nunca hablaba mucho de lo que sentía, pero se interesaba mucho por los pensamientos y sentimientos de Jackie, la escuchaba con atención y pensaba mucho en su familia y en su vida. Era un pilar para Jackie cuando ella lo necesitaba. También era capaz de reconocer que Jackie era un pilar para él cuando lo necesitaba. A veces, Jackie no estaba segura de lo que sentía por las cosas, ya que Mark tendía a restar importancia a lo que tenía en mente. Pero con los años había aprendido a interpretarlo mucho mejor. Sabía que su marido escogía las palabras con cuidado, ya que representaban lo más importante para él y, por lo tanto, también lo más privado. Y Mark había aprendido a hablar de su vida interior más abiertamente, ya que era importante para Jackie. Al hacerlo, había descubierto que era más consciente de sí mismo.

—Siento mucho lo que ha pasado, cariño. Pero lo has gestionado de la mejor manera posible. Creo que yo no habría podido mostrarme tan comprensivo con ella.

—Si no la hubiera dejado a solas con la colcha... ¿En qué estaría pensando?

—Estabas atendiendo a Judy un segundo. ¿Está bien la colcha? —preguntó Mark.

—Por el momento creo que sí —respondió Jackie—. Pero no lo sabré seguro hasta que no se seque.

—Seguro que hiciste un buen trabajo gestionando tu enfado hacia ella —dijo Mark.

—Puede ser, pero te juro que me han entrado ganas de enrollarla en esa colcha y mandársela de vuelta a Steven.

—¿La admitirían en la oficina de correos? —preguntó Mark con una sonrisa. Pasado un momento, añadió—: Si finalmente vamos a quedarnos con ella, quiero ayudar más en todo lo que pueda.

—Gracias, cariño —respondió Jackie—. Sé que quieres hacerlo, y te aseguro que serás el primero en saber si hay algo más que puedas hacer. Solo te pido que no te pongas nunca de su lado si se está quejando de mí. Si te pones de su lado, te juro que te envuelvo en una colcha y me aseguro de que te acepten en la oficina de correos.

—¿Algo más?

—Básicamente apoyarme como lo está haciendo ahora. ¿Y qué te parece si algunas veces te quedes tú al mando y yo salgo con alguna amiga? Eso sería genial. A veces es muy difícil dar todo el rato, cuando en realidad no parece importarle. Entonces empiezo a pensar "¿Para que me molesto? A ella le da igual. ¿Qué sentido tiene?". No hay ninguna recompensa. Sé que ella es la niña y yo la adulta, y no lo hago solo para obtener algo a cambio. Solo quiero que le importe. Me bastaría con saber que estoy marcando una diferencia, y a veces no estoy segura.

En la sesión de terapia de esa semana, Jackie le contó a Allison lo de la colcha y cómo había respondido. Steven estaba presente, aunque ya solo asistía a una de cada tres o cuatro sesiones. Allison se sintió triste por Jackie. Sabía lo difícil que debía de haber sido para ella contarle a Judy que Katie se había hecho pis sobre la colcha en la que había estado semanas trabajando. ¡Y a los diez minutos de que se la diera a Jackie! Allison se centró en los sentimientos de Jackie para comprobar si podía mantener su actitud terapéutica hacia Katie en este momento. Allison sabía que sin esa actitud, Jackie no estaría en disposición de apoyarla en la terapia ni de seguir criando a Katie en condiciones. La primera tarea de Allison en cada sesión era centrarse en Jackie y en sus necesidades. Nada de lo que hiciera con Katie en terapia tendría ningún efecto beneficioso si la niña se iba a casa con una madre que no quisiera saber demasiado de ella.

—Jackie, siento mucho lo sucedió. Sé lo difícil que debe de haber sido para ti.

—¡No fue ninguna fiesta, desde luego! —respondió Jackie.

—No, me imagino que no te sentiste como una madre de acogida feliz —dijo Allison en voz baja.

—No, estaba enfadada con Katie —dijo Jackie—. Pero estaba aún más enfadada conmigo misma. ¿Cómo se me ocurrió dejarla a solas con la colcha? ¿En qué estaría pensando?

—Tiene que ser muy duro para ti cuando no haces todo lo que crees que deberías hacer. Tienes tantas ganas de ayudarla en su vida que cuando cometes lo que bajo tu punto de vista es un error, te resulta muy doloroso. Lo único que hiciste fue comportarte como una madre normal en un hogar normal —sugirió Allison—. Es muy complicado ser todo el rato una madre terapéutica con una niña con los problemas que tiene Katie.

Jackie parecía desanimada. Allison no la había visto tan agotada desde que Gabe tuvo uno de sus períodos más complicados.

—Tienes razón, pero eso no hace que me sienta mejor. Con Katie no puedo permitirme "olvidarlo", porque podría hacerle daño a alguien o incluso a ella misma. ¡Ojalá pudiera verla venir! Si hubiera sabido que estaba molesta por algo, no la habría perdido de vista. Pero parecía estar bien. ¡No se me ocurre nada por lo que pudiera haber estado molesta! —dijo Jackie con frustración.

—Y probablemente no hubiera nada específico que la molestara. A los niños como Katie, el mero hecho de vivir les enfada. Ser quienes son les avergüenza. Estar con personas como tú y no tener un apego seguro con ellas los hace sentir solos y asustados. Ella está sentada sin pensar en nada en particular. Le dejan algo especial cerca, como la colcha en este caso. No hay adultos cerca. ¡Los sentimientos brotan dentro de ella! Y se manifiestan en los impulsos posteriores. No hay un *self* sano que sea consciente de esos sentimientos e impulsos y que pueda controlarlos e integrarlos. Tienen vida propia. ¡Siente la emoción de vengarse de ti y de cualquier otra persona de su vida! ¡La satisfacción de expresar su profundo sentimiento de ser mala y despreciable! La emoción anticipada de verte gritar, o llorar, o incluso pegarle. Esos sentimientos brotaron en su interior cuando vio esa colcha sin vigilancia a su lado.

—¿Por qué no consigo acordarme de eso? —preguntó Jackie.

—Jackie, ¿por qué no eres una santa? ¿O un robot que se pudiera programar para que "acertara" todo el tiempo? ¡Eres una persona de carne y hueso! Probablemente le hayas dado más a esta niña en los últimos tres meses de lo que nadie le ha dado en los últimos siete años. No necesita una santa o un robot. Necesita una madre que la quiera. Que sude por ella. Que llore por ella. Y, a veces, que se enfade con ella. No necesita que seas perfecta, Jackie. Solo necesita que te involucres con ella, que encuentres maneras de disfrutar de ella y de enseñarla. Y puede que eso sea aún más difícil que ser perfecta. Yo no podría hacer lo que tú estás haciendo por ella —dijo Allison, con compasión y admiración por esta mujer.

Jackie respiró hondo. Estaba llorando.

—Gracias. Necesito escuchar algo así de vez en cuando. —Se sonó la nariz y se rio—. Esta niña me ha cogido el tranquillo. Podría abrazarla un minuto y estrangularla al siguiente. Sé que tienes razón acerca de lo que subyace a ese mal humor y comportamiento. Si no lo supiera, no aguantaría ni un día con ella.

Todos se quedaron sentados en silencio un momento. Luego Allison le sugirió a Jackie que fuera a por la niña a la sala de espera.

Una vez que Katie estuvo sentada junto a Jackie en el sofá, Allison comenzó a explorar con ella algunos eventos rutinarios recientes de su vida en casa de los Keller. Enseguida quedó claro que Katie no estaba pensando en la colcha en absoluto. Podría haber ocurrido hace un año. Era como si lo hubiera hecho otra persona que no fuera ella.

Allison accedió fácilmente a su manera relajada y juguetona de relacionarse con Katie. Al principio, Steven tenía algunos problemas para acostumbrarse a su enfoque con Katie. Independientemente de lo que Katie hubiera hecho, Allison siempre pasaba la primera parte de sus interacciones con la niña riéndose con ella, tocándola, burlándose de algo que decía o hacía, desafiándola a hacer algo y luego disfrutando de la resistencia de Katie o haciendo algo impredecible y sorprendente que dejaba a Steven tan confuso como Katie en cuanto a lo que Allison estaba haciendo. Hoy no iba a ser una excepción. La colcha tendría que esperar.

Steven se fijó en la respuesta de Katie a Allison. Como de costumbre, rápidamente conectó con las formas juguetonas, amables y entregadas de Allison. Katie se mostraba abierta e implicada ante cada movimiento y afirmación de Allison. Claramente, disfrutaba bromeando con Allison sobre su pelo canoso y se echaba a reír mientras gritaba "¡Sí que lo haré!" cuando Allison le advirtió que no le dijera a nadie la cantidad de canas que tenía. Gritó cuando Allison empezó a buscar pelusas entre los dedos de sus pies. Al principio siempre se retorcía y gemía cuando Allison le decía que había llegado el momento del "círculo de amigos". Allison trazaba con su dedo un círculo grande alrededor de la cara de Katie cinco veces. Luego le tocaba suavemente la nariz cinco veces y finalmente le besaba la frente cinco veces. Aunque la niña solía expresar su molestia por esa práctica, a menudo Katie encontraba la manera de "recordársela" a Allison hacia el final de la sesión si no se lo había hecho.

Podía decirle algo como: "Menos mal que hoy no me has hecho el círculo de amigos". Y luego hacía como se molestaba mucho cuando Allison le daba las gracias por haberle recordado la necesidad de demostrar su amistad. Al principio, Katie se borraba el círculo y los besos de la cara. Entonces Allison le decía que "todo el mundo" podía ver el "círculo de amigos" y que permanecería en su cara durante una semana si no se lo limpiaba durante los tres segundos posteriores a que le diera el último beso en la frente. Luego Allison le agarraba las manos mientras contaba hasta tres y le preguntaba a Jackie y a Steven si les gustaba el círculo. Ambos coincidían en que era precioso y Katie expresaba su molestia habitual. El primer día que lo hizo, Jackie les contó que vio a Katie mirándose al espejo buscando el círculo.

Como hacía a veces, Allison empezó a hablar de uno de los "comportamientos" de Katie sin hacer ninguna pausa. Simplemente pasó del contenido lúdico y trivial al área complicada sin hacer ningún cambio en el tono de voz o las expresiones faciales.

—Ah, Katie, tu madre me ha contado que te hiciste pis en una colcha. Estoy un poco confusa. ¿Qué te llevó a hacer eso?

Katie se puso tensa inmediatamente y se molestó.

—¡No quiero hablar de eso!

—Pero cariño, tenemos que hablarlo porque sé que tu madre y tú habéis tenido muchos sentimientos al respecto esta semana y eso hace que sea importante para ambas.

—¡Para mí no es importante! —afirmó Katie.

—Yo creo que sí que lo es. Pero sé que te resulta difícil hablar de ello. No hay problema. Puedo ayudarte —dijo Allison con un tono seguro.

—¡No quiero tu ayuda! —gritó Katie.

—Ya… ya lo sé. A lo mejor quieres decirme: "Déjame en paz con esto, Allison. ¡¡¡No es asunto tuyo!!!".

Las palabras de Allison coincidían con las de Katie en intensidad y cadencia. Allison se acercó a ella y le habló en voz baja y lentamente al oído.

—Sé que aceptar nuestra ayuda te resulta difícil, cariño… muy difícil.

—¡No es difícil! —gritó Katie.

Allison había acercado su silla al sofá frente a Katie y Jackie.

—Y quizás quieras decir: "Déjame en paz. ¡¡No quiero hablar de esto!!" —replicó Allison igualando la intensidad de la negativa de Katie, pero sin mostrar enfado.

—¡Cállate! ¡Cállate! ¡Cállate! —gritó Katie.

—¡Quieres que me calle! —siguió diciendo Allison, ahora con un extra de energía—. Quieres que deje de hablarte sobre lo enfadada que estás conmigo y con tu madre. —Allison hizo una pausa un momento y luego continuó, ahora mucho más tranquila—: Pero necesito hablarlo un poco más, cariño, porque sé que probablemente tú también te sientas triste y asustada por lo que pasó y no te gustes mucho a ti misma.

El tono tranquilo de Allison y la forma de centrarse en las vulnerabilidades de la niña movilizaron la rabia de Katie de nuevo.

—¡Sí que me gusto a mí misma! —gritó.

—Te gustas a ti misma... vale... y también se me ocurre que cuando hiciste pis en la colcha... después de eso tendría que ser difícil gustarte... —dijo Allison con empatía.

—¡QUE SÍ QUE ME GUSTO!

Le caían las lágrimas por las mejillas. Apenas se movía. No miraba a Allison. Estaba perdida en algún lugar de la desesperación de su pasado.

Allison se inclinó hacia delante y le susurró al oído a Katie:

—Ojalá lo hicieras, cariño. Quiero ayudarte a que te gustes de verdad.

Katie se subió al regazo de Jackie y comenzó a temblar mientras las lágrimas seguían bajando por sus mejillas. Jackie la abrazó con más fuerza, y Katie le devolvió el abrazo. Jackie comenzó a mecerla lentamente mientras seguía abrazándola con fuerza.

Allison y Steven se quedaron sentados sin moverse, observando a Katie y Jackie, sin querer alterar ese estado de ánimo. Nunca habían visto llorar a Katie antes. Ahora Jackie sabía que lo que había sucedido con la colcha era importante para Katie después de todo. Su empatía por Katie volvió a fortalecerse.

—Katie, Katie, Katie —decía Jackie en voz baja mientras la mecía lentamente en sus brazos.

Allison esperó unos minutos después de que Katie dejara de llorar y luego le dijo a Katie que mirara a su madre. Al hacerlo, Katie inmediatamente se dio cuenta de que Jackie también había estado llorando. La miró un momento y luego Allison dijo:

—Katie, yo creo que te gustaría decirle a tu madre: "Mamá, siento haber hecho pis en la colcha".

Inmediatamente, Katie le dijo a Jackie:

—Mamá, siento haber hecho pis en la colcha.

Volvió a ponerse a llorar de nuevo y Jackie la abrazó de nuevo.

—Me alegro de que lo sientas, Katie. Te perdono. Me alegro por ti. Y también me alegro por nosotras. Ahora nuestros corazones están juntos —dijo Jackie en voz baja.

Los momentos de silencio fomentaron su continuo abrazo y afirmaron lo que acababa de ocurrir.

Allison habló en voz baja:

—Esta niña es una luchadora, Jackie. Entiendo que la quieras tanto.

—Sí que lo es —respondió Jackie. Luego cogió un pañuelo y comenzó a limpiarle las lágrimas a Katie y también las suyas. Katie la miraba sin moverse.

—Yo también necesito un pañuelo. Supongo que las tres teníamos muchas lágrimas acumuladas —dijo Allison.

Katie miró a Steven.

—Él también. Steven también ha llorado.

—Sí, Katie. Él también. Todos sabemos lo difícil que es esto para ti. Todos nos ponemos tristes cuando vemos cuánto tienes que luchar para tener una vida más feliz —dijo Allison.

Todos ellos, incluida Katie, estaban disfrutando de la tranquilidad del momento.

Katie sonrió, Jackie sonrió, luego comenzaron a reírse un poco y al final acabaron todos riéndose. Luego se pasaron un rato comprobando quién tenía las lágrimas más pegajosas. Llegaron al acuerdo de que las de Steven eran las más pegajosas, lo que significaba que tenía que traerles a las demás unos vasos de agua.

Al final de la sesión, Steven se quedó un momento para hablar con Allison, algo que le resultaba muy útil para entender mejor a Katie.

—Creo que hoy has conseguido algo realmente importante con ella, Allison.

—Sí... hoy Katie ha vivido experiencias importantes. Pero debemos ser capaces de crear muchas más experiencias similares, tanto en terapia como en casa, durante los próximos meses si queremos afianzar estos cambios. Katie necesita compartir muchas experiencias afectivas intensas con Jackie antes de comenzar a creer que es una niña buena y que el amor de su madre es una realidad maravillosamente importante, placentera y curativa para ella.

—Antes de empezar con Katie, estuviste hablando mucho con Jackie sobre sus sentimientos hacia Katie después del incidente de la colcha. ¿Creíste que iba a pedirte que se fuera de su casa? —preguntó Steven.

—No, pero quería asegurarme de que podía recuperar la actitud terapéutica necesaria para poder consolarla y apoyarla durante la sesión. Desarrollar un apego seguro es cosa de dos.

—Ya veo a qué te refieres. Sé de lo que estás hablando —dijo Steven—. Hoy pudiste demostrar La Actitud en la terapia.

—Lo intento, Steven, porque de lo contrario no creo que pudiera ayudarla. Necesita que los adultos se relacionen con ella de esa manera, tanto o incluso más que tu hija Rebecca. Sin esas experiencias intersubjetivas, nunca comenzará a confiar en Jackie y nunca comenzará a tener un *self* sano que le guste. Estas experiencias (que son la forma en que ella experimenta la manera en que nosotros la experimentamos a ella), le permiten descubrir partes de sí misma que nunca han visto la luz del día. Es más sencillo mantener esta actitud en la terapia que en casa, hora tras hora —dijo Allison.

—Bueno, será mejor que me vaya. Me alegra que hayas dedicado tiempo a apoyar a Jackie. Parecía necesitarlo.

—Así es. Y como lo necesitaba, Katie necesitaba que yo ayudara a Jackie antes de intentar ayudarla a ella —respondió Allison.

—Lo entiendo —respondió Steven. Steven sonrió. Le pareció buena idea parar de camino a casa a comprarle unas flores a Jenny.

*　*　*

De camino a casa después de la terapia, Katie le preguntó a Jackie si podían parar en McDonald's para tomar algo. Como nunca habían ido a uno después de la terapia y ya hacía mucho que Katie había dejado de pedirlo, Jackie asumió que Katie quería una recompensa por su trabajo ese día. Katie sabía que a los adultos les gustaba lo que sucedía en la terapia, así que podía usarlo en su beneficio.

—No, cariño —dijo Jackie—. Me gustaría ir a casa, como siempre.

—Quiero unas patatas fritas —gritó Katie.

—No me cabe duda, Katie. Has trabajado mucho en la sesión y me imagino que tendrás hambre.

—Pues entonces cómprame unas patatas.

—Te daré una manzana o una naranja cuando lleguemos a casa.

—No, quiero patatas fritas.

—¿Este es uno de esos momentos en los que te cuesta que no te dé lo que quieres?

—¡Quiero unas patatas fritas! —dijo Katie dándole una patada a la guantera para enfatizar sus palabras. Jackie paró el coche inmediatamente en la cuneta.

—Katie, te aseguro que entiendo que estés enfadada conmigo por no parar en McDonald's. Háblame de tu enfado si quieres, pero no puedes golpear el coche.

—No me importa. Te odio.

—Eso es.

—¡Me alegro de haber hecho pis en la colcha!

—Estoy segura de que hay una parte de ti que está contenta, cariño.

—¡Tú no eres mi madre! ¡Te odio!

Jackie estaba en silencio. Estaba claro que la niña usaba palabras para expresar su rabia por haberla privado de sus patatas fritas. Probablemente también le estaba transmitiendo a Jackie que todo lo que había sentido y dicho en la consulta de Allison era mentira. Katie no quería abrazos, ni lo sentía, ni quería que nadie la ayudara, especialmente Jackie. Katie estaba asustada; había revelado demasiado en terapia, tanto a Jackie como a sí misma. Ahora estaba tratando de minimizar o negar sus expresiones anteriores. Jackie pensó en transmitir empatía por lo confusa y asustada que debía de estar Katie en ese momento, pero decidió que no era el lugar para hacerlo. No quería tener que buscar a Katie por el bosque. Tampoco quería pasarse las horas siguientes sentada en el coche con una mocosa. Decidió que el silencio era lo más conveniente.

Después de unos cinco minutos en silencio, Jackie decidió continuar el trayecto a casa. Estaba en lo cierto. Katie no tenía energías para seguir luchando. Estuvo de morros el resto del camino de vuelta.

* * *

Al día siguiente, Steven llamó a Jackie para ver cómo estaba Katie. Esperaba que la sesión de terapia hubiera producido algunos cambios para mejor. Se sorprendió al escuchar lo del camino de vuelta a casa. Se sintió aún más decepcionado cuando se enteró de que cuando llamó, Katie y Jackie estaban arrodilladas en las escaleras limpiando pis. Esa mañana temprano, Katie se había colocado en lo alto de la escalera y había vuelto a hacer pis.

—Y a chorros además —dijo Jackie con su seco sentido del humor. Steven estaba frustrado. ¿Cambiaría Katie alguna vez? ¿Por qué hacía algo así?—. Steven, le queda un largo camino por recorrer —añadió Jackie con calma—. Yo sabía en lo que me metía. Tiene que ir poco a poco. La sesión de ayer fue importante, pero imagino que solo se mantendrá una pequeña parte. Necesita muchas experiencias como esa, conmigo y con Allison, antes de que podamos esperar un cambio real. Espero que lavar la escalera conmigo después de hacer pis sobre ella sea otra experiencia que también la ayude en el proceso.

—¿Cómo va a ayudarla eso? —preguntó Steven, que no entendía cómo Jackie podía considerarlo algo similar a la sesión de terapia del día anterior.

—Katie está diciendo que lo de la sesión fue todo mentira y que ella no ha cambiado. Voy a aceptar lo que ha hecho y también a esa parte de ella. Si ahora me enfado y me desanimo, ella podrá minimizar el efecto de la sesión. ¡Se convencerá de que ni siquiera yo me creo lo que demostró ayer! Es como si estuviera buscando experiencias vergonzosas para convencerse a sí misma de que todavía es mala. Al responderle con agua y jabón, y también con La Actitud, le estoy demostrando que creo que lo que pasó en la terapia fue real, al igual que la parte de ella que se ha hecho pis en la escalera. Mantengo la conexión con ella. Voy a ser la misma al responder a ambas partes. Con suerte, llegará el día en que la parte de ella que vimos en la terapia sea mucho más fuerte y pueda juntar ambas.

—¿Por qué no has hecho que limpie la escalera ella sola? —preguntó Steven.

—Entonces entraríamos en una lucha de poder. Ella sigue siendo muy pequeña emocionalmente, Steven, y por eso la ayudo cuando tiene que hacer cosas que no le gustan.

—Menos mal que no se ha hecho pis en mi escalera, Jackie, porque creo que yo no sería tan comprensivo —dijo Steven admirando su actitud.

—Todo es cuestión de acostumbrarse a criar a una niña como Katie. Si no, es imposible. No soy ninguna mártir. Me siento muy satisfecha cuando veo a esa niña asustada y triste alejándose un poco de la oscuridad.

Steven les contó a Barbara y Al lo de la sesión de Katie y lo que había pasado después. Necesitaba aclarar sus pensamientos hacia ella. Llegó a la conclusión de que realmente no conocía a la niña. Esa "parte" de ella que estaba tan enfadada, que era tan destructiva y tan... mala parecía tener vida propia. ¿Podrían comunicarse con ella? Es más, ¿quién era esa persona a la que intentaban encontrar? Y cuando la encontraran, ¿estarían satisfechos o asustados? ¿Existía esa persona en realidad?

Steven decidió que si seguía pensando en Katie en ese momento, no haría más que seguir preocupándose, así que volvió con su papeleo. Eso lo calmaría. Podía sumirse en las palabras y los reglamentos. Podía evitar experimentar el profundo terror, la rabia y la desesperación que muchos de los niños de acogida afrontaban a cada momento de sus vidas. A él le funcionaba el papeleo. A Katie le funcionaba dar patadas a guanteras, hacer pis en escaleras y colchas y comer patatas fritas.

Ese fin de semana Steven y Jenny decidieron hacer un poco de trabajo en el exterior de la casa. Habían estado ocupados envasando tomates y remolachas las semanas anteriores y era hora de preparar el jardín para el otoño. Hacía un día claro y fresco. De lejos, era su estación del año favorita.

¡Rebecca tenía ya veinte meses! ¡Y qué energía! Cada vez se movía más rápido, lo que significaba que se caía con la misma frecuencia con la que encontraba lugares nuevos que explorar. Ciertamente, la tarea de limpiar el jardín ofrecía infinitas oportunidades para la aventura. Suciedad y piedras, plantas y maleza. Cosas que agarrar y romper, que probar y tirar. Encontró los tomates cherry, que le encantaban cuando se los encontraba en la ensalada. ¡Y el jardín estaba todo lleno! Allí colgando de las ramas y esperando a que ella los cogiera. Al poco tiempo ya tenía toda la cara manchada de rojo y sus padres intentaban decidir cuántos tomates serían demasiados para su pequeño estómago. Jenny decidió coger la cámara para grabar uno de los muchos momentos de la vida de Rebecca que se había propuesto guardar para la posteridad.

Steven cargó más plantas en la carretilla y se volvió para ver si Rebecca había alcanzado su límite de tomates. Su niña cruzaba a toda velocidad el jardín hacia él con la cara roja, con una sonrisa gigante y con la paleta en la mano. De repente se le paró el corazón y gritó "¡Rebecca, quieta!" mientras la visualizaba cayéndose y dándose en la cara con la paleta. Enseguida se abalanzó sobre ella; la sonrisa de la niña desapareció, se detuvo y una expresión de sobresalto se apoderó de su rostro. Para entonces, Steven estaba ya a su lado y se agachó rápidamente para quitarle la paleta de la mano. Rebecca vio la tensión y el miedo en el rostro de su padre. Le tembló la boca, se sentó pesadamente en el suelo y apartó la mirada enfocando la cara al suelo mientras le salía un grito de los labios.

Steven trató de consolarla mientras la levantaba, pero ella arqueó la espalda y giró los hombros para apartar la cara de él. Justo en ese momento, Jenny llegó corriendo con la cámara y Rebecca la escuchó y se giró hacia ella. Estiro los brazos y casi se le cae a Steven de los suyos.

Quería ir con Jenny con más fuerza y necesidad de la que había demostrado nunca. ¡Con el mismo grado de intensidad con el que no quería a Steven!

Jenny cogió a Rebecca y la abrazó con fuerza. Le habló con su voz calmada y tranquilizadora mientras su hija temblaba y sollozaba en sus brazos. Caminó lentamente por el jardín sosteniendo a su niña.

Steven las miró. Se sentía aliviado de que Rebecca no se hubiera hecho daño. Entendía que la había asustado y que ahora necesitaba a su madre. Steven necesitaba que su hija entendiera que no se había enfadado con ella. Le había gritado porque estaba asustado por ella. Tal vez podría haberlo gestionado de otra manera, pero su intención era mantenerla a salvo.

Jenny le contó a Rebecca tranquilamente que Steven se había asustado porque ella iba corriendo con la paleta. Le explicó que no se había enfadado con ella, sino que se había asustado. Rebecca parecía mirar por encima del hombro de Jenny a su padre. Jenny caminó lentamente hacia Steven. Extendió la mano hacia su hija y, tras un momento de vacilación, Rebecca fue hacia sus brazos. Él la abrazó, la tranquilizó y la miró a los ojos. Ella sonrió y señaló hacia los tomates cherry. La llevó a la planta más cercana y se sentaron en el suelo. Cogió un tomate maduro de la planta y se lo dio a Steven. Luego él le dio uno a ella. Jenny volvía a tener otra oportunidad de hacer fotos.

Rebecca perdió interés en los tomates y en Steven y se alejó hacia los pepinos. Steven se quedó sentado mirándola. No era más que un acontecimiento rutinario en un día rutinario con las dos personas más importantes de su vida. La niña a menudo se enfadaba con él o con Jenny. Quería tocarlo y cogerlo todo dondequiera que estuviera, y no se tomaba las negativas a la ligera. Parecía sorprenderse cada vez que sus padres frustraban sus deseos, sobre todo cuando se enfadaban por algo que ella había hecho.

Siguió sentado un rato más. ¡Rebecca había sentido vergüenza! Estaba claro que aquello era un ejemplo de lo que Allison y Jackie habían estado comentando. Seguro que Rebecca había experimentado vergüenza en numerosas ocasiones, pero esa era la primera vez que

Steven conectaba su angustia con lo que Allison había mencionado tantas veces. La vergüenza de Rebecca había sido breve y se había desvanecido cuando sus padres la consolaron, pero eso era lo que Katie experimentaba en cada momento de su vida. La vergüenza definía su existencia. Rebecca había integrado la vergüenza, y luego la culpa, en su sentido del *self* en desarrollo y en sus relaciones con sus padres. Cuando la vergüenza ocurría en la relación con sus padres, ellos siempre estaban dispuestos y eran capaces de reparar la relación, de ayudarla a sentirse segura nuevamente. La quieren y no es una niña mala. Su vergüenza se había mantenido pequeña gracias a la reparación y no se había convertido en un aspecto central de su ser. Las experiencias limitadas de vergüenza y luego de culpa eran vehículos para aprender los límites de la autoexpresión, la necesidad de integrar los propios deseos con los deseos de los demás y la necesidad de considerar las consecuencias de sus actos. Para Katie, su vergüenza generalizada no era ningún vehículo. La vergüenza demostraba su inutilidad. No podía aprender de ella; quería destruirla a través de su rabia. Necesitaba ocultar su mensaje, porque le decía que no era querida en esta tierra.

COMENTARIO

Cuando Katie se hizo pis en la colcha se generó la primera crisis de su estancia. Es muy probable que ocurran incidentes de este tipo en acogidas de niños que manifiesten los efectos de un trauma del desarrollo, porque son expertos en detectar lo que enfurecerá a sus padres. A sabiendas, no evitan esos comportamientos, sino que los adoptan. Tienen la compulsión de recrear las experiencias tempranas de rechazo, maltrato y disgusto a las que les sometieron sus padres. Buscan activamente la sensación de inutilidad que esas experiencias vergonzosas crean dentro de ellos. Para Katie, sentirse despreciable confirma la realidad del "*self* odiado" y destruye cualquier motivo para tratar de establecer una relación con Jackie. Era imposible que Jackie la quisiera. Y si la había querido, era imposible que continuara haciéndolo una vez que realmente viera lo mala que era. Katie pondría fin al proceso de acogida ella misma, en sus términos, en lugar de esperar a que fuera Jackie quien lo hiciera. Pero era inevitable que terminara, ya fuera rechazando a Jackie o siendo rechazada por ella.

Como de costumbre, la terapia comenzó con una charla entre Allison y Jackie sobre cómo iban las cosas en casa con Katie. Esto permitió a Allison saber cómo estaban Katie y Jackie. Después del incidente con la colcha, era crucial para Allison concentrarse en Jackie y en su respuesta emocional inmediata a lo que había ocurrido, así como en sus pensamientos y sentimientos actuales al respecto. Si Jackie no conseguía mantener su actitud terapéutica hacia Katie, el progreso se detendría y la acogida estaría en peligro. El incidente de la colcha podría fácilmente llevar a Jackie al estado de bloqueo de los cuidados, que, de afianzarse, convertiría el hecho de cuida a Katie en un trabajo destinado al fracaso. Allison tenía que atender las necesidades de Jackie para que ambas pudieran abordar las necesidades de Katie. Allison también valoraba a Jackie por sí misma, no simplemente como madre de acogida de Katie. Necesitaba comunicarle que su bienestar era importante para ella y que su angustia recibiría toda su atención antes de centrarse en Katie. Al trabajar para facilitar el apego entre Jackie y Katie, Allison necesitaba comunicar que ambas eran importantes para ella. Allison no debía olvidar a Jackie.

La sesión de terapia desbarató —al menos por el momento— el intento de Katie de dar por finalizada la acogida. A través de sus experiencias afectivas, Allison la había guiado desde su ira y su resistencia a que la ayudaran hasta su autorrechazo y desesperación. Lloró genuinamente, algo que no había hecho en años, y se volvió receptiva a las palabras de consuelo, a las caricias y al contacto de Jackie y de Allison. A pesar de su autodesprecio y su desconfianza por sentirse cerca de los demás, sintió el consuelo y la calidez y no pudo negar ni rechazar la experiencia. Pero, por supuesto, eso no podía durar, de manera que su modo habitual de experimentarse a sí misma y a los demás regresó rápida y enérgicamente. Ahora sentía una compulsión por invalidar lo que había ocurrido en la terapia, cosa que hizo en el coche justo después y haciendo pis en las escaleras a la mañana siguiente en casa. El hecho de que Jackie aceptara los intentos de Katie de sabotear la experiencia terapéutica fue crucial para evitar que la niña minimizara su validez. Jackie mantenía su conexión afectiva con Katie en terapia, pero también en el coche y mientras limpiaban juntas las escaleras después de la trastada de Katie. El jabón y el agua, aplicados con la actitud terapéutica de Jackie, mantuvieron la validez de las lágrimas de Katie.

La respuesta de Jackie a Katie por hacer pis en la colcha plantea la importante cuestión de qué debe hacer un cuidador terapéutico con su ira hacia su hijo. Hay buenas razones por las que la ira no debe formar parte de la actitud que estos niños necesitan para aprender a confiar en su nuevo padre. La vida temprana de Katie con Sally y Mike estaba impregnada de rabia dirigida hacia ella. Dicha rabia contenía rechazo, desprecio y disgusto, y plantó los cimientos para su autodesprecio. Esa rabia no tenía nada que ver con su comportamiento o con experiencias saludables de socialización. ¿Cómo puede un padre terapéutico expresar ira sin desencadenar una respuesta cognitiva y afectiva que se encuentra dentro de ese viejo patrón para definirse a sí mismo y al otro?

Jackie expresó su enfado sin insultar a Katie, sin amenazarla y sin mostrar desprecio por ella. Jackie usó "mensajes en primera persona", conectó su enfado con un comportamiento específico y manifestó por qué ese comportamiento no era aceptable para ella. Acto seguido de enfadarse, expresó suavemente su amor por Katie y su propósito de enseñarla a vivir bien en su familia. Esta expresión sirvió para reparar la relación que su ira había amenazado. Las lágrimas de Jackie transmitían tanto su ira por ese comportamiento como su temor por el futuro de Katie, un miedo entretejido con su amor por ella. Jackie estaba comunicando su implicación continua con Katie. Ante la respuesta completa de Jackie, Katie no pudo limitarse a interpretar la experiencia como una prueba de que ella era mala y de que Jackie estaba disgustada con ella. Katie se involucró más en su relación y en lo que su acción y la respuesta de Jackie expresaban, tanto sobre su valía como sobre el significado del amor de Jackie hacia ella. La experiencia le resultó inquietante y la hizo más receptiva a su terror y autodesprecio subyacentes cuando Allison exploró el incidente en la terapia.

Jackie expresó su enfado muy rápidamente e inmediatamente se esforzó en reparar los efectos de su enfado en la relación. Sin esa reparación, es probable que Katie hubiera entrado en su estado de vergüenza generalizada, lo que únicamente aumentaría las posibilidades de que tuviera un comportamiento similar en el futuro. Con la reparación, existe alguna posibilidad de provocar culpa por su comportamiento, lo que reduce la probabilidad de que lo vuelva a hacer.

Todos los padres, incluidos los terapéuticos, pueden tener un día especialmente difícil. Pueden estar irritables e impacientes y tener dificultades para mantener La Actitud durante todo el día. Puede que incluso los métodos de automotivación que suelen usar para superar esos días y que les permiten responder bastante bien a las necesidades de apego de sus hijos no funcionen. En esos días, los padres deben afrontar la verdad, aceptar la realidad de que tienen poca empatía por los demás, especialmente por su hijo, que no para de portarse mal, y cuidarse a sí mismos. Si es posible, deberían pedirle a otro adulto que asumiera el papel de cuidador principal. Si no es posible, podrían estructurar el día para que no hiciera falta tanta interacción y para que las rutinas implementadas redujeran la posibilidad de conflictos.

Los padres también deben "apropiarse" de su afecto y no proyectarlo sobre su hijo. En lugar de decir (o incluso pensar) "¡Me estás volviendo loco!", necesitan poder decirse a sí mismos y a sus hijos "Hoy no tengo mucha paciencia. Estoy de mal humor. No tiene nada que ver contigo, pero creo que deberías saberlo para que, si me enfado, sepas de dónde viene". O también podrían decir "Hoy estoy un poco enfadado y gruñón, así que necesito pasar un rato a solas. No tiene nada que ver contigo, y no te preocupes, lo superaré. Pero piensa en si te conviene causar muchos problemas hoy".

La experiencia de Steven en el jardín con Rebecca, que es el tipo de experiencia breve y normal de vergüenza que se da repetidamente en una relación sana entre padres e hijos, contrasta con la vergüenza generalizada que Katie había experimentado constantemente. Cuando Rebecca corrió hacia Steven con la paleta, experimentó mucha emoción y anticipó una respuesta de Steven en sintonía con su propio estado afectivo. Su respuesta claramente desincronizada con el estado afectivo de Rebecca le causó vergüenza a la niña. Su sentido del *self* no encontró validación. Se sentía más pequeña y menos especial. Inmediatamente se retiró a sí misma, física y psicológicamente. Jenny y Steven, con la misma rapidez, le proporcionaron empatía y la seguridad de que ella era especial para ellos. Estuvieron en sintonía con su angustia y le permitieron experimentar la seguridad del apego, desde la cual podía saber de nuevo que su *self* tenía valor. A través de la reparación interactiva, sus padres pudieron transmitirle el significado de la experiencia. La intención era socializar, mostrar el peligro de correr con un objeto afilado. Los motivos de sus padres no indicaban que la odiaran o que fuera mala. Más bien, indicaban lo verdaderamente especial que era para ellos a través de su compromiso de mantenerla a salvo.

CAPÍTULO 11

DECIR QUE NO A JACKIE

Al comienzo de la siguiente sesión de terapia, Jackie le contó a Allison lo intensa que se había vuelto la resistencia de Katie.

—Busca cualquier excusa para pelearse conmigo. Discute con más intensidad. No le gusta nada permanecer cerca de mí porque no quiere cumplir con las expectativas más básicas. Ayer le pedí que me pasara un papel que tenía a su lado y se negó. Incluso le gritó a Diane, algo que rara vez hace.

—Creo que el incidente con la colcha y nuestra última sesión realmente le molestaron —dijo Allison—. Lloró y te dejó apoyarla. También sintió su autoodio. Ahora podría estar buscando una manera de decirte que es mala y que no quiere tu apoyo. Además, cree que realmente no quieres dárselo de todos modos. Quiere desgastarte.

—Su comentario de que se alegraba de haber hecho pis en la colcha no me hizo quererla más precisamente —dijo Jackie.

—Ya me imagino —dijo Allison sonriendo—. Bueno, si ella está haciendo una declaración de intenciones, supongo que nosotras tenemos que contestarle con otra.

—¿Qué quieres decir? —preguntó Steven.

—Tiene que escuchar que vamos a ayudarla porque nos importa. Va a oírnos decir que entendemos y aceptamos su decisión de enfrentarse a nuestra ayuda. También va a oírnos decir que no estamos de acuerdo con su sensación de ser despreciable. Va a oírnos decir que las partes de ella que vemos y a las que respondemos son reales. Puede que no oiga todo eso en nuestras palabras, pero lo verá en nuestra actitud hacia ella —respondió Allison.

—¿Cómo puedes aceptar su decisión de pelear y seguir discrepando de ella? —preguntó Steven.

—Tenemos empatía ante el miedo y la resistencia que motivan su lucha. Le comunicaremos activamente nuestra empatía, compartiremos su angustia y le haremos saber que entendemos lo difícil que es para ella dado su pasado. De hecho, intentaremos demostrarle que su lucha activa contra nosotras es una muestra de lo mucho que está trabajando para conferir sentido a su vida. Está luchando por mantener la visión del mundo que aprendió de Sally y de Mike. Respetaremos su necesidad de hacerlo, pero seguiremos poniéndoselo difícil mostrándole continuamente el otro mundo. Un mundo basado en el amor y el disfrute de sus padres por ella, en el compromiso de seguir a su lado cuando esté sumida en la vergüenza y en la confianza en su capacidad para que acabe coincidiendo con nosotros en cuanto a lo que más le conviene. —Allison se detuvo a sabiendas de que era más fácil hablar de esto que hacerlo realmente—. Bueno, ¿y si voy a por la niña?

Allison comenzó a hablar mientras Katie se sentaba entre ella y Jackie en el sofá:

—Bueno, peque, te veo animada hoy. Tienes el pelo súper rizado, la nariz un poco saltarina y tus pecas parecen un poco mandonas, ¿verdad?

Katie sonrió en respuesta a la sonrisa de Allison y a su amable tono de voz.

—¡No tengo la nariz saltarina! —dijo riéndose.

—Ah, ¿no? A ver... —Allison le cogió el dedo índice y le presionó ligeramente la nariz dos veces—. ¡Sí que salta! Ya sabía yo que estabas especialmente animada hoy.

—¡Que no salta! —gritó Katie sonriendo aún más.

—Katie, las ganas que tienes de hacerme la contra me dicen que estás especialmente animada —dijo Allison pasándole la mano por el pelo.

—No quiero hacerte la contra —dijo Katie.

—Eres muy buena discutiendo, Katie. Lo haces sin pensar —respondió Allison.

—¡No lo hago! —dijo Katie riéndose.

—Se te da tan bien que te voy a dar un pequeño abrazo.

Cuando Allison lo hizo, Katie gritó. Ambas se rieron. Katie sonrió y miró a Allison a los ojos. A Allison le sorprendía a menudo lo fácil que resultaba al principio involucrar a la mayoría de los niños con traumas o con problemas de apego a los que había visto. Solo tenía que usar un tono juguetón, tolerante y curioso, y casi todos los niños iban espontáneamente hacia donde ella los dirigía la mayoría de las veces. Sabía que a Katie le resultaba mucho más difícil hacerlo en casa, todo el rato, con su madre, la mujer cuyos cuidados le generaban más temor y desconfianza. También sabía que la terapia con estos niños debía comenzar con esas experiencias lúdicas en sintonía, pero tenía que ir más allá. Katie necesitaba abordar su negatividad y su vergüenza para poder integrar esos aspectos de sí misma con las partes que eran fáciles de conseguir en la terapia. Sin esa integración, cualquier experiencia que tuviera en terapia, por muy placentera que fuera, no iría más allá del momento en que Jackie la limitara o le dijera que hiciera algo que no quisiera hacer.

Como hacía a menudo, Allison se relacionó con Katie de una manera más tranquila y menos bromista de la que también disfrutaban mutuamente. Le contó a Katie una aventura que su gato acababa de tener con un mapache. Por lo general, era fácil mantener su interés en las historias. Jackie contó la historia de cómo Diane y Katie habían rastrillado las hojas de alrededor de la casa y, finalmente, habían hecho un montón de hojas tan alto que se enterraron en ellas y Jackie y Mark tuvieron dificultades para encontrarlas.

—Parece que te lo has pasado bien esta semana, Katie. Aunque Jackie me ha contado que también has pasado muchos momentos difíciles. Me ha contado que has estado mal la mayor parte del tiempo —dijo Allison manteniendo su tono de aceptación y curiosidad al tiempo que notaba la repentina tensión y el retraimiento de Katie—. Me he puesto muy triste al enterarme de la difícil semana que has tenido. Parece que casi todo en casa te molesta. ¿Hay algo que podamos hacer para ayudar?

—No me molesta nada —dijo Katie con firmeza.

—Ojalá fuera así, cariño. Pero cuando necesitas estar mucho rato cerca de tu mamá es porque estas un poco gruñona.

—¡No necesito estar cerca de ella! ¡No necesito una mamá! —contestó Katie. Al igual que la forma juguetona y amistosa de implicarse había sido total, ahora estaba absolutamente molesta, sin ninguna señal de haber estado riéndose un minuto antes.

—Pero aún eres una niña, Katie, y es bueno que te cuide una mamá.

—¡No necesito una mamá! ¡Puedo cuidar de mí misma!

—Ay, Katie, has aprendido a cuidarte. Te has visto obligada a ser fuerte y dura y a no necesitar a nadie. Si eres una niña pequeña y necesitas una madre que te cuide, pero esa madre no lo hace muy bien, ¡tienes que cuidar de ti misma! ¡Y ser fuerte! Tienes que ser muy fuerte si nadie te cuida como es debido cuando eres pequeña.

—¡Nadie me cuidó, y Jackie tampoco lo hace! Solo finge cuidarme cuando tú estás delante. No se preocupa por mí. ¡Le pagan para que viva con ella!

—Jo, Katie —dijo Allison con cierta angustia por ella—. Crees que todo lo que significas para Jackie se resume en que ella recibe dinero por criarte. Con razón no te permites necesitarla. No me extraña que digas que ella no te importa, porque crees que a ella no le importas. ¿Qué dice ella cuando le dices eso? —Katie apartó la mirada—. Katie, ¿qué te parece si se lo digo por ti? Me gustaría saber qué dice ella. —Katie asintió, así que Allison comenzó a hablar por ella—: No quiero que me cuides. Además, tú no quieres hacerlo —dijo poniendo una voz más infantil y observando la expresión facial de Katie mientras lo hacía—. ¡Finges cuidarme, pero no te creo! —Luego añadió mucho más tranquila—: Me cuesta demasiado permitirme creer que quieres cuidarme. Si creyera que te importo, solo conseguiría que acabara doliéndome más cuando dejaras de fingir que lo haces. Y luego harías que me marchara, como ha hecho todo el mundo.

Jackie respondió con tristeza en su voz:

—Katie, sería increíblemente difícil creer que una madre se preocupa por ti y luego descubrir que no es así. Que no quiere quedarse contigo. No me extraña que hayas aprendido a ser fuerte y que no quieras que yo te cuide.

—Es difícil, Jackie. Pero es más fácil cuando te enfadas conmigo —dijo Allison hablando por Katie.

—Ay, Katie, ¡ahora entiendo mejor por qué te enfadas conmigo a veces! Si yo también me enfado contigo, es como un recordatorio de que tienes que mantenerte fuerte y de que no tienes que necesitarme para nada. Puede que quieras decir: "¡No quiero acercarme a ti! Solo servirá para que me duela más cuando me mandes lejos". Claro que te dolería, Katie. Claro que sí. Entiendo lo que dices, mi pequeña y fuerte niña —añadió Jackie.

—No soy pequeña. Y puedo cuidarme sola —siguió diciendo Allison como si fuera Katie.

—Me alegro de que seas fuerte, Katie. Y me gustaría que a veces pensaras que puedes confiar en alguien para que te cuide un poco, para que te liberes de todo el trabajo duro.

—No puedo confiar en nadie así.

—Lo sé, Katie. Espero que algún día puedas confiar en mí así.

—Yo también lo espero —añadió Allison casi susurrando.

Allison apoyó la mano en el hombro de Katie y dijo en voz baja:

—Buen trabajo, Katie. Sé que esos son algunos de tus sentimientos y son difíciles de expresar. Incluso pensar en ellos. —Katie estaba callada. Allison continuó—: Debe de ser difícil pensar que ninguna mamá se preocupará por ti... No me sorprende que te resulte difícil... permitirte acercarte a esta mamá —dijo Allison lenta y tranquilamente mientras pasaba la mano por la espalda de Katie al ritmo de sus palabras.

Sin cambiar el tono y el ritmo de su voz, se puso a hablar con Jackie, y ahora fue Jackie quien cogió a Katie de la mano en silencio mientras escuchaba.

—Jackie, ya sé que sabes... lo difícil que fue para Katie cuando era un bebé. Sally no la abrazaba lo suficiente... ni jugaba con ella lo suficiente... ni la mecía lo suficiente, como ella necesitaba. No es de extrañar que se enfade mucho contigo, Jackie. Todavía está enfadada con Sally por no ser la madre que necesitaba.

—Estoy de acuerdo —contestó Jackie—. Sé que a Katie le resulta difícil dejarse querer y confiar en mí. Sé que a menudo no quiere que yo sea su madre.

—¿Estás enfadada con ella por su enfado contigo?

—No. Sé por qué se enfada tanto conmigo. Puedo llevarlo bien.

—¿Y va a dejar de importarte?

—No, Katie me importa mucho, y eso no va a cambiar.

Katie permaneció inmóvil mientras escuchaba a Allison y a Jackie. Allison volvió a mirar a la niña y dijo en voz baja:

—Katie, mientras estás sentada ahí, voy a hacer un dibujo.

Allison empezó a hacer una serie de dibujos de Katie desde que era un bebé con Sally y Mike hasta sus siete años actuales y viviendo con Jackie.

—En este primer dibujo, eras un bebé feliz y cariñoso. Mira, ahí está tu corazón. Los corazones son para querer, y el tuyo funcionaba genial. Luego, en este dibujo, puedes ver que tu corazón estaba empezando agrietarse. Daba mucho amor, pero no recibía mucho amor a cambio, así que todos los días se hacía daño. En este tercer este dibujo, ya sales mayor y más grande; aquí ves el muro que construiste alrededor de tu corazón para protegerlo de más dolor. Fíjate, ninguno de los dolores puede atravesar el muro. Fue una excelente manera de proteger tu corazón y de tratar de mantenerte a salvo.

Allison se detuvo y observó a Katie estudiar los dibujos. Luego continuó:

—El problema de tu plan de usar el muro para mantener a tu corazón a salvo es que el muro también se deja fuera al amor. Fíjate, cuando entraste en tus hogares de acogida, ya no te estaban haciendo daño, así que en realidad no te hacía falta el muro. Pero derribarlo ahora no es nada fácil. Así que cuando tus padres de acogida intentaron quererte, ¡no sentiste su amor! El muro hizo que ese amor rebotara lejos de tu corazón. No me extraña que a menudo no sientas que Jackie te quiere de verdad. ¡No me extraña que no confíes en ella! A ver, Katie —siguió Allison aprovechando que la niña estaba muy atenta—, tenemos que encontrar maneras de ayudarte a derribar ese muro. Ya no lo necesitas, pero es muy difícil de derribar. —Después de una pausa considerable en la que Katie permaneció receptiva y tranquila, Allison añadió—: ¿Quieres que te ayudemos a derribar el muro, o quizás algunas partes al principio?

—Sí —respondió Katie en voz baja.

—Genial, cariño, si quieres nuestra ayuda, nos resultará mucho más fácil serte útiles. —Allison volvió a ponerle la mano en el hombro—. Me gustaría volver a hablar con Jackie como si fuera tú. ¿Te parece bien?

Katie asintió con la cabeza. Allison miró a Jackie y habló con una voz infantil y vulnerable:

—Sally no me cuidó muy bien. No sé por qué no lo hizo. Siempre he creído que era culpa mía, pero ahora no estoy segura. Creía que era una niña mala. Pero ahora no estoy tan segura. Quiero creer que era una niña buena, pero no estoy segura.

Jackie se inclinó hacia delante y le acarició el pelo a Katie.

—Ay, Katie —susurró.

Allison continuó:

—Quería creer que era especial para Sally. Pero no estoy segura... Quiero creer que soy especial para ti. Que piensas que soy una buena niña... y quizás que soy especial para ti. Quiero creer que... pero no estoy segura.

A Katie le cayeron unas lágrimas por las mejillas.

Jackie la acercó más hacia ella y Katie no se opuso. Jackie comenzó a mecerse con ella y canturreó suavemente. Katie no se resistió y se puso a llorar, y Jackie también.

Pasado un tiempo, Allison empezó a hablar tranquilamente con Jackie sobre lo difícil que era para Katie pensar en todo esto. Y también enfrentarse a esos sentimientos tan complicados. Allison dijo que creía que Katie estaba tratando de averiguar si quería la ayuda de Jackie y si era una niña normal. Luego hablaron de un viaje en barco que Allison acababa de hacer para ver ballenas de aleta. El barco, que estaba realizando una investigación para el College of the Atlantic, avistó varias ballenas, muchas de las cuales habían aparecido frecuentemente esa temporada. Katie estaba interesada y le preguntó a Jackie si ellas también podían ir a buscar ballenas. Allison le dijo que la temporada ya había terminado, pero Jackie dijo que podría llevarla el verano siguiente.

—Jackie, tengo el libro perfecto para que le leas a Katie —dijo Allison mientras caminaba hacia la estantería y Jackie volvía a abrazar a Katie. Allison les dio un libro con dibujos de varios animales y sus crías, y Katie se sentó en el regazo de Jackie. En la penúltima página aparecían una ballena y su bebé, y en la última página aparecía una mamá como Jackie en la cama con su bebé. Ambas sonreían y charlaban mientras Jackie leía el libro, y volvieron a abrazarse después de ver el último dibujo.

—Vamos a dejarlo aquí, Katie. Ha sido otra difícil sesión para ti. Y puede que te haya confundido más que nunca. Ojalá fuera más fácil para ti. Pero lo vas entendiendo. Un día de estos ya no será tan difícil —dijo Allison en su tono seguro y tolerante—. Después de la sesión de hoy, puedes decidir volver a pelearte con tu madre, como la semana pasada. No pasa nada si lo haces. Tu madre será capaz de gestionarlo y seguirá preocupándose por ti.

Y efectivamente, Katie volvió a pelearse con Jackie esa semana. Y las semanas posteriores también. Katie no conocía otra forma de vivir, y su fuerza y persistencia para tratar de hacerse con el control de la casa de los Keller eran increíbles. Parecía vivir de escena en escena, intentando sacar provecho a cada paso. Decidía cuál era la mejor manera de obtener lo que quería, ya fuera siendo encantadora y tratando de ocultar sus motivos o mintiendo y robando cosas. En general, Jackie la veía venir e interfería en sus planes. Inevitablemente, Katie se enfurecía con Jackie por ser tan "mala" y tan "cruel". Inevitablemente también, Katie recibía algún tipo de respuesta que mostraba implicación, ya fuera por su acción original, como robar, o por su respuesta a la intervención de Jackie, como tirar una taza.

Día tras día, Jackie seguía los comportamientos de Katie con una actitud PACE, pero no con las duras críticas o el rechazo que Katie parecía anticipar. Cada vez que Jackie aumentaba su supervisión, la acercaba, aumentaba la estructura de su día o iniciaba una actividad conjunta después de que Katie hubiera cogido algo que le pertenecía, Katie parecía sorprendida por lo injusto que era. Era como si estuviera pensando: "Yo quería eso. ¿Qué hay de malo en que lo coja? Eres mala por no dejarme tener lo que quiero. ¡Y eres más cruel aún por no dejarme hacer lo que quiero ahora para conseguir lo que quiero!". La sensibilidad ante los derechos y deseos de los demás miembros de la familia no eran el fuerte de Katie. ¡Los demás estaban allí para servirla! ¿Empatía por los demás? ¿Y eso qué es? Considerar lo que los demás querían antes de decidir si hacer algo no tenía sentido para Katie. Cada uno tenía que buscarse la vida. ¿Por qué tenía que preocuparse por lo que los demás pensaban o sentían? Ni se le ocurría pensar que a otra persona pudiera importarle de verdad lo que era mejor para ella. Tuvo que llegar a la conclusión de que Jackie solo quería controlarla, al igual que ella solo quería controlar a Jackie.

Pero no era justo que Jackie fuera más grande y tuviera el poder de establecer las reglas. Algún día Katie sería más grande, ¡y entonces sería feliz! ¡Ser una niña era horrible! Primero Mike y Sally le pegaron y le dijeron cosas malas. Ahora Jackie intentaba engañarla y decirle que la quería, ¡pero nunca la dejaba hacer lo que ella quería! ¡Pues menuda manera de quererla! ¡En realidad solo quería darle órdenes y hacerla infeliz! ¡Qué ganas tenía de crecer y vivir por su cuenta!

✳ ✳ ✳

Cuando los niños que carecen de la confianza básica en sus cuidadores principales entran en uno de sus increíbles periodos de pensamiento, afecto y comportamiento negativos, se pone a prueba la fuerza y el compromiso de las mamás terapéuticas como Jackie para continuar manteniendo La Actitud. Es difícil que no acabe habiendo un ambiente familiar negativo, así como un "círculo vicioso" de conductas y castigos. Las consecuencias específicas que se dan repetidamente en respuesta a comportamientos negativos crean una sensación de castigo, sin importar la actitud que intenta mantener la madre. Como resultado, muchos padres se han visto obligados a cambiar la estructura general del entorno del hogar para el niño y aumentar la supervisión. La estructura agregada no implica que el niño vaya a actuar de manera amistosa y cooperativa. El niño no tiene la oportunidad de estropear el tono diario. Más bien, el padre asume que el niño ahora no puede tolerar mucha diversión, ni tiempo libre ni demasiadas expresiones de afecto. Ahora satisface las necesidades del niño al reducir las opciones y el tiempo libre, brindando oportunidades de diversión en las que el niño puede mantenerse regulado y limitar las demostraciones más grandes y obvias de amor. Jackie le dijo a Katie que su comportamiento reciente indicaba que necesitaba pasar más tiempo con ella y que sería Jackie quien decidiría qué era lo mejor que podía hacer. También le dijo que ambas estarían bastante ocupadas, pero que no sería demasiado difícil porque Jackie estaría a su lado.

Junto con la estructura y supervisión adicionales, Jackie se aseguró de mantener su sentido del humor en sus interacciones con Katie. Una vez, Katie se enfadó especialmente y, en lugar de cerrar la puerta de un solo portazo como solía hacer, dio tres portazos. Jackie fue a su habitación y le insistió en que si iba a dar más de un portazo, tenía que hacerlo cinco veces, así que le indicó a Katie le debía dos más. Jackie se fue y al poco rato escuchó tres portazos más. Así que fue a agradecerle el portazo extra. Otra vez Katie llenó de agua una de las botas de goma de Jackie. Más tarde ese día, Katie estaba coloreando y al levantar la vista vio a Jackie regando las plantas con la bota. Luego la llevó al fregadero y volvió a llenarla de agua para regar las plantas que faltaban. Pero nunca lo comentó con Katie. Cuando Jackie respondía a los comportamientos de Katie de esta manera, llevaba cuidado de hacerlo con un guiño en los ojos, y no con ridículo o con sarcasmo.

* * *

Durante el resto de septiembre y hasta bien entrado noviembre, Katie recibió mucha supervisión, practicó sus habilidades personales y sociales y su capacidad de seleccionar opciones, así como actividades, algunas destinadas a evocar la risa y la diversión, y otras meramente prácticas y relacionadas con el cuidado de la casa. Si Jackie realizaba las actividades con ella, era mucho más probable que Katie se implicara, y a menudo su actitud negativa se disipaba momentáneamente. Jackie alternaba las tareas domésticas con el juego y con actividades activas o tranquilas, interactivas o solitarias, dentro de la estructura de cada día.

Cuando Katie se despertaba por la mañana, tenía preparada la ropa que Jackie le había seleccionado para ese día. En el desayuno, encontraba la comida que Jackie había elegido para ella. Después del desayuno, Jackie la acompañaba y conversaba con ella sobre ese día mientras Katie se lavaba la cara y los dientes. Jackie seguía hablando con ella mientras esperaban el autobús escolar. Cuando Katie volvía del colegio, Jackie la estaba esperando en la puerta con una sonrisa y con un vaso de leche y galletitas saladas. Luego Katie se ponía ropa de andar por casa y Jackie y ella hacían cosas juntas. Jugaban un rato en el columpio o Katie cogía la bici mientras Jackie admiraba sus habilidades. Cuando Jackie empezaba a preparar la cena, Katie se sentaba frente a la mesa de la cocina y escuchaba música mientras dibujaba y coloreaba. A veces, Jackie le pedía que la ayudara con algo de la cena. A menudo, Katie ponía la mesa.

Después de la cena, Mark se ocupaba de Katie, a menudo con actividades que solo hacían ellos dos, durante aproximadamente una hora, mientras Jackie se tomaba un descanso y los otros chicos se ocupaban de los platos. Luego venía el "tiempo con mami", en el que Jackie y Katie pasaban un rato especial juntas antes de que Katie se fuera a la cama. A veces Jackie le daba un masaje en la espalda, le lavaba el pelo con champú, jugaban con muñecas, le contaba cuentos, le leía libros, le cantaba y le enseñaba a tocar la flauta. Cuando Katie estaba de morros y se quejaba, Jackie se quedaba con ella y se negaba a que la rechazara o a rechazar a Katie. Jackie leía en voz alta, escuchaba música o se sentaba tranquilamente y se mecía mientras observaba a Katie. En esos momentos, le estaba mandando a Katie el mensaje de que podía contar con ella. Si Katie no quería participar en el disfrute con ella, Jackie aceptaba sus deseos, pero no se apartaba físicamente. Permanecía disponible durante su tiempo especial juntas. Finalmente, Jackie controlaba los preparativos de Katie para irse a dormir y tenían un breve ritual a la hora de meterse en la cama que les daba oportunidades para conversar tranquilamente y para tener contacto físico.

A veces, Katie se mostraba receptiva a que Jackie la meciera durante ese tiempo juntas. En algunas ocasiones, incluso le pedía a Jackie que le diera el biberón mientras la estaba meciendo. Jackie se lo daba únicamente cuando Katie se lo pedía y solo cuando podía recostarse tranquilamente en sus brazos y aceptar la leche o el zumo y los cuidados que ello representaba.

Al principio, Katie no aceptó estos cambios en su vida cotidiana con los brazos abiertos. Se volvió más reticente y se quejaba más. Jackie no tenía prisa. Katie se limitaba a sentarse cerca de Jackie mientras decidía si participar o no en la actividad que ella le había elegido. Algunas veces, Jackie tenía que sentarse con ella y sujetarla en la silla cuando Katie trataba de darle una patada o golpearla. A medida que fueron pasando las semanas y los meses, eso ocurría cada vez más menos y duraba muy poco. De vez en cuando, al sentarse y negarse a hacer algo, Jackie le daba un abrazo, la merienda, un libro que leer o un cuaderno para dibujar. También ponía música que sabía que le gustaba. A veces, pillaba a Katie cantando tranquilamente la música hasta que se daba cuenta de lo que estaba haciendo y paraba en seco.

A lo largo de los días y semanas, las oportunidades para la diversión y el juego libre estaban muy estructuradas. Jackie las suministraba, pero no como respuesta al buen comportamiento de Katie. Más bien se las suministraba de maneras que Katie podía gestionar como parte del programa. Simplemente reflejaban la creencia de Jackie de que los niños a menudo necesitan divertirse. Como Jackie había decidido que esa experiencia sería beneficiosa, se la daría a Katie. Y eso reflejaba el amor que Jackie sentía por ella. Algunas veces le había comentado a Katie como quien no quiere la cosa cómo funcionaba ese proceso, ya que Katie luchaba por convencerse a sí misma de que de alguna manera tenía el control cuando obtenía la "recompensa". Le costaba aceptar que fuera Jackie quien decidiera cuándo tocaba tener experiencias "divertidas" y que se las presentara porque eran buenas para ella y porque la quería, no porque "se portara bien" para conseguirlas. Se le pasaba por la cabeza interferir con la experiencia de la diversión, pero acabó descartando esa idea cuando se hizo bastante obvio que lo único que conseguiría es que

Jackie se pusiera triste por que no estuviera ni siquiera preparada para una dosis tan pequeña de diversión. Jackie no iba a enfadarse, así que, ¿de qué iba a servir?

A medida que pasaron las semanas, Katie se volvió más tranquila y menos angustiada por la supervisión y las limitadas opciones. Parecía sentirse contenta de no tener que tomar decisiones rutinarias diarias que solo le habían acarreado dificultades. Parecía sentirse contenta de estar cerca de Jackie cuando no estaba en el cole. No tenía que elegir estar cerca de Jackie, lo que podía sugerir que Jackie se estaba convirtiendo en algo especial para ella. Como "tenía que" estar cerca de Jackie, podía permitirse aceptar su presencia sin resistirse. Jackie charlaba con ella mientras ambas hacían cosas en la cocina o en la sala de estar. A veces, le acariciaba el pelo al pasar a su lado, le masajeaba los hombros o le hacía un "círculo de madre". No estaba evaluando a Katie; solo la estaba aceptando y disfrutando de ella.

* * *

El 24 de octubre, Katie y Jackie tuvieron su sesión semanal con Allison. Como solía hacer al principio de cada sesión, Allison mostró un interés considerable en la vida diaria de Katie con estos comentarios:

—¿En serio que estuvisteis juntas tu mamá y tú todo el día? ¿Sin un solo descanso?

—¡Tu madre me ha contado que ayer te dio siete besos en la frente y que cuatro de ellos te pillaron por sorpresa! ¿Es verdad?

—¡Me he enterado de que te enfadaste mucho con tu madre el domingo cuando te dijo que rastrillaras con ella cuando tú en realidad querías irte de paseo con Diane!

—¿Que te llevó el desayuno a la cama y te leyó un cuento mientras te lo tomabas? ¡Qué suertuda! ¿Tenéis una habitación libre para mí en casa?

—Me he enterado de que ayer pudiste salir de paseo con Diane pero que tuvisteis que volver pronto porque te caíste en el arroyo de detrás de la casa, te cortaste y… ¡te hiciste sangre! Jackie te vio caminando por el campo mientras Diane te rodeaba con el brazo.

Katie miró rápidamente a Jackie para confirmar si lo había visto y Jackie asintió.

—Jackie dice que cuando os acercasteis vio que ambas estabais llorando.

Katie rápidamente añadió:

—Yo estaba sangrando, ¡pero Diane también lloraba aunque no se había hecho nada!

—¿Y eso por qué? Me pregunto por qué lloraba también Diane…

—No lo sé —contestó Katie soltando una carcajada.

—¿Tú qué crees, Jackie? ¿Por qué crees que Diane también estaba llorando?

—Pues mira, Allison, se lo pregunté a Diane después de limpiar la herida de Katie y de ponerle una tirita. Me dijo que cuando Katie se cayó y se cortó y ella le dijo a Katie que tenían que volver a casa para curarla, Katie empezó a llorar porque quería dar un largo paseo con Diane. Me dijo que cuando vio que Katie se ponía tan triste, pero no enfadada, por tener que ir a casa, ella también se puso triste. Así que se puso a llorar también.

—¡Ay, Jackie, cómo me alegro de escuchar eso! Pero mucho mucho. Katie se puso triste, pero no se enfadó, y luego Diane también se puso triste. ¡Y ambas lloraron! ¿Es así?

—Eso es lo que me dijo Diane.

Allison se animó igual que hacía a veces cuando le pasaba algo nuevo a Katie. Su cara, su voz, su respiración, todo mostraba que estaba emocionada por algo. Su energía era tan contagiosa que Jackie y Katie la miraron expectantes e impacientes por escuchar lo que tenía que decir.

—Katie, Katie, Katie. Creo que eso quiere decir… quiere decir… que te estás volviendo lo suficientemente segura… lo suficientemente segura como para estar triste.

Katie parecía desconcertada. No tenía idea de lo que estaba diciendo Allison. Jackie habló por ella.

—Allison, ¿qué quieres decir con "lo suficientemente segura como para estar triste"? ¿Y por qué es tan importante?

Allison se dirigió a Jackie, a sabiendas de que Katie escucharía cada palabra que decía casi con más atención que si se lo estuviera contando directamente a la niña.

—Cuando algo va mal con Katie en tu casa, ella normalmente se enfada. Se enfada porque necesita estar segura de que es lo suficientemente dura y lo suficientemente fuerte como para gestionar cualquier cosa que le haya molestado. Estar enfadada a menudo te hace sentir más dura. Pero esta vez se permitió estar triste. Por haberse caído y por tener que volver a casa y no poder acabar el paseo. No estaba enfadada con Diane por llevarla a casa; estaba triste por que tuvieran que irse.

—Todavía no me queda claro lo que quieres decir acerca de tener que estar lo suficientemente segura para sentirte triste —dijo Jackie, más por Katie que por ella misma.

—Te cuento, Jackie. Cuando Katie era muy, pero que muy pequeña, después de nacer y algo de tiempo después, cuando aún vivía con Sally y con Mike, es muy probable que estuviera triste a menudo. Tenía hambre y frío, se sentía sola, cosas que les pasan todo el rato a los bebés, y lloraba. Seguro que lo hacía. Eso es lo que hacen los bebés cuando están tristes, y la mayoría de los bebés tienen un padre y una madre que ven lo que los hace infelices y los cuidan. Lo que pasa es que… me pongo triste solo de pensarlo, Jackie… cuando Katie era un bebé y probablemente incluso meses después de haber nacido, cuando lloraba, Sally o Mike no acudían a verla ni la cuidaban. Katie no se ponía más feliz después de llorar, porque no la cuidaban lo suficiente. No, lo más probable es que Katie hiciera desaparecer los sentimientos tristes. Descubrió que si podía hacer que se fueran, su infelicidad también disminuía. ¡Así que dejó de sentir! Y luego, pasado un tiempo, se dio cuenta de que había un sentimiento que sí que la hacía sentirse un poco mejor. Así que a veces, cuando era infeliz por algo que necesitaba, como comida, algo que hacer o que jugaran con ella, se enfadaba. ¡No se ponía triste, se enfadaba! Enfadarse la ayudaba a sentirse dura cuando no estaba contenta con algo, cuando no se sentía segura.

—Es muy triste que Sally y Mike no la cuidaran lo suficiente cuando lloraba.

—¿Le cuentas a Jackie lo difícil que fue, Katie? —preguntó Allison.

—Díselo tú —dijo Katie, que había cogido la costumbre de pedirle a Allison que hablara por ella, aunque a veces la corrigiera para matizar que no es lo que pensaba o sentía.

—Claro, Katie. —Allison se volvió hacia Jackie, puso la voz de Katie y, transmitiendo vulnerabilidad en su tono, dijo—: Jackie, fue difícil. Realmente difícil. No lo recuerdo exactamente porque era muy pequeña, pero creo que sí que lloraba. Porque tenía hambre o miedo, porque tenía frío o porque necesitaba un pañal. Y no venían. No venían cuando lloraba. Así que dejé de llorar, porque llorar solo empeoraba las cosas, y además no hacía que vinieran.

—¿Por qué empeoraba las cosas llorar? —preguntó Jackie.

—Porque… porque cuando lloraba y no venían, me sentía muy sola. Si no lloraba, no me sentía tan sola.

Mientras Allison hablaba, Katie y Jackie se miraban fijamente mientras les brotaban algunas lágrimas. Jackie abrazó a Katie y Allison se recostó y esperó unos minutos. Las emociones de Katie habían surgido con sus palabras. Por unos momentos, Katie respondió de manera no verbal y fue consciente de su deseo de que su madre la nutriera. Eso era todo lo que Allison quería. Poco a poco, ir construyendo lentamente una nueva forma de vivir para una niña de siete años. Esculpir una vida basada en la confianza y en la relación, estar triste y ser consolada, ser feliz y compartir la alegría. Poco a poco.

Pasado un rato, Allison dijo:

—Está bien, peque, basta de sentimentalismos. Ahora quiero hablar de otra cosa.

—¿Por qué lloraba también Diane si no se había hecho daño? —preguntó Katie sorprendiendo a Allison por querer seguir con la historia que la estaba haciendo llorar.

—Gran pregunta, peque, gran pregunta. Diane sentía tu tristeza, y esos sentimientos, tus sentimientos, también la hacían sentirse triste. Tu tristeza le estaba diciendo sin palabras: "Esto es difícil para mí. ¿Me vas a cuidar?". Cuando percibió eso, sintió que quería cuidarte. Tus lágrimas decían: "Quiero que me cuides". Y las suyas decían: "Quiero cuidarte". Cuando alguien que te importa llora, tú también lloras, lloras porque te importa. Las lágrimas de Diane ayudaron a que tus lágrimas se hicieran más pequeñas.

—Mamá también tenía lágrimas.

—Sí, peque.

Ambas sonrieron y luego miraron a Allison.

—¡Allison también tiene! —dijo Katie, que parecía encantada.

—Sí —dijo Allison sonriendo—. Y es por lo que te acabo de decir.

—Porque te preocupas por mí —dijo Katie con una risita.

Los ojos de Allison se abrieron como platos y dijo:

—Porque me preocupo por… —Katie parecía confundida, sin saber lo que iba a decir—. ¡Porque me preocupo por las dos! Por vosotras dos, madre e hija, madre e hija, por las dos.

Katie volvió a mirar a Jackie y sonrió.

✳ ✳ ✳

El 15 de octubre, Steven se pasó inesperadamente por la casa después del cole.

—Estaba por la zona visitando a otro niño y he pensado en pasarme a hablar con Katie y ver cómo está.

—Claro, Steven —dijo Jackie en la puerta de la cocina—. Aquí la tienes, recién llegada a casa y merendando. Estábamos charlando un poco sobre su día en el cole y en un ratito nos pondremos a recoger las últimas hojas del otoño, y luego puede que le demos algunas patadas al balón.

—Había pensado en llevarla a dar un paseo y también a tomar algo, si es posible —dijo Steven.

—No creo que sea buena idea, Steven, y puede que no lo sea durante un tiempo. Katie recibe seguridad a través de la rutina que tenemos cuando llega a casa después de un día duro en el cole. Me temo que nos pasaría factura a ambas que vosotros dos hicierais algo inesperado y emocionante después de haber estado fuera todo el día. Pero tengo más leche y galletas saladas, así que si quieres unirte…

Steven estaba desconcertado. No sabía qué decir. Quería preguntarle a Jackie, pero pensó que probablemente sería mejor no hacerlo delante de Katie.

Charló con ellas un rato y luego quedó en pasarse para hablar con Jackie cuando Katie estuviera en el colegio.

Cuando Steven llegó dos días después, Jackie lo recibió con café y panecillos y se sentaron a la mesa.

—Realmente no entiendo lo que sucedió el otro día —dijo Steven después hablar sobre asuntos prácticos relacionados con la acogida—. Creía que Katie tendría algo de tiempo libre al volver del cole y me pareció que podíamos hacer algo juntos.

—Katie necesita estar más cerca de mí —dijo Jackie—. Como te dije el otro día, está pasando por un momento difícil y necesita mi presencia para poder darle la vuelta. El tiempo libre tampoco le sienta bien ahora. Tengo que tomar las principales decisiones por ella. Normalmente le pongo algo de música que sé que la ayuda a relajarse. Hablo con ella e intento averiguar si quiere o no charlar conmigo. A veces veo que está agitada y que necesita moverse, así que la enfoco hacia una actividad que hagamos juntas, como la cama elástica, jugar a la pelota o correr por el circuito de obstáculos que hemos instalado en el patio trasero. Pero a menudo solo tomamos leche y galletas saladas y charlamos. Este comienzo tranquilo de su rutina parece tranquilizarla después del día en el cole. Ha aprendido a aceptarlo y en realidad está más relajada sentada conmigo que si tuviera la libertad de hacer lo que quisiera, ya que probablemente se metería en problemas. Empezaría e interrumpiría diez cosas de golpe, y cada una la haría sentir más infeliz que la anterior.

—¿Cuánto tiempo lleva estando tan cerca de ti? —preguntó Steven.

—Pues durante periodos bastante considerables desde hace unas dos semanas —dijo Jackie.

—¡Dos semanas! —dijo Steven como si no se lo creyera—. Suena muy duro. ¿Y qué es lo que puede esperar? ¿Por qué debería trabajar para conseguir algo si no hay nada que conseguir?

—Steven —respondió Jackie—, estar a mi lado no es un castigo. Tener que estar cerca de mí no es duro. Los niños en edad preescolar con apego seguro prosperan mientras están cerca de sus padres y luego van disfrutando gradualmente de cierta distancia. Katie nunca ha tenido eso. Además, no quiero que trabaje para "conseguir" algo. Lograr recompensas externas no hará que cambie de la manera que necesita cambiar. Quiero que aprenda a vivir bien en mi casa. Para hacer eso, tiene que pensar que es mejor para ella estar cerca de mí y aceptar la guía que le ofrezco. También necesita ver que disfruto con ella y debe sentirse cómoda cuando disfruto de ella en lugar de sentirse ansiosa y luego tratar de que deje de hacerlo.

—¿Cómo va a disfrutar de ti si le dices lo que hacer? —preguntó Steven.

—Ella acepta mi decisión de que nos sentemos juntas en silencio, y está más tranquila y más receptiva cuando no se preocupa tanto por tener el control todo el tiempo. Poco a poco va notando que esta rutina en realidad la lleva a estar más centrada y regulada y que es más capaz de disfrutar de más actividades sin sobreestimularse ni mirar constantemente al otro lado de la valla para ver lo que se está perdiendo. Sencillamente no hay problema de control, pero solo si no tiene más opciones en ese momento. Se limita a hacer lo que yo digo; no hay opciones que la confundan. Pero no es un castigo, Steven. Hacemos muchas cosas divertidas juntas.

—Pero ya tiene siete años, Jackie. ¿No la tratas como a un bebé?

—Bien visto. La trato de forma parecida a como una madre trataría a una niña de tres años —dijo Jackie—. Necesito ser consciente de ella y dirigirla. Ella me ayuda y yo la ayudo a ella con todo tipo de actividades, algunas podrían considerarse tareas y otras podrían considerarse ocio compartido. Paso mucho tiempo disfrutando de ella, divirtiéndome con ella y manteniéndola en el centro de mi vida, como haría una madre con su bebé. A veces, mientras está "sentada", trabaja o juega tranquilamente. Además, a menudo la involucro con canciones, jugando a "palmas palmitas", manteniendo contacto físico y riéndonos. A veces nos quedamos sentadas en silencio y a veces bailamos por toda la habitación. Pero estamos juntas.

—Eso no suena tan mal. Tenía miedo de que fuera más punitivo de lo que parece —dijo Steven.

—No es punitivo en absoluto, Steven —dijo Jackie—. Es enriquecedor y protector, y satisface sus necesidades más básicas. En muchos sentidos, no es lo suficientemente madura como para que la traten como a una niña de siete años. Emocionalmente es una niña pequeña y necesita que yo le proporcione sus rutinas diarias. Lo punitivo es cuando se anima a los padres a establecer consecuencias que minimicen los problemas del niño con el fin de evitar ser "negativos". Un niño puede incurrir en comportamientos destructivos o perturbadores una y otra vez durante días, y la consecuencia para cada uno de ellos es un tiempo fuera de cinco minutos, perderse un programa de la tele o quedarse sin postre. Entonces el niño incurre en los mismos comportamientos una y otra vez. ¡Es un bucle destinado al fracaso! ¿Y se supone que eso es positivo? También me parece punitivo cuando les damos a los niños muchas opciones, porque la mayoría de las veces no les sale bien lo que están haciendo o no se sienten felices con ello. Así que buscan compulsivamente algo nuevo todo el tiempo. Cuando un niño no aprende de sus errores, tenemos que eliminar la posibilidad de que cometa más errores hasta que pueda aprender de ellos. También me parece que es punitivo cuando un niño no es capaz de regular sus emociones, pensamientos o comportamientos, por lo que se desregula y se mete en problemas. Yo sé todo el rato si Katie se desregula en una situación determinada o a una hora concreta del día y tengo en mente actividades para ayudarla a permanecer regulada o para volver a regularla si hace falta.

—Pero si la consecuencia ocurre enseguida y termina rápidamente, ¿no le damos al niño una segunda oportunidad? —preguntó Steven.

—¿Qué tipo de oportunidad le estamos dando si vuelve a fracasar al hacer lo que se le pide? El padre tiene que decidir: ¿es probable que el niño elija hacer algo que le lleve al éxito y al disfrute o no? Si estoy bastante segura de que va a elegir mal, no le daré la opción. Le proporcionaré mucha supervisión y haré que me acompañe en actividades prácticas o divertidas, o en lo que sea, hasta que confíe en que hay más posibilidades de que tome una decisión que realmente la beneficie. O si estoy segura de que si se equivoca, aprenderá de ello.

—Bueno —dijo Steven—, me gustaría oírte decir que dentro de otras dos o tres semanas Katie estará más capacitada para saber qué es lo que más le conviene y ya podrá tener más libertad para elegir.

—Ojalá pudiera, Steven —dijo Jackie—. Créeme si te digo que esto no es ninguna fiesta para mí. Estar con Katie todo el tiempo es muy exigente. Sé que si consigue recibir el mensaje básico que le estoy comunicando ahora, le irá muchísimo mejor cuando "la vaya soltando" gradualmente.

—¿Y cuál es ese mensaje básico? —preguntó Steven.

—Que estar con mamá le proporciona seguridad, amor y diversión, y que esas cosas sientan bien. Que puede confiar en mí, confiar de verdad, que solo intento hacer lo que creo que es mejor para ella. Y que se meterá en problemas por no estar de acuerdo conmigo sobre lo que más le conviene. Estar con una madre también te permite aprender lo que necesitas saber para tener una buena vida. Una vez que estas verdades se conviertan en un hecho para ella, estará lista para dejarme formar parte de su vida, y luego se sentirá segura y buscará la diversión y el amor con o sin mí.

—Lo que dices ya me cuadra más, Jackie —dijo Steven—. Pero si pudieras darme ejemplos reales de algunos días típicos de Katie me resultaría más fácil contárselo a mi supervisora.

—Por supuesto, Steven —dijo Jackie—. Llevo un registro diario que luego me sirve para la terapia. Lo ampliaré un poco y te daré una copia.

—Genial, Jackie. Me vendría de maravilla.

Diario de Jackie

16 de octubre de 1994

Como de costumbre, he salido de la cocina un minuto para hablar con Mark. Whimsy se ha puesto a aullar y a ladrar. Cuando he vuelto, Katie estaba tranquilamente sentada a la mesa. Whimsy estaba en un rincón mirándola a ella y luego a mí. Se me acercado cojeando un poco. ¡Le había hecho daño en la pata! Ha hecho que me vuelva a enfadar. ¡Todo ser vivo en mi casa tiene que estar a salvo! Se me ha revuelto el estómago al decirle que la quería y que iba a enseñarle a tratar a Whimsy correctamente. Whimsy es totalmente intocable para ella. Si estamos haciendo algo divertido en la salita y entra Whimsy, nos vamos. No va a estar en la misma habitación que él a menos que alguien esté dispuesto a vigilarla en todo momento. Además tiene que ayudar a limpiar lo que él ensucie y lavar sus cuencos de comida y de agua. No me fío de que le dé de comer. Creo que podría envidiar la facilidad con la que Whimsy nos muestra su amor y cómo le correspondemos.

18 de octubre de 1994

Le he dado la espalda un segundo y, al volverme, el suelo estaba lleno de Cheerios. Katie "no sabía" cómo habían llegado allí. Le he dicho que como ella era la única que estaba con ellos, era su responsabilidad evitar que saltaran de la caja. Así que tenía que volver a meterlos todos en la caja. Después de un tiempo más que suficiente para recogerlos, he visto que muchos todavía estaban en el suelo. He recogido algunos del suelo y se los he tirado por la camisa. Entonces se ha enfadado. Para ser equitativa, le he dicho que me tirara unos cuantos a mí por la camisa. Y vaya si lo ha hecho. Luego le he puesto unos cuando en el pelo, y ella me los ha puesto a mí. Hemos compartido un vaso de zumo de manzana. Después hemos hecho una carrera para ver quién recogía más Cheerios del suelo, y ella ha ganado un puñado de arándanos, para su sorpresa. La he llevado al colegio una hora tarde. Al volver, ha ido a ver si quedaban Cheerios y se ha encontrado con un camino de Cheerios que llevaba hasta el columpio. Se ha quejado y ha tirado un poco de carne durante la cena. Ha terminado de cenar mientras Mark se tomaba el postre. Antes de acostarla, le he pintado la cara con rotuladores lavables y ella me la ha pintado a mí. Mark nos ha hecho una polaroid. Me ha dejado acurrucarla al acostarla.

19 de octubre de 1994

Ha vuelto del cole alegre y servicial. Hemos charlado tranquilamente sobre cómo le ha ido el día y luego hemos cubierto la mesa con papel y hemos estado dibujando. Enseguida me ha preguntado que si podía venir una niña del cole a verla el sábado. Le he dicho que no. Y se ha acabado su buen humor. Se ha negado a ayudarme a limpiar la cocina antes de cenar. Ha tirado la escoba. Se ha sentado un rato en la silla sosteniendo la escoba y el recogedor. Ambas queríamos la escoba, así que hemos acordado que ella usara la escoba y yo el recogedor de polvo y a mitad de habitación cambiábamos. Al final nos las hemos arreglado para limpiar la cocina. Le he hecho su comida favorita: pizza. Se ha quejado sobre los trozos de pepperoni que le han tocado. Le ha cogido un trozo a Matthew, así que le he dicho que tenía que darle tres de los suyos en compensación. Ha tirado la pizza y se ha levantado de la mesa. Me ha puesto triste que no haya podido disfrutar de su comida favorita. Antes de ir a la cama, hemos jugado a "Mami, ¿puedo…?" y se reía cada vez que la llamaba "mami". Ha dejado que le masajee la espalda y que le cante una nana tranquila.

20 de octubre de 1994

Al volver del cole, tira su mochila y sus cosas el porche. No la dejo merendar hasta que mete la mochila en casa. Intenta que la metan los otros niños. La tira en una esquina de la cocina, pero tiene que dejarla en la mesa de al lado del armario. Acaba haciéndolo, pero ya queda muy poco para cenar, así que se queda sin merienda. Se enfada por eso y no quiere sentarse a cenar. Finalmente cena cuando los demás ya hemos terminado. Come solo un poco, aparentemente para castigarme. Le digo que sienta muy bien tener la tripa llena y que me sorprende que no quiera comer. No habla mucho a la hora de acostarse, pero hacemos un poco de tira y afloja con una sábana vieja. La mezo y se calma. No deja de sorprenderme la falta de conexión entre un estado emocional y otro que ha sucedido hace solo unos minutos.

22 de octubre de 1994

Las tareas domésticas conjuntas del sábado transcurren con bastante normalidad. La pierdo de vista cinco minutos cuando sale del baño. Coge una revista de Diane. Encuentro algunas páginas debajo de su cama. No sabe quién las puso allí. Prepara un librito ilustrado de cinco tareas que va a hacer por Diane. Cada vez que Diane le dé el dibujo de una tarea en particular, ella tiene que dejar todo lo que esté haciendo y ponerse a ello. Yo también hago dibujos de tareas que haré para Katie. Cuando me dé uno, dejaré lo que estoy haciendo y la haré: servirle un tazón de helado, dejarla ver la tele una hora, hacerle la cama y darle un libro para colorear. Esto la sorprende, pero se recupera rápidamente y se come el helado mientras ve la tele y colorea. Pisa una ceras sobre la alfombra y derrama un poco de helado en el sofá. Le doy un cubo de agua con jabón y luego la aspiradora. La abrazo y me cae algo de agua con jabón en la camisa. Hago como que me enfado, me echo un poco más de agua con jabón en la camisa y la vuelvo a abrazar. Nos reímos y el sonido es extraño. Se sienta en la cocina y me escucha charlar con Diane hasta la hora de comer. Consigue comer con la familia hasta el final por primera vez en diez días.

23 de octubre de 1994

Nos vamos de la iglesia a mitad de misa porque se pone a bostezar y a eructar durante el sermón. Pasa parte del domingo por la tarde echándose la siesta y escribiendo una carta de disculpa al pastor. Después de tres ruidosos eructos ("¡No era mi intención!"), se come la cena del domingo cuando el resto de nosotros ya hemos terminado. Pasa un rato tranquilo antes de acostarse. Jugamos con dos de las viejas muñecas de Diane. En realidad hace que una de las muñecas se siente cerca de ella para golpear a la otra muñeca. Mezo a una muñeca y no se opone cuando le hago a ella lo mismo.

24 de octubre de 1994

Después de la terapia de esta tarde está más retraída. Centrarse en cuando Mike la maltrató parece resultarle complicado. En casa, mientras hace magdalenas conmigo, me pregunta por qué Sally no la mantuvo a salvo. No hay contacto visual. Luego se le caen las judías que le había pedido que desgranara. Se ríe cuando encuentra dos Cheerios debajo de la encimera mientras recoge las judías. Después de la cena, la sorprendo tratando de coger las redacciones que Mark se había traído a casa para corregir. Es raro que intente coger algo de Mark. ¿Estará relacionado con la ira que siente por Mike? Le pide disculpas a Mark por carta y luego tenemos un rato de tranquilidad. La acuno durante mucho rato.

25 de octubre de 1994

Se entera en el cole de que queda una semana para Halloween. Se sorprende cuando le digo que no se disfrazará ni irá a pedir chucherías por las casas. Encuentra una excusa para atacarme y tengo que sujetarla un rato hasta que se calma (hacía semanas que no pasaba). En realidad, llora un poco en respuesta a mi empatía por no tener Halloween como los otros niños (es una de las pocas veces que llora fuera de la consulta de Allison). Después de cenar, nos reímos mucho cuando cantamos "En la granja de Pepito" y "Las ruedas del autobús".

26 de octubre de 1994

Se enfada en el desayuno porque hoy hay gachas pero ella quiere tortitas. No se quiere vestir para ir al cole y pierde el bus. Insiste en que la lleve. Le digo que estoy muy ocupada, así que hacemos juntas los deberes y las tareas domésticas durante el tiempo que debería estar en la escuela. A la hora de la tarde en la que habría vuelto del cole, jugamos un momento a que ella es una galleta de jengibre que he hecho y me la quiero comer.

27 de octubre de 1994

Se va al colegio tranquilamente. La recibo cuando vuelve, le doy la merienda y luego cuesta un poco que hagamos las cosas juntas, incluso las divertidas. Tenemos media hora de enfado, pero lo acabamos todo antes cenar. Se acaba casi toda la cena, pero tiene que sentarse en la silla de al lado de la ventana cuando ella le grita a John por contarnos una historia sobre su día, como si hiciera falta que Katie le diera permiso. Todo bien al irse a la cama. Nos imitamos la una a la otra frente al espejo. Recorro su cara mientras se mira al espejo. Parecía fascinada al ver mi dedo causando esas sensaciones en su piel.

28 de octubre de 1994

No encuentro mi cazadora. Al final la veo en su armario, y al cogerla encuentro algo de ropa interior sucia y mojada. No sabe cómo ha llegado allí. La lava dos veces. Lo sacamos todo de su armario para ventilarlo. Le digo que tenemos que dejarlo vacío un tiempo para así poder registrarlo mejor. Metemos algo de ropa y juguetes en el ático. Me acusa de "robarle" sus cosas. Le sugiero que las estoy protegiendo de que se haga pis encima de ellas. A la hora de dormir, le canto y luego me acurruco a su lado y le leo un libro.

29 de octubre de 1994

Las actividades del sábado por la mañana no van bien. Mientras lavo los platos, Katie está barriendo el suelo de la cocina. Cuando le ordeno que la barra por tercera vez porque se ha dejado suciedad, me grita que hace un minuto no estaba sucio. La ignoro, pero un minuto después empiezo a gritar que alguien ha metido otro tazón sucio en la pila. Corro a la sala de estar y le grito a Diane, y luego salgo corriendo y le grito a Mark. Cuando vuelvo, grito que hay otro tazón más en la pila. Doy una patada en el suelo, me voy a mi habitación y doy un portazo. Katie se queda en silencio un rato y acaba de barrer el suelo. Diane sugiere que una de ellas debería traerme un vaso de agua. Katie quiere que lo haga Diane, pero la sigue hasta mi habitación. Las tres nos reímos un montón y en la comida les digo que me duele la garganta de gritar tanto.

COMENTARIO

Durante la primera sesión de terapia de este capítulo, Allison logró construir sobre la anterior, en la que Katie lloró por primera vez ante su capacidad de ser consciente de sentirse despreciable después de hacer pis en la colcha. En esta sesión, intentó llevar a Katie a su pasado para que fuera capaz de sentirse igual en respuesta a su rechazo por parte de Sally. La apropiada y visual historia del muro alrededor del corazón provocó cierta empatía por "Katie peque", lo que le permitió tolerar el hecho de volver a experimentar sus primeros años de desesperación, aunque fuera brevemente.

Al conectar gran parte de su desesperación, soledad, ira y posterior sentimiento de abandono con Sally, Katie se mostró receptiva a experimentar a Jackie como diferente de su primera madre. Entonces fue más capaz de permitir que Jackie la consolara mientras experimentaba el dolor de su pasado. El acto de sentirse consolada y aceptar consuelo cuando se experimenta angustia es una interacción fundamental para facilitar el apego. Estar lo suficientemente segura como para estar triste es una característica fundamental de este proceso. La tristeza requiere experimentar una sensación de vulnerabilidad que puede dar mucho miedo. No podemos enfadarnos con los niños que no se permiten ser vulnerables. Más bien, debemos encontrar formas de ayudarlos a experimentar una mayor seguridad.

En la otra sesión de terapia, Allison se centró en aumentar la conciencia de Katie sobre los sentimientos ambivalentes que había tenido al estar con Jackie la mayor parte del día. Quería ayudar a Katie a sentir que su "libertad" cuando vivía con Sally y Mike era en realidad indiferencia y abandono y que la experiencia había sido muy dolorosa. Quería que Katie tuviera un conocimiento inicial del consuelo y la seguridad que podría experimentar a través de la presencia continua de Jackie y que contrastara esa realidad con su vida diaria de aislamiento con Sally.

Con frecuencia, Allison tomaba la iniciativa de crear historias con Katie que la ayudaran a comprender su pasado y su efecto en el presente. Estas historias también tendían a evocar parte de la angustia que había sentido a lo largo de los años. Esta vez no sentiría la angustia sola; experimentaría la empatía de Jackie y de Allison. Una vez desarrollados los temas clave, Allison habló como si fuera Katie para contarle a Jackie la historia. Usó la voz y las palabras de Katie, que tendían a permitir que Katie experimentara esos aspectos de la historia con mayor profundidad. En la PDD, el terapeuta deja claro que sus declaraciones son suposiciones sobre lo que el niño puede estar pensando o sintiendo. También aclara que si el niño es consciente de otro pensamiento o sentimiento, solo tiene que corregir al terapeuta y decir lo que está sintiendo. Lo más habitual es que el niño acepte que la voz del terapeuta representa la suya y que experimente esa comunicación casi como si ella misma la hubiera expresado.

Los días y semanas que Jackie estructuró para Katie para que pudiera funcionar con seguridad dentro de su actual nivel de madurez afectiva fueron cruciales para su progreso final, al igual que para muchos niños con un déficit de experiencias tempranas facilitadoras de desarrollo afectivo. Al proporcionar a Katie ese grado de estructura y supervisión, Jackie pudo cuidarla como si fuera una niña pequeña. Le proporcionó una supervisión y una proximidad física casi constantes, necesarias para que Katie acabara considerando a Jackie como una figura de confianza.

Jackie tomaba casi todas las decisiones por ella, ya que su propia capacidad para elegir lo que más le convenía estaba muy mal desarrollada. El grave déficit de Katie a la hora de ser consciente de su vida interior hacía casi imposible que pudiera decidir por sí misma. Poco a poco, Katie fue aceptando la necesidad de que Jackie tomara la iniciativa para decidir qué actividades harían juntas. Jackie estructuraba mucho el día para asegurarse de que Katie tuviera una variedad de actividades dinámicas y tranquilas, algunas con tareas domésticas y otras destinadas al ocio, todas ellas experiencias que la niña necesitaba.

Para Katie, el "tiempo con mami" o las experiencias enriquecedoras y divertidas con Jackie disponibles todos los días fueron fundamentales para el beneficio terapéutico de una estructura tan marcada. Por esa razón, era necesario que Katie no tuviera que ganarse su "tiempo con mami". Condicionarlo a un comportamiento aceptable habría socavado su valor a la hora de reafirmar el valor incondicional de Katie. Independientemente de su comportamiento, Katie recibía experiencias divertidas y cariñosas de Jackie, del mismo modo que una niña pequeña en un buen hogar siempre recibe esas experiencias.

El *self* afectivo del niño que presenta conductas propias de un trauma del desarrollo tiene una integración deficiente. Puede moverse entre la rabia, el placer, el miedo y la tranquilidad en cuestión de segundos. Por eso a menudo Katie podía estar muy enfadada y enfrentarse a Jackie durante gran parte del día, y luego mostrarse muy receptiva a las experiencias enriquecedoras del "tiempo con mami" antes de acostarse. Esta realidad no hace que sus expresiones y comportamientos en el "tiempo con mami" respondan a la manipulación o sean menos genuinas. Su forma de actuar durante esos momentos es tan real como en los otros. Durante el "tiempo con mami", Katie es capaz de manifestar el *self* que está en sintonía con una madre cariñosa y juguetona. Durante muchas otras ocasiones, está manifestando el *self* que está desincronizado, solo, resentido e impregnado de vergüenza. A falta de integración, Katie no puede mantener el "buen *self*" cuando no experimenta sintonía con Jackie. Cuando Jackie no está, su pequeño y debilitado "buen *self*" desaparece rápidamente bajo la intensidad del "malo". Katie solo podrá integrar el *self* "bueno" y "malo" a través del desarrollo de la seguridad del apego con Jackie (tanto con la "buena" Jackie como con la "mala", la enriquecedora y la estructuradora). Cuando finalmente pueda interiorizar a esta Jackie completa, podrá mantener su percepción de sí misma como algo completo y valioso, y no necesitará la presencia física y psicológica continua de Jackie. Si Jackie y Allison quieren que Katie sea capaz de desarrollar confianza en Jackie, es crucial que sean capaces de obviar las barreras de Katie para, poco a poco y con la ayuda de la actitud PACE, obtener su total implicación en esas experiencias de sintonía, en las que el *self* saludable pueda comenzar a florecer.

CAPÍTULO 12

CENA DE ACCIÓN DE GRACIAS

Para cuando llegó Acción de Gracias, Katie ya llevaba cinco meses y medio en casa de los Keller. A Jackie le parecían cinco años. Lo único predecible acerca de Katie era que siempre quería tener el control de cada situación. Haría lo que pensara que podría otorgarle control sobre Jackie y sobre los demás miembros de la familia. A veces, parecía estar más tranquila con la casi constante supervisión y apoyo directo de Jackie. Pero su deseo de retomar el control estaba siempre a punto de aflorar. Todavía se resistía a muchas solicitudes diarias, se enfurecía, podía ser destructiva y, a menudo, estaba gruñona e irritable. Podía pasarse varios días cooperando con Jackie y sintiéndose aparentemente contenta con su vida. Pero en el momento en que Jackie le daba un poco de libertad, Katie aprovechaba la oportunidad para volver a tomar el control y sabotear sus esfuerzos. Sin embargo, como había habido ciertos avances, Jackie decidió que aprovecharía la oportunidad para llevar a Katie con el resto de la familia a la tradicional cena de Acción de Gracias. Además, durante las vacaciones, encontrar a alguien que pudiera cuidar de Katie sería imposible, y Jackie no tenía la intención de quedarse en casa para el Día de Acción de Gracias con Katie mientras que el resto de la familia se iba a casa de su madre.

El Día de Acción de Gracias, la familia Keller viajó a Brunswick para celebrar la cena tradicional con la madre de Jackie, Sarah. Los hermanos de Jackie, Jane y Tony, y sus familias también iban a acudir, tal y como lo habían hecho durante años. No veía mucho a Jane, que vivía con su familia en Connecticut. Tony trabajaba en la Universidad de Maine en Farmington, así que lo visitaba mucho más a menudo. Por eso motivo, Tony había llegado a conocer a Gabe, y ahora a Katie, bastante bien, y aunque no los entendía, sabía del trabajo que suponía cuidar a los niños de acogida y también que a menudo requerían una forma diferente de crianza. Sarah intentaba entender, pero, por supuesto, tenía sus opiniones, y a veces se las expresaba a su hija. Jane tenía su propia vida y nunca había entendido en realidad lo que se proponía su hermana con sus niños de acogida. Jackie sabía que aquella no sería precisamente la cena de Acción de Gracias más tranquila de la historia de su familia, pero se sentía preparada para lidiar con la falta de cooperación de Katie, que probablemente sería mayor de lo habitual. Cuando tenía público, Katie tendía a experimentar con nuevas formas de irritar a Jackie, aparentemente para ver si podía salirse con la suya. O podía deleitarse avergonzándola. O quizás el hecho de estar con más gente le creaba una ansiedad que no podía gestionar o le ofrecía opciones que generalmente no estaban disponibles. A veces, Jackie no sabía qué era lo que la llevaba a comportamientos cada vez más desafiantes.

Mark vigiló a Katie mientras Jackie estaba ocupada ayudando a su madre a preparar la comida. Katie ya se había acostumbrado a los hijos de Tony, Nathan y Art, y ellos también se habían acostumbrado a ella. Tenían mucho cuidado con sus juguetes cuando Katie andaba cerca. Los hijos de Jane, Melinda y Bob, no estaban tan bien preparados. Katie le pidió a Melinda su Game Boy. Mark comenzó a sugerir que jugaran otra cosa, pero el padre de Melinda, Robert, dijo que por supuesto que Katie podía jugar con el juguete de Melinda. Cuando Katie no consiguió ganar, la tiró al suelo. Incluso cuando parecía que se había roto, Robert seguía entendiendo y perdonando, aunque Melinda no. Mark dijo que Katie se responsabilizaría de comprarle una nueva si no se podía arreglar. Katie se puso a gritar al oír eso, y gritó aún más cuando Mark insistió en que se sentara a su lado mientras los otros niños seguían jugando en el suelo. Jane salió de la cocina para ayudar, y cuando descubrió el problema, le aseguró a Mark que no era necesario que Katie comprara una nueva

CENA DE ACCIÓN DE GRACIAS

Game Boy, ya que no tenía la intención de romperla. Mark indicó que Katie tendría que comprar otra si fuera necesario. Jane quería ayudar a Katie a superar su angustia. Le dijo que no se preocupara por eso, ya que sabía que podía arreglarla. Rodeó a Katie con el brazo y le sugirió que la ayudara en la cocina colocando un aperitivo de frutas en los platos y llevándolos a la mesa. Katie sonrió y alegremente la acompañó. Ya había encontrado una aliada.

A Jane le encantó Katie. Jackie las miraba con cierta diversión y algo molesta. Ahora su hermana nunca la creería cuando le describiera algunos de los comportamientos de Katie. Ya la estaba oyendo decir cosas como "Seguro que no es tan mala", "¡Solo es una niña!" o "¿No eres demasiado dura con ella?".

Cuando llegó el momento de sentarse a la mesa, Jackie descubrió que Katie había conseguido sentarse al lado de Jane, así que dijo que sería mejor que Katie se sentara a su lado. Jane insistió en que le parecía bien que Katie se quedara a su lado. En un esfuerzo por no parecer "poco razonable", Jackie no se opuso. Jane estuvo de acuerdo en seleccionar las cantidades de comida correctas para Katie, aunque estaba claro que creía que Katie era lo suficientemente mayor como para hacerlo por sí misma.

Jane preparó el plato de Katie y la niña le sonrió angelicalmente y le dio las gracias. Cuando Jane le puso el cuenco de salsa al lado, Katie le preguntó en voz baja si podía ponerse ella la salsa en el puré de patatas. Jane sonrió, le dio el cucharón y se volvió para hablar con Sarah. Katie cogió el tazón con una mano y comenzó a bajar el cucharón a la salsa. Con una tenue sonrisa y claramente centrada en lo que estaba haciendo, volcó el tazón y la salsa cayó sobre la mesa y sobre el regazo de Jane. Al ver toda la secuencia, Jackie gritó:

—¡Katie!

Y Jane también gritó al levantarse de un salto de la silla para ir al fregadero de la cocina. Los otros parientes se quedaron de piedra mientras observaban cómo avanzaba lentamente el río de salsa por el mantel en dirección al pavo. Sarah corrió a la cocina para ayudar a Jane mientras Jackie corría hacia Katie para llevarla a la sala de estar.

—He visto lo que has hecho, Katie, ¡y estoy muy enfadada contigo! —le gritó—. Jane ha sido muy amable contigo y tú se lo pagas haciéndole algo así.

La única respuesta de Katie fue:

—¡Quiero mi cena!

Robert siguió a Jackie y Katie a la sala de estar y dijo:

—Seguro que ha sido un accidente, Jackie. No seas dura con ella.

—No ha sido un accidente —dijo Jackie—. La estaba mirando y he visto cómo lo hacía a propósito.

Robert no sabía qué decir, así que fue a la cocina a ver a su mujer. Unos minutos después, Jane y Sarah entraron en la sala de estar.

—Estoy bien, Katie —dijo Jane—. La salsa estaba caliente, pero no me he quemado. Me he cambiado de falda y estoy segura de que la mancha saltará.

—Siento lo que ha pasado, Jane —dijo Jackie—. Katie, dile a Jane que sientes haberle hecho eso.

—Lo siento, Jane —dijo Katie con su voz más dulce.

—No pasa nada, Katie. Sé que no querías hacerlo —respondió Jane.

—Lo ha hecho adrede, Jane, y eso no está bien —dijo Jackie.

—Creo que deberíamos olvidarlo, Jackie —dijo Jane—. Estoy segura de que ha sido un accidente. ¿Por qué no volvemos y disfrutamos de la comida?

—Voy en unos minutos, Jane —dijo Jackie—. Katie se queda aquí conmigo hasta que yo decida qué hacer. Quizás se siente a mi lado, o a lo mejor nosotras comemos aparte.

—Eso no es necesario, Jackie —insistió Jane—. Ya te he dicho que estoy bien y creo que lo mejor es olvidarlo.

—Es necesario para Katie, Jane —dijo Jackie—. No ha sido un accidente y necesito asegurarme de que no va a pasar nada más durante la cena.

Jane miró a Jackie cada vez más molesta. Sarah intentó resolver el conflicto diciéndole a Jackie:

—Cariño, ¿por qué no le pones un pequeño castigo después? Es la cena de Acción de Gracias, y quiero que todos la disfrutemos.

—Ya lo sé, mamá. Y vosotros podéis disfrutarla. Pero Katie y yo tendremos que comer cuando todos hayáis terminado. O podemos comer las dos en la cocina, si lo prefieres —le dijo Jackie con suavidad a su madre. No tenía ninguna gana de discutir con ella sobre este tema. Ante la falta de apoyo de Jane, decidió que no quería volver a la mesa, incluso aunque Katie se sentara a su lado.

—Jackie, estás creando tú más problemas que Katie. ¿Por qué no le haces caso a mamá? —dijo Jane todavía molesta.

—No puedo. Tengo que hacer lo que más le convenga a Katie —respondió Jackie firmemente.

—Bueno, a lo mejor te equivocas. Tal vez lo mejor es que todos pasemos página y tengamos una comida familiar decente.

La voz de Jane iba subiendo de volumen.

—Puede que me equivoque, pero soy responsable de Katie y tengo que hacer lo que creo que es mejor para ella —dijo Jackie.

—¿Y por qué no piensas también en el resto de la familia y no solo en lo que tú quieres? —gritó Jane.

—No soy la responsable del resto de la familia. ¡Pero sí que soy la responsable de Katie, y nosotras no vamos a comer en la mesa con el resto! —replicó Jackie subiendo también el tono.

—¡Pues si ella no come, yo tampoco! —gritó Jane antes de darse la vuelta y salir de la habitación.

Sarah miró a Jackie con tristeza.

—Por favor, Jackie. Significa mucho para mí que nos sentemos todos juntos. Casi nunca nos reunimos. Y no quiero que Jane y tú os peleéis.

Jackie notó que empezaban a caerle las lágrimas por las mejillas. Respiró hondo.

—Lo siento, mamá, pero tú no conoces a Katie. He trabajado mucho por ella los últimos cinco meses. No puedo rendirme en esto o la retrasaré demasiado.

Jackie miró a su madre a la espera de algún reconocimiento de sus palabras y de un atisbo de aceptación sobre su decisión. Pero su madre se limitó a quedarse plantada allí sin decir nada. Jackie sabía que no obtendría el apoyo que estaba pidiendo.

—Lo siento, mamá. Va a ser mejor que Mark y yo cojamos a los niños y nos vayamos ya. —Sarah seguía sin responder. Jackie cogió a Katie de la mano y entró en el comedor. Miró a Mark y dijo en voz baja—: Será mejor que nos vayamos a casa. Me temo que esto no ha funcionado hoy —dijo Jackie en voz baja.

—Vamos, niños, ya comeremos algo de camino a casa —dijo Mark mientras se levantaba de la mesa.

En la puerta, Jackie se volvió hacia su madre.

—Siento mucho que todo haya salido así, mamá. Mañana te llamo.

Sarah asintió de pie junto a su silla. A Jane no la veía.

Tony se levantó de la mesa, se acercó a la puerta y abrazó a su hermana.

—Todo saldrá bien, hermanita. Tienes que hacer lo que creas que es mejor. Mamá y Jane ya entrarán en razón.

—Gracias, Tony —dijo Jackie mientras las lágrimas volvían a brotarle—. Sé que tienes razón.

De camino a casa, Jackie se sentó en el asiento delantero y fue mirando a la carretera. Escuchó que Diane le hablaba enfadada a Katie y que la niña le gritaba. Diane le gritó a ella también y Mark le dijo que sus comentarios no estaban ayudando. Jackie no tenía fuerzas para decir nada. Solo podía pensar en su madre mirándola fijamente, condenando su decisión. Acabó imaginándose cómo debía de estar Katie mientras ella discutía con Jane y con Sarah. Probablemente se habría sentido emocionada y poderosa. Jackie no podía permitirse mirar a la niña ahora. Sabía que si lo hacía, Katie le sonreiría. Y también sabía que si eso sucedía, la odiaría de verdad y no se molestaría en ocultar su desprecio.

Esa noche Mark se ocupó de Katie y la acostó. Jackie mantuvo la distancia. No sentía empatía por ella. No podía interactuar con ella. Ni siquiera iba a intentarlo.

Más tarde, Mark se sentó a su lado en el sofá y la cogió de la mano. Ella le sonrió y se sintió muy cansada y triste. Empezó a hablar lentamente.

—Creo que va a poder conmigo, Mark. Con Gabe lo conseguí, pero no sé si puedo seguir haciéndolo con ella. Le he dado mucho. Y ella ha tirado la salsa de las narices para hacerme daño. Sabía lo que iba a pasar.

Estoy convencida. Ahora incluso siento que es mala, aunque me odio a mí misma por pensarlo. Me sobrepasa. —Se recostó en Mark y se puso a llorar. Pasado un tiempo dijo—: No quiero querer a esa niña. ¿Por qué la quiero todavía? Eso de que te tiene que gustar el niño aunque no te guste el comportamiento es una mierda. No me gusta esta niña. Ya no quiero quererla. ¿Por qué no puedo dejar de hacerlo?

—Porque tú eres así, cariño. Esa es una de las muchas razones por las que te quiero tanto. Decidas lo que decidas, sé que será lo mejor. Tienes todo mi apoyo. Si crees que tiene que ocuparse de Katie otra persona, pues así tendrá que ser. Y si consideras que quieres seguir con ella, se quedará. Si pensara que lo mejor para ella es que se fuera y tú pensaras que debería quedarse, definitivamente te diría que tendríamos que discutirlo entre nosotros. Pero creo de verdad que tenemos la oportunidad de hacer que salga bien, contigo haciendo la mayor parte del trabajo y el resto de nosotros apoyándote, si quieres seguir con ello. Si quieres que se quede, haré todo lo posible por ayudarte.

—Tal vez no quiero estar al cargo. Tal vez no quiero la responsabilidad de insertar a esta niña en la raza humana. ¡Tal vez no quiero responsabilizarme de su vida! Es como si sus problemas y sus necesidades no tuvieran fondo. Tengo miedo de que me arrastre con ella, y entonces ya no le seré útil a nadie.

—Te conozco y me conozco. Ningún niño tiene ese poder y ella nunca lo tendrá —dijo Mark—. Pero si necesitas que se mude a otro lugar, te comprendo y te apoyo.

Jackie miró a Mark. Le sonrió y lo besó.

—Gracias por el voto de confianza —dijo riéndose—. Ojalá supiera qué es lo mejor. Ahora no lo sé. Puede que necesite dormir un poco.

* * *

Cuando se despertó a la mañana siguiente, Jackie se sintió más desanimada de lo que había estado nunca. Tenía la esperanza de que el nuevo día le devolviera su entusiasmo habitual por su vida y su familia. Pero no era así, al menos no ahora. Tal vez debía llamar a Allison y contarle el desastre de Acción de Gracias. Tal vez ella y Mark deberían salir a desayunar. Mientras seguía en la cama, escuchó a Mark que empezaba a gruñir y a estirarse. Después de tantos años, sabía que iba a despertarse en los siguientes treinta segundos. ¡Una de las ventajas del matrimonio! Puedes predecir al segundo cuántos gemidos dará tu marido antes de abrir los ojos y de qué tipo serán. En el momento previsto, Mark se acercó y le dio un abrazo.

—Buenos días, cariño —dijo Jackie—. ¿Te importaría ocuparte de Katie con el desayuno? Necesito quedarme aquí un rato y pensar en algunas cosas.

—Claro, cariño —dijo Mark. Que Jackie no se levantase rápidamente era de lo más inusual—. ¿Quieres que hablemos?

—Ahora no —respondió Jackie. Mark se levantó de la cama, se vistió y fue directamente a ver a Katie. Nada comenzaba en casa de los Keller hasta que no se sabía con certeza cuál era el paradero de Katie.

Jackie se limitó a recostarse en la cama. Miró la foto de su madre y de su abuela que tenía en el secreter. Su madre debía de tener diez años cuando le hicieron la foto y su abuela era una mujer atractiva. Se las imaginaba allí, debajo del viejo roble en el que la propia Jackie se había columpiado de niña. Sus visitas a la casa de la abuela estaban entre los momentos más alegres de su infancia.

Al dejar que su mente divagara, se puso a rezar. No tenía intención de hacerlo, pero no se sorprendió, ya que a menudo lo hacía cuando no estaba segura de qué hacer en su vida. Sus oraciones la llevaron a través de sus numerosos pensamientos y sentimientos conflictivos acerca de Katie. Entonces fue consciente del rechazo de su hermana hacia ella y de su vergüenza por el comportamiento de Katie en la cena de Acción de Gracias. De repente, se dio cuenta de que necesitaba tener cubiertas las necesidades de Katie para obtener la validación de sus parientes sobre el trabajo que estaba haciendo con Katie. Esa conciencia parecía cambiar un poco las cosas. Quizás podría comentársela a Allison. Tal vez eso la ayudaría a saber qué hacer.

Jackie no quería hablar con Katie sobre la cena, pero al final resultó ser más fácil de lo que pensaba. Sabía lo que Katie necesitaba escuchar, así que se lo dijo.

—Katie —dijo Jackie mientras desayunaban cuando se quedaron solas—, ayer conseguiste estropearle la cena a todo el mundo. Seguro que notaste lo molesta que estaba y cuánto nos enfadamos Jane y yo. Estaba realmente cabreada contigo y estoy segura de que lo sabías.

Katie estaba escuchando sin saber muy bien dónde la llevaría esta conversación. Jackie continuó.

—Después de calmarme, me di cuenta de que debería haberte obligado a sentarte a mi lado, incluso aunque Jane no entendiera por qué. No te conoce como yo. Además, quizás no debería haberte llevado con nosotros a casa de mi madre. Podría haber buscado a alguien que te vigilara aquí. No estabas lista para disfrutar de una fiesta familiar y siento no haberme dado cuenta de eso. La próxima vez no irás si yo considero que no estás preparada. Mark y yo vamos a hacer hoy una cena especial de Acción de Gracias aquí para nuestra familia. Creo que podrás gestionarlo si te sientas justo a mi lado.

Jackie se levantó y le dio un beso a Katie en la cabeza. Katie siguió de morros, pero nada de rabietas. Los comentarios de Jackie debieron de pillarla por sorpresa y no supo responder. Como Katie siempre quería hacer cosas que la hicieran tener el control, ahora le tocaría esperar y resolver ese asunto antes de invertir su energía en una rabieta.

—Tiene que haber sido muy duro, Jackie —dijo Allison en la siguiente sesión de terapia el 30 de noviembre—. Probablemente tengas ganas de tirarle a Katie litros de salsa por encima.

—No quiero volver a ver la salsa nunca más, Allison. Me vale cualquier otro condimento, pero no salsa.

—Parece que hoy estás mejor.

—La verdad es que sí. Pensé mucho en ello a la mañana siguiente y eso me ayudó a volver a verlo todo en perspectiva. La comprensión y el apoyo de Mark son maravillosos. Creo que estoy lista para seguir con Katie, pero tal vez tengamos que hablar un poco de ello.

—¿Qué fue lo que te resultó más duro, Jackie? —preguntó Allison.

—Que lo hiciera deliberadamente para molestarme delante de mi madre y de Jane.

—¿Y por qué fue más duro estando ellas delante?

—No estoy segura, Allison, pero a veces siento que necesito la aprobación de mi madre para lo que estoy haciendo, y cuando no la consigo, me molesta mucho. —Allison asintió y se quedaron sentadas en silencio un rato hasta que Jackie continuó—: Mi madre es una buena persona y sé que me quiere. De verdad que lo sé... nunca he dudado de ello... creo... pero a veces he tenido la sensación de que por alguna razón... se sentía decepcionada con respecto a mí. No tiene sentido de alguna manera... es solo que no me sentía segura. Pero nunca he llegado a saberlo con seguridad.

—¿Podrías ponerme un ejemplo de un momento en el que albergaras dudas sobre la aceptación y el amor de tu madre hacia ti?

—La verdad es que no creo que dudara de su amor. Pero la aceptación... sí, creo que es exactamente eso. Hubo una vez, tendría yo unos diez años y Jane unos trece más o menos. Mamá nos dejó en casa un sábado para ir a casa de su madre a ayudarla con algunas cosas. Me había pedido que limpiara mi habitación y que luego trabajara un poco en el jardín por la tarde. Pero se me fue el santo al cielo y acabé leyendo y viendo la tele. Cuando llegó a casa y vio que no había hecho lo que me había pedido, se enfadó, pero lo peor fue cómo me miró. Lo hizo de tal forma que sentí que la había decepcionado. Que le había hecho daño. Y sentí que ella pensaba que... que lo había hecho deliberadamente. Como si quisiera hacerle daño. Y me sentí fatal por que pensara eso de mí. Y luego pensé que tal vez ella tenía razón. Puede que fuera una egoísta y que en realidad me diera igual hacerle daño o no. Como si solo me preocupara por mí y pasara de ella. Sé que suena absurdo, Allison, pero creo que es importante. Creo que yo pensaba eso a menudo. Que la había decepcionado porque no era lo suficientemente sensible con ella. Con todo lo que había hecho por mí, y yo no era capaz de hacer algo tan nimio por ella. Ella trabajaba un montón y era como si a mí me diera igual.

A Jackie se le habían llenado los ojos de lágrimas, y su mente vagaba por su infancia. De repente se animó más y dijo:

—A Jane nunca parecía mirarla así. Era como si siempre hiciera lo que le pedían. Mamá siempre parecía estar contenta con ella. Era como una versión más joven de mi madre. Imposible competir con ella.

Nunca iba a conseguir el lugar en el corazón de mi madre que ella tenía. Nunca iba a ser tan buena como ella.

Jackie se quedó un rato en silencio.

—Eso tuvo que ser muy difícil, Jackie. Que pareciera que tu madre no te aceptaba realmente ni estaba orgullosa de ti, como sí parecía estarlo de Jane. ¿Cómo crees que lo gestionaste a lo largo de los años?

—Creo que me esforzaba más por complacerla la mayor parte del tiempo. Pero nunca parecía funcionar. Era como si siempre hiciera algo mal. Y me portaba mal con Jane. A veces la odiaba de verdad. Y entonces mamá se enfadaba conmigo por ser mala con Jane. ¡Creía que Jane era una hermana mayor maravillosa! ¿Cómo podía no apreciarla después de todo lo que hacía por mí?

—Entonces te parecía que tu madre y Jane tenían un vínculo estrecho, que eran similares de muchas maneras. Y que tú te quedabas fuera. Tu madre parecía decepcionada contigo y Jane parecía enfadada contigo.

—Sí, pero no quiero darte una impresión equivocada acerca de ellas, Allison. No eran malas personas. Mamá me quería de verdad, lo sé. Y trabajaba mucho y se esforzaba de verdad. Y Jane me ayudó de muchas maneras.

—¿Qué crees que te ha decidido a contarme esto, Jackie? Has mencionado varias veces que sabes que tu madre te quería.

—A ver, eran… son buenas personas. Y al decirte todo esto sobre ellas es como si… no sé… siento que no está bien de algún modo.

—Porque… —invitó Allison en voz baja.

—Porque creo que estoy siendo egoísta al decir estas cosas sobre ellas, especialmente sobre mamá. Como si todavía me estuviera poniendo yo por delante. Todavía no estoy agradecida por todo lo que hizo por mí.

—Y quizás crees que la decepcionarías si se enterara de que me estás contando estos pensamientos y sentimientos sobre ella.

—Sí, Allison, lo haría —dijo Jackie llorando abundantemente—. Y ella tendría derecho. ¿Por qué no me muestro más agradecida por todo lo que hizo por mí?

Allison se quedó un momento sentada mirando a Jackie a los ojos y a las lágrimas de vergüenza que brotaban de ellos. Se dio cuenta de sus propias lágrimas de empatía por Jackie, y sintió que Jackie buscaba en sus ojos el significado de su llanto. Luego dijo en voz baja:

—Jackie, para mí la pregunta no es por qué no puedes estar más agradecida por lo que tu madre hizo por ti. Mi sensación es que estás realmente agradecida. Creo que la pregunta tiene más que ver con lo que hace que te resulte tan difícil aceptar que sientes algo de decepción por la forma en que tu madre se relacionaba contigo a veces.

—Pero no tengo derecho a estar decepcionada con ella, Allison. Nunca se portó mal conmigo. ¡Era una buena madre!

—No creo que estemos explorando a tu madre, sino más bien comentando cómo la experimentabas a veces. Por lo que parece, a veces experimentaste que tu madre estaba decepcionada contigo... que realmente no te aceptaba... que pensaba que estabas tratando de hacerle la vida más difícil deliberadamente. Te parecía que ella pensaba que no le agradecías lo que había hecho por ti porque eras una egoísta.

—Pero a lo mejor tenía razón, Allison. Tal vez debería haber hecho todo lo posible para hacer su vida más fácil haciendo lo que me dijeron.

—Y tal vez... —dijo Allison.

—Tal vez... —dijo Jackie desconcertada—. ¿Qué otra explicación puede haber?

Siguió más silencio. Finalmente, Allison añadió casi susurrando:

—Tal vez eras una niña de diez años... y tal vez no estabas tratando de hacer su vida más difícil... y tal vez tu madre se equivocaba al pensar que eras una egoísta.

Jackie se echó a llorar. Pasados unos minutos, Allison se acercó y la cogió de la mano. Jackie levantó la vista y parecía estar suplicándole en su siguiente pregunta.

—¿Pero por qué, Allison? ¿Cómo podía ella pensar que yo estaba tratando de hacerla infeliz deliberadamente, cuando no era así?

—No lo sé, Jackie. Solo sé que tenías diez años. Tal vez la respuesta se encuentre en algún lugar de su propia infancia, quizás en la relación con su madre.

Después de unos minutos de reflexión, Jackie dijo:

—Mamá dijo una vez que su madre la había enseñado a trabajar, mientras que a mí me había enseñado a jugar. Dijo eso con una carcajada en el coche de vuelta a casa después de haber pasado un día en casa de la abuela. Pero me pareció que también estaba algo triste al decirlo.

—Parece que tu abuela hizo un buen trabajo enseñando a tu madre a trabajar. Y me pregunto si tu madre alguna vez realmente sintió que su madre la aceptó. Me pregunto si tu madre tenía dudas sobre si era lo suficientemente buena o no. O si a veces pensó que era egoísta y que no trabajaba lo suficientemente duro.

—¡Ay, dios mío! —exclamó Jackie, que parecía sorprendida por los pensamientos que le iban surgiendo—. Mamá pensó que, siendo egoísta y queriendo lastimarla, ¡yo estaba haciendo las mismas cosas que la abuela pensaba que ella hacía! ¡Eso es! ¡Tiene mucho sentido! ¡Y hace que todo lo demás tenga mucho sentido también!

—¿Qué sentido tiene en relación con tu personalidad cuando eras pequeña, Jackie?

Jackie volvió a ponerse a llorar. Miró a Allison y respondió:

—Significa que mamá se equivocaba. ¡Yo no quería hacerle daño ni que fuera infeliz! Solo tenía diez años. ¡Mamá se equivocaba! No fui egoísta. ¡No fui una ingrata!

Jackie miraba profundamente a Allison a los ojos mientras hablaba. Estaba buscando algo en sus ojos. Estaba buscando la confirmación de que lo que comenzaba a tener sentido para ella tenía sentido también para Allison. Mientras la miraba, los recuerdos de su infancia parecían hacerse más profundos y unirse de formas más sencillas. ¡Las cosas parecían tener más sentido!

—¿Sabes, Allison? Mamá me quiso. Lo sé. Pero creo que yo solo notaba que me quería cuando hacía las cosas que ella aprobaba. En otras ocasiones, como cuando la decepcionaba, sabía que me quería, pero no lo sentía. Cuando estaba con la abuela, siempre sentía que me quería. Daba igual lo que estuviera haciendo. Incluso cuando se impacientaba conmigo. Todavía sentía su amor. Pero eso no me pasaba con mamá. Nunca me sentí del todo segura con mamá. Por supuesto que estaba a salvo con ella. Pero ese sentimiento de amor y aceptación... ese que realmente hace que alguien se sienta seguro... no creo haberlo sentido por ser yo misma, como cuando estaba con la abuela. Con mamá, lo sentía cuando la estaba complaciendo. —Los pensamientos de Jackie iban a toda velocidad—. En cierto modo, Allison, no creo que de niña yo me viera a mí misma como lo hago ahora. No era egoísta en el mal sentido; era una niña. No creo que mi madre supiera quién era yo realmente. O al menos que conociera algunas de esas partes de mí. Probablemente por eso yo tampoco las conocía. Yo era... soy... una buena persona. No hay nada en mí de lo que deba avergonzarme. No hay nada en mí que deba cambiar. Cometo errores. Claro que los cometo. ¡Y no hay nada en MÍ que tenga que cambiar! Solo puedo corregir mis errores. Mis intenciones son buenas. ¡Nunca traté de hacer infeliz a mi madre! ¡Nunca! ¡Y no lo he sabido hasta ahora! —Jackie sonrió y miró a Allison a los ojos—. ¡Y tú también lo sabes!

—Sí, yo también lo sé —respondió Allison, y ambas sonrieron. Pasados unos momentos, Allison preguntó—: ¿Y cómo encaja Katie en todo esto?

—Creo que en Acción de Gracias, el comportamiento de Katie me hizo pensar de nuevo que estaba haciendo algo para hacer daño a mi madre deliberadamente. Y sentí que mi hermana y mi madre estaban de acuerdo, y volví a convertirme en un fracaso como hija y como hermana. Y ahora creo que también pensé que Katie estaba haciendo algo deliberadamente para hacerme daño, como probablemente yo estaba haciendo cosas para hacer daño a mi madre. Pero la diferencia es que mamá y Jane no lo vieron. Ahora Katie también se les había unido. ¡Aceptaron a Katie y se sintieron decepcionadas! No me extraña que me molestara tanto. No es de extrañar que odiara a Katie. Y a mamá. Y a Jane. Y a mí misma.

Jackie lloraba, sonreía y suspiraba de alivio mientras miraba hacia su interior y establecía contacto visual con Allison de vez en cuando.

—¿Y cómo conectas todo esto que estás sintiendo con el hecho de seguir criando a Katie?

—Creo que quiere decir que estoy haciendo muy buen trabajo. Creo que quiere decir que el patrón que parece haberse transmitido de mi abuela a mamá y de mamá a mí no puede pasar de mí a Katie. Si mamá está "dolida" por mis decisiones con respecto a Katie, entonces es ella la que está "dolida". No le estoy haciendo daño deliberadamente. Si Katie se comporta mal conmigo, o incluso hace algo para hacerme daño, sus intenciones no van destinadas a mí personalmente, sino a su propia madre, a su maltrato, a su vida. No tengo que personalizar sus comportamientos. Tienen mucho más que ver con su pasado y con su dolor que conmigo. Y mi relación con Katie no tiene que ver con mi relación con mi madre. En realidad, estoy empezando a pensar que mi relación con Katie también me obliga a fijarme en mi relación con mi madre. Y hay que hacerlo.

—Por lo que me cuentas, entiendo que todavía estás implicada con Katie.

—Estoy implicada con ella. Más que nunca.

—Jackie, ¿por qué no te planteas pedirle a tu madre que venga contigo a reunirse conmigo? ¿Por qué no hablamos Sarah, tú y yo sobre lo que has estado descubriendo y diciéndome?

La ansiedad se apoderó de la mirada de Jackie un momento.

—¿Es necesario?

—No, Jackie, no es necesario, y depende completamente de ti, y por supuesto, de Sarah también, si decides invitarla. Es solo una idea que me ha venido cuando has mencionado que pensabas que tu madre se sentiría decepcionada si supiera que estabas diciendo esas cosas sobre ella. Pensé que si hablabas con ella aquí, descubrirías si está decepcionada o no. De cualquier manera, podría serle útil para comprender quién eres y cómo quieres que sea tu relación con ella en el futuro.

—¡Guau! ¡Te refieres a decirle a mi madre algunas de las cosas que acabo de decirte! ¡A decírselas de verdad!

—Piénsalo.

—Lo haré, Allison. Gracias por ofrecerte a hacer eso por mí. Creo... —dijo Jackie riéndose.

—Hay otra cosa, Jackie, una que ya hemos discutido en el pasado con respecto a Gabe. No tiene que ver con tu infancia, ni con tu relación con tu madre, ni con tu hermana. Me refiero al bloqueo de los cuidados. Es muy difícil seguir cuidando a una niña que no parece querer que la cuides. Puede que consigas hacer tu trabajo, pero tu corazón comienza a perder energía. Esto es otro de los motivos por los que es probable que te resulte difícil seguir cuidando a Katie.

—Gracias por recordármelo, Allison. ¡Tiene mucho sentido! No puedo imaginar como sería cuidar siempre de Mark si no hubiera signos de que mi preocupación significara algo para él. Así que no estoy siendo egoísta cuando simplemente no siento que me preocupo por ella después de un día o una semana especialmente difíciles. ¡Es solo cosa de mi cerebro!

—No eres egoísta, Jackie. Al menos no en el sentido del que estás hablando. Puede ser que tu cerebro te esté protegiendo del dolor del rechazo continuo de Katie. Te protege haciendo que te vuelvas más apática emocionalmente y que continúes cuidando con tus acciones, pero sin sentir que cuidas en tu corazón.

—No puedes ni imaginarte cuánto me ayuda esto a estar bien conmigo misma, Allison. ¡No soy egoísta!

—Estás trabajando un montón de cosas hoy, Jackie. ¿Te parece bien si llamo a Katie?

—¡Sí!

Al levantarse de la silla, Allison le dio un último apretón en la mano a Jackie, que se secó las lágrimas que le quedaban con un pañuelo.

Allison acompañó a Katie a la sala con su habitual charla:

—¡Pero si es Katie peque! ¡Me alegro de verte de nuevo, peque! —dijo sonriéndole mientras Katie se sentaba como siempre entre Jackie y Allison en el sofá.

—Bueno, peque, no te noto tan alegre como siempre. ¿Qué te pasa?

—Nada.

—Guau, Katie, a mí me parece que te pasa algo. Creo que si me dijeras lo que es, sería algo así como: "Hoy no quiero estar en esta tontería de terapia, Allison, ¡déjame en paz!". ¿Sería algo así, Katie?

—¡No quiero estar aquí y la terapia es una tontería!

—¡Vaya! ¡He acertado! Gracias por decírmelo, Katie, gracias por avisarme de que realmente no quieres estar aquí hoy. Bueno, si no quieres hablar, tendré que contarte los dedos. A ver... 1, 2, 3, 4 y 5 por aquí. 10,

9, 8, 7 y 6 por aquí. Entonces, 5 y 6 son… eso es, 11. ¿Cómo? ¡Tienes 11 dedos! ¿En serio? ¿Cómo es posible? Deja que lo vuelva a hacer... 1, 2, 3, 4 y 5 en esta mano. Y 10, 9, 8, 7 y 6 en esta otra. 6 y 5 son… guau, ¡tienes 11 dedos! ¡Es increíble! ¡Eres increíble! Mira, eso es una prueba de que eres una niña increíble, peque.

—No tengo seis en esta mano —dijo Katie. No se estaba riendo y su contacto visual era pobre. Allison supo de inmediato que involucrar a Katie hoy no sería tan fácil como de costumbre.

—Claro, solo tienes cinco dedos en la mano.

—Cinco y cinco son diez —dijo Katie.

—Te sabes bien los números, peque. Seguro que no voy a poder engañarte.

Katie parecía resignarse pasivamente a estar con Allison y con Jackie. Esto contrastaba mucho con su aire habitual de incertidumbre expectante sobre lo que iba a ocurrir. Si quería transmitir la idea de que estaba aburrida y molesta perdiendo el tiempo, lo estaba haciendo de maravilla.

—Madre mía, Katie —comenzó Allison—, desde luego no parece que quieras estar aquí. Es como si quisieras decir: "Quiero irme. No me gusta esto. ¡No quiero hablar de nada! ¡No quiero pensar en nada! ¡No quiero sentir nada! ¡No quiero hacer nada! Deja que me vaya. ¡Quiero irme!". Supongo que esas son algunas de las cosas que dirías si quisieras hablarme. —Katie permanecía callada y hosca—. OK, Katie. A ver cómo de tranquila y molesta eres capaz de estar mientras hablo con tu madre —dijo Allison desenfadadamente, y luego miró a Jackie—. Jackie, Katie parece muy infeliz por estar aquí ahora. ¿Tienes idea de lo que le pasa?

—No parecía molesta de camino aquí, Allison. No estoy segura de lo que piensa ahora mismo —dijo Jackie.

—Bueno, algo le pasa —dijo Allison—. ¿Ha ocurrido algo desde la última vez que la vi?

—El día de Acción de Gracias fue bastante duro para toda la familia, Allison. Tal vez eso la esté molestando —dijo Jackie.

—¡No me molesta nada! —gritó Katie.

—¡Menudo grito, peque! Tal vez tengas algo en mente con respecto al día de Acción de Gracias —dijo Allison.

—¡No, no tengo nada en mente! —gritó Katie.

—Jackie, ¿qué pasó para que Katie esté así ahora?

—Pues mira, Allison, fuimos a casa de mi madre para la cena de Acción de Gracias. Cuando nos sentamos a comer, Katie derramó la salsa en el regazo de mi hermana, así que tuvo que irse de la mesa.

—¡Fue un accidente! —gritó Katie.

—Katie hizo creer a mi hermana y mi madre que había sido un accidente, pero la vi sonreír antes de hacerlo, y sé que fue a propósito —dijo Jackie.

—¡No lo hice! ¡Estás mintiendo! ¡Estás mintiendo! —le gritó Katie a Jackie.

—Parece que estás enfadada con tu mamá, Katie.

—¡Estoy enfadada! ¡La odio!

—¿Por qué crees que está tan enfadada contigo, Jackie? —preguntó Allison.

—No estoy segura, Allison. Quizás porque nos tuvimos que ir todos después de lo que hizo y los otros niños estaban enfadados con ella. Creo que quiso poner de su lado a Jane, a Robert y a mi madre y no le funcionó —dijo Jackie.

—Pero ella siempre se molesta contigo por no salirse con la suya haciendo algo que no debería estar haciendo. En general, no se enfada tanto contigo.

—Tienes razón, Allison. Tal vez sea por mi reacción a lo que hizo.

—¿Cuál fue tu reacción, Jackie? —preguntó Allison.

—Estaba muy enfadada con ella por lo que hizo. Verás, mi madre y mi hermana se enfadaron conmigo y nos fuimos todos pronto. Yo no paraba de llorar, y Diane le gritó a Katie. No le hablé durante todo el camino ni tampoco esa noche. Es la única vez que he dejado de hablar con ella cuando ha hecho algo mal.

—Creo que tienes razón, Jackie. Probablemente Katie esté realmente enfadada contigo por haberte enfadado con ella —dijo Allison. Luego se volvió hacia Katie—: Seguro que te decías a ti misma: "¿Por qué está tan enfadada conmigo? ¡Las buenas mamás no deberían enfadarse tanto! ¡No tiene permitido enfadarse tanto conmigo! ¿Verdad, Katie?" —Katie no dijo nada. Miró hacia el sofá—. Ay, Katie, ahora lo entiendo. ¡No me extraña que te enfadaras tanto con tu madre! ¡Nunca se había enfadado tanto contigo! ¡No sabías lo que eso significaba! ¡Tal vez se había enfado tanto que nunca dejaría de estar enfadada! ¡Quizás se volvería como Sally! —Allison se quedó inmóvil un momento y luego se inclinó hacia adelante y dijo en voz baja—: Creíste que podía estar odiándote... Creíste que ya no podría quererte. Creíste que... que quizás ya no quería ser tu madre. —Katie seguía inmóvil. Allison dijo aún más tranquila—: Debes haberte empezado a sentir... triste... y asustada... No me extraña que estés enfadada con... tu mamá.

Allison comenzó a acariciarle el pelo.

—¡No hagas eso! —gritó Katie.

—¿Te importaría acercarte a Katie, Jackie? Ahora está enfadada conmigo por hablar con ella y contigo sobre lo difícil que fue cuando te enfadaste tanto con ella.

Jackie se acercó a Katie y la cogió de la mano. Katie no se movió, ni para acercarse ni para alejarse.

Allison susurró:

—Katie, Katie, fue tan difícil, tan triste, te dio tanto miedo... Katie, Katie, tan difícil, tan triste... Katie...

—¡NO DIGAS ESO! —gritó Katie—. ¡NO DIGAS ESO!

Jackie puso su brazo alrededor de Katie y comenzó a mecerla suavemente, y Allison repitió las palabras que le habían llegado a Katie al alma. Katie volvió a gritar. Jackie se quedó sentada abrazando a su hija, deseando que acabara su sufrimiento pero que el abrazo no acabara nunca.

Katie continuó gritándole a Allison que se callara, aunque ya no estaba hablando. Los momentos iban cambiando conforme pasaban. Al principio estaban llenos de rabia. Ahora estaban cada vez más impregnados de desesperación. Sus gritos se convirtieron en los gritos de alguien a quien abandonan en medio de la noche.

Allison volvió a susurrar:

—Katie... Katie... tan triste... Katie, Katie... tanto miedo...

Los gritos de Katie continuaban; era como si no fueran a parar nunca.

Jackie atrajo a Katie hacia su regazo y la abrazó como si fuera un bebé llorando. Katie enterró la cara en el pecho de Jackie.

—Mi Katie... mi Katie... estás a salvo, estás con mamá. Te quiero, Katie, te quiero mucho —susurró Jackie. Katie se aferró a ella. Jackie notó que los dedos de Katie se le hundían en los costados. Se aferraba a su madre como un bebé aterrorizado y desesperado.

Allison fue al estante de la esquina y encendió el reproductor de CD. Siempre tenía algunos CD disponibles para momentos como este. Eligió uno que contenía varias canciones de cuna, con tonos suaves y amorosos. Allison dudó en ponerlo porque pensó que podría alentar demasiado los sentimientos de Katie de ser un bebé y generar resistencia. Pero Katie lo aceptó.

Jackie dejó de hablar. Comenzó a moverse lentamente y a tararear a la vez que las nanas. Allison se limitó a observar. No existía para Jackie y para Katie. Ahora estaban en su propio mundo. Un mundo que sanaría a Katie y que le llegaría mucho más adentro que cualquier cosa que Allison pudiera decir o hacer.

Finalmente, Allison apagó la música e indicó que la sesión acababa ahí. No había nada que quisiera ni debiera decir. Cuando Jackie y Katie se levantaban para irse en silencio, Allison las miró un momento y luego se acercó y las abrazó.

COMENTARIO

Cuando Katie derramó la salsa sobre la hermana de Jackie, estaba adoptando un comportamiento que es muy común entre los niños con trauma del desarrollo. Estaba estropeándole a todo el mundo la celebración familiar, separando a Jackie de sus parientes, provocando su enfado y su rechazo y disfrutando del caos que había creado, todo con una sola acción. Los niños como Katie adoptan inevitablemente su peor comportamiento en momentos como la cena de Acción de Gracias. No pueden tolerar tanto disfrute y apoyo mutuos ni permitir que otros disfruten de esa experiencia. Para ellos, es mucho más deseable experimentar el poder de destruir la experiencia para todos y confirmar su autopercepción de estar aislados y de ser malos.

La respuesta de Jackie a la conducta de Katie se puede entender mejor mediante la dinámica de la vergüenza, de forma similar (aunque mucho menos profunda) a lo que significa en la vida de Katie. Ser una buena madre terapéutica de acogida es un elemento fundamental de la identidad de Jackie. Como el comportamiento de Katie apenas la reafirmaba en su opinión de ser buena en su trabajo, Jackie era más vulnerable a la necesidad de que sus más allegados le confirmaran que era realmente buena en lo que hacía. Buscaba esa confirmación en su hermana y en su madre. Lo más probable es que Katie lo hubiera percibido y aprovechara la oportunidad para hacer daño a Jackie y poner a prueba su compromiso. Las críticas de su hermana y de su madre le provocaron dudas y vergüenza, lo que a su vez originó la rabia de Katie. Jackie no pudo integrar la rabia en ese momento y se distanció de la niña.

La vergüenza de Jackie es una respuesta bastante común entre los padres que intentan criar a los hijos que los rechazan continuamente. Se debe tanto a la realidad neuropsicológica del bloqueo de los cuidados como a las vulnerabilidades derivadas de su propio historial de apego. Sus hijos rara vez les confirman que son buenos padres. Las conductas de oposición de sus hijos constantemente sugieren que están fallando como padres en algunos aspectos fundamentales. Dan y dan a sus hijos y la respuesta que reciben con mayor frecuencia es "¿Eso es todo? ¡Quiero más!" o "No quiero eso; ¡quiero esto!". Ante el rechazo de sus hijos, recurren a amigos y familiares para pedirles apoyo y confirmar que la experiencia que están viviendo tiene sentido y que sus esfuerzos valen la pena. A menudo reciben escepticismo, consejos y críticas de que están siendo demasiado duros o demasiado blandos y de que, de uno u otro modo, no están satisfaciendo las necesidades de ese pobre niño. Cuando los profesionales, terapeutas, maestros y trabajadores sociales coinciden con las opiniones de sus familiares y amigos, estos padres son extremadamente vulnerables a sufrir vergüenza. Desde esa posición, les resulta muy difícil intentar reducir la vergüenza generalizada que experimenta su hijo. Cuando Jackie se experimentó a sí misma como un fracaso como madre de Katie, se quedó con poca energía o habilidad para continuar cuidándola. Estos momentos se van acumulando y hacen que la acogida se vea amenazada.

Los terapeutas deben reconocer y abordar la vergüenza de los padres al criar a niños como Katie. Cuando estos padres experimentan un bloqueo de los cuidados, lo primero que necesitan para comenzar a experimentar el deseo de volver a cuidar de su hijo es que otros adultos importantes cuiden de ellos. Si la paternidad es compartida, ambos deben apoyarse mutuamente para afrontar el rechazo de su hijo. Una importante fuente adicional de apoyo suelen ser otros padres que realmente entienden lo que significa criar a niños que tienen conductas derivadas de un trauma del desarrollo. Estos iguales están en la mejor posición para saber qué apoyo podría ser el más beneficioso. También es importante la comprensión y el apoyo de un terapeuta que conozca los síntomas y las necesidades del niño, así como las diversas estrategias y el apoyo que los padres necesitan para poder criar a su hijo adecuadamente.

La respuesta de Jackie al comportamiento de Katie se intensificó porque activó aspectos de su propia historia de apego con su madre, Sarah. Cuando Jackie era una niña, a menudo tenía dudas sobre si Sarah la aceptaba como era. Sentía su amor cuando complacía a su madre, pero se sentía aislada de ella si hacía algo que la disgustara. No reparaban regularmente esas rupturas en su relación. Las dudas de Jackie se intensificaron porque experimentó que la percepción de Sarah era que ella hacía cosas deliberadamente para causarle angustia. Esa percepción sobre la percepción que Sarah tenía de ella activó la vergüenza en lugar de la culpa en respuesta a su mal comportamiento. A menudo, un acto se asocia con vergüenza o trauma debido al significado que le damos a las intenciones del otro o al significado que creemos que dan a nuestras intenciones, y no al acto en sí.

Los estudios actuales demuestran que la clasificación de apego del padre de acogida o adoptivo es un factor importante —aunque no el único— para determinar si su hijo de acogida o adoptivo logrará la seguridad del apego o no en su hogar. Estos hallazgos "tienen sentido", ya que los patrones de comportamiento de los apegos son recíprocos y, al igual que pasan de padres a hijos, también pueden pasar de hijos a padres. Lo más probable es que los comportamientos de Katie "con respecto al apego" activen patrones similares en Jackie. Si los patrones de Jackie son "seguros" (o "autónomos", que es como se conoce esta clasificación cuando se aplica a adultos), es más probable que pueda mantenerse psicológicamente segura, permanecer emocionalmente presente ante la angustia de Katie y responder de una manera reflexiva y flexible. Eso facilita la habilidad de Katie para integrar la experiencia. Sin embargo, si los patrones similares dentro de Jackie son, hasta cierto punto, "inseguros", entonces no es probable que se sienta psicológicamente segura y correrá el riesgo de reaccionar ante Katie sin la suficiente regulación o reflexión del afecto.

Al hablar con Allison sobre su reacción ante los comportamientos de Katie en la cena de Acción de Gracias, Jackie consiguió regular mejor el afecto asociado a ese evento. Luego pudo reflexionar sobre el significado que tenía para ella de una manera que la llevó a una mayor sensación de seguridad y resolución de experiencias similares durante su infancia en su relación con su propia madre. Allison consiguió involucrar a Jackie lo suficiente como para corregular el afecto de la vergüenza y crear nuevos significados con respecto a sus malos comportamientos hacia Sarah. Jackie pudo estar más presente con Katie con respecto al evento de la cena y a otros similares que probablemente ocurrirán en el futuro.

A veces, solo hace falta una conversación de este tipo para facilitar experiencias intersubjetivas tan importantes de resolución e integración. En otras ocasiones, los patrones de apego no resueltos son más extensos y puede ser necesario explorarlos más dentro de una relación de confianza. Otras veces, estos patrones son tan generalizados que pueden impedir que una persona críe satisfactoriamente a un niño con un trauma del desarrollo. Independientemente del alcance de las áreas de inseguridad de apego de los padres adoptivos o de acogida, los terapeutas deben abordar abiertamente estos problemas dentro de una relación segura para que los padres sean más capaces de criar bien a sus hijos.

En la terapia con Katie, Allison se centró más en la respuesta de Jackie al comportamiento de Katie que en el comportamiento en sí mismo. Usó el pie que le dio la resistencia inicial de Katie a la sesión de terapia, algo que no solía aparecer. Katie se estaba defendiendo contra una experiencia afectiva intensa que parecía ir más allá de su respuesta afectiva habitual asociada con su propia conducta. Lo más inusual del evento de la cena de Acción de Gracias no fue el comportamiento de Katie, sino Jackie. Su retirada emocional con respecto a Katie durante el resto del día provocó una respuesta afectiva en Katie que fue similar a su respuesta a los largos períodos de rechazo a los que la sometía Sally. Jackie dejó a Katie aterrorizada ante el hecho de que cualquier relación que pudiera haber existido con Jackie hubiera terminado. Lo más probable es que ahora Jackie insistiera en que tenía que irse de su casa. Finalmente Katie había revelado esa parte de sí misma que a Jackie le parecería desagradable y que haría que se deshiciera de ella.

Al permitir que Katie reconociera su temor a que finalmente Jackie la rechazara, Allison pudo conducirla a expresar la profunda desesperación en la que se encontraba. A través de la rabia, Katie inicialmente rechazó el rumbo que marcaba Allison. Pero poco a poco comenzó a responder a la empatía y a la actitud amorosa de Allison y de Jackie y se permitió expresar plenamente su afecto y aceptar después la empatía y el compromiso continuo de Jackie.

CAPÍTULO 13

JACKIE Y SU MADRE SARAH

Después de su reunión con Allison, Jackie tuvo una sensación de ligereza y libertad que la dejó eufórica. Esa noche le habló con entusiasmo a Mark de sus percepciones sobre la relación con su madre y de cómo había afectado a su propio comportamiento materno. Al recordar los años preescolares de Diane, comenzó a ver cómo algunas de sus primeras interacciones con su hija tenían paralelismos con sus dificultades actuales con Katie, aunque estas últimas fueran mucho más intensas. Se había hecho el firme propósito de proporcionar a su hija una relación activa, receptiva y jovial, y en su mayor parte lo había conseguido. Ahora entendía por qué había sido tan difícil a veces durante esos primeros años. Hizo falta mucha reflexión y muchas conversaciones con Mark para poder entender y aceptar el enfado y el desafío propios de la infancia que Diane sentía hacia ella.

Con Katie, Jackie estaba comenzando de nuevo su largo viaje como madre. La ira de Katie hacia ella a menudo hacía que Jackie pensara que le había fallado, a pesar de los comentarios de Allison y Mark. A veces, no podía dejar de lado la sensación de que simplemente no estaba dando lo suficiente. A veces, quería gritarle a Katie que era una madre excelente, y Katie tendría que aprender a apreciarla.

A los pocos días, Jackie se dio cuenta de algunas cosas de su conversación con Allison de las que se arrepentía. Tenía la sensación de que había sido demasiado crítica con su madre. Estaba avergonzada por haberle contado a Allison la angustia que sentía por sus percepciones de su relación con Sarah. Durante los dos días siguientes, Jackie se obsesionó con la relación con su madre. No paraba de pensar en la sugerencia de Allison de que Jackie y Sarah se reunieran con ella. La idea la aterrorizaba, pero al mismo tiempo hizo consciente un profundo deseo de tratar de compartir sus pensamientos con su madre y posiblemente llevar su relación a otra dimensión. Durante los días siguientes, logró llamar a Allison, concertar una cita, llamar a su madre y acordar reunirse con ella la próxima semana en la consulta de Allison. Era como si no tuviera otra opción.

El 10 de diciembre, Sarah fue a casa de Jackie y las dos fueron en coche a la consulta de Allison. Jackie agradeció con cierta ansiedad a su madre que estuviera dispuesta a acompañarla, incluso llegó a disculparse por alejarla de sus propias actividades. Finalmente, con una expresión de leve impaciencia, Sarah dijo:

—Jackie, me has pedido que venga, así que quiero estar aquí. No tengo muy claro de qué va esto, pero no se trata de eso. Quiero estar aquí, así que no tienes que disculparte por habérmelo pedido.

Los minutos hasta que Allison les dio la bienvenida transcurrieron con un poco de charla trivial.

—Muchas gracias por venir, Sarah. En realidad, la reunión fue idea mía, y Jackie aceptó después de pensarlo un momento. Como te podrás imaginar, la idea de reunirme con vosotras surgió después de los problemas que hubo en tu casa en Acción de Gracias, cuando Jackie decidió que era mejor que Katie se levantara de la mesa antes de acabar la cena. Creo que tuvo que ser una experiencia muy difícil para ambas. Pensé que podría resultar útil que habláramos de eso un poco, pero, sobre todo, que habláramos de algunos de los pensamientos y preocupaciones que pareció suscitar en Jackie ese episodio.

—Me parece bien, Allison, aunque ya casi ni me acuerdo. No estoy enfadada por ello. Me doy cuenta de que realmente no entiendo lo que necesita Katie. Cuando pasó todo, me di cuenta de que Jackie debía de tener razón. O si no la tenía, al menos era la persona que debía tomar la decisión. No debería haber intentado hacerla cambiar de parecer.

—Yo te entiendo, mamá. Es tu casa y habías trabajado mucho para tener un buen día de Acción de Gracias. Lo superé enseguida y entendí tus sentimientos.

Después de un breve silencio, Sarah sonrió y dijo:

—¿Entonces qué hacemos aquí?

Jackie nunca se había sentido con una ansiedad así en la consulta de Allison. Lidiar con Katie no era nada al lado de tratar de hablar con su madre.

—Mamá, no se trata de Katie ni Acción de Gracias, aunque en cierto modo se trata de Katie y de mí. Y de ti y de mí. Cuando le conté a Allison lo de Acción de Gracias me di cuenta de cuánto deseo tu aprobación, mamá. De cuánto quiero que pienses bien de mí. De lo difícil que es para mí cuando no estás de acuerdo conmigo.

—Jackie, yo te acepto. Claro que lo hago. ¡Eres mi hija! Hagas lo que hagas, a mí me parecerá bien.

—Es que muchas veces no me parece que sea así, mamá.

—¿Qué quieres decir? ¡Nunca he criticado lo que has decidido hacer con tu vida!

Sarah parecía desconcertada y algo herida por lo que su hija le estaba diciendo.

—Sé que no, mamá, pero... en cierto modo siempre me ha parecido que... que tú no... que nunca estuve del todo... que estabas más contenta con Jane de lo que lo estabas conmigo.

—Ay, Jackie, ¿cómo puedes decir eso? Os he querido siempre a las dos por igual. ¡Y lo sigo haciendo!

—Pero mamá, es como si ella siempre hiciera lo que tú querías, mientras que yo siempre me metía en problemas.

—Pero es que ella era mayor que tú. Y tú siempre fuiste más activa que ella. Puede que tuviera que corregirte más a ti, pero sentía lo mismo por las dos.

—Yo sentía que ella era tu favorita. Ella era la buena y yo no era lo suficientemente buena.

Sarah parecía sorprendida.

—¡Eso no es cierto, Jackie! No pienses eso. ¡Os quería a las dos igual!

Allison trató de ayudar.

—Sarah, ¿te parece bien si doy mi opinión sobre lo que creo Jackie está tratando de decir?

—De acuerdo.

—Creo que Jackie sabe que la quieres y que siempre la has querido tanto como querías a Jane. Creo que, a veces, por el motivo que fuera, sentía menos aprobación o menos aceptación. Eso no significa que sintieras menos por ella, sino que ella experimentaba menos.

—Pero yo la quería... o la aceptaba igual. Siempre lo hice. ¡Tiene que creerme!

Sarah se estaba angustiando.

—Sarah, puedo notar tu angustia por la experiencia de tu hija de parte de tu relación con ella a lo largo de los años. Entiendo que desees... que quieras dejarle clarísimo que no pensabas eso... que no estabas decepcionada...

—¡Es que no lo estaba!

—Sarah, hay una cosa que creo que ayudaría a tu hija ahora mismo, y es que no trataras de dejarle eso claro. Trata solo de imaginar cómo debió de ser su experiencia... y sé que esto es doloroso para ti, como lo sería para cualquier madre... lo difícil que debió de ser su experiencia si a menudo pensaba que tú te sentías decepcionada hacia ella. No estamos hablando de si realmente sentías o no decepción, sino de lo que ella pensaba en ese momento.

—¡Pero...!

—Sé que te estamos pidiendo algo muy difícil. Si ella pensaba que tú estabas decepcionada...

Sarah se quedó inmóvil, al principio aturdida, tensa, preocupada. Luego miró a Jackie a los ojos y se los encontró llenos de lágrimas. Quería decir que no era así. ¡Que aceptaba a su hija! Y luego escuchó las palabras de Allison de nuevo en su mente: "Si ella pensaba que estabas decepcionada... qué difícil tuvo que ser... para ella". Sarah se acercó y cogió a su hija de la mano. Le habló, aunque Jackie apenas escuchó sus palabras:

—Lo siento mucho... Lo siento muchísimo... No sabía que te sentías así... Lo siento mucho.

—Gracias, mamá. —Jackie se puso nerviosa por su madre, por ella misma—. Ahora ya no me siento así.

Allison se unió silenciosamente a su diálogo.

—Jackie, tu madre está realmente contigo ahora en el dolor que sentiste durante tanto tiempo. Deja que te ayude con eso. No es demasiado difícil para ella. Deja que esté ahí para ti ahora. Deja que esté contigo ahora.

Jackie y Sarah se miraron en silencio con lágrimas en los ojos. Y se abrazaron. Después de unos minutos se separaron y Jackie dijo en voz baja:

—Gracias, mamá.

Allison volvió a meterse silenciosamente en su presencia conjunta.

—Jackie, cuéntale más cosas a tu madre sobre tus experiencias con ella a lo largo de los años. Ella quiere ayudarte. Es difícil para ella, pero está siendo fuerte para ti. Cuéntale para que te entienda.

La ansiedad de Jackie volvió. ¿No era ya suficiente? ¡No necesitaba pedirle nada más a su madre! Miró la cara tranquila y cariñosa de Allison. Ya había confiado en ella con Gabe y Katie. Y ahora iba a volver a hacerlo. Volvió a sumirse en su experiencia.

—Mamá, sé que a veces no fui la niña más fácil de criar. Y sé que Jane no cometió los errores que yo cometí. Lo sé. —Se esforzó por seguir avanzando con sus pensamientos. No quería hacer daño a su madre. Entonces las palabras parecieron decidirse por ella—. Lo más difícil para mí, mamá... creo... es que a veces creía que pensabas que yo era una egoísta. Que estabas más decepcionada por los motivos que creías que yo tenía para hacer algo mal que por lo que realmente hacía. Sentía que... y lo sentía mucho... que pensabas que era una egoísta.

—Lo siento, cariño... siento que pensaras que yo me sentía así.

—Y luego... a veces deseaba ser Jane con todas mis fuerzas... o ser como ella. Y otras veces la odiaba. Era como si no pensaras que ella fuera egoísta. Solo lo pensabas de mí. Y luego me odiaba a mí misma.

Madre e hija siguieron mirándose fijamente. La inquebrantable compasión de Sarah por el dolor de su hija le dio a Jackie el coraje para continuar.

—Mamá, nunca te odié... nunca nunca. Y sé que tú tampoco lo hiciste... era solo... solo que a veces te decepcionaba un poco... y muchas veces pensé que nunca llegaría a ser tan especial para ti como Jane.

—Ay, cariño...

Sarah comenzó a moverse hacia Jackie, pero su hija la retuvo cogiéndola de la mano.

—Por favor, mamá. Esto es muy difícil. Pero necesito terminar. En Acción de Gracias, volví a decepcionarte. Y volví a odiarme. Y esta vez también odié a Katie. Y volví a hacerte infeliz... y mamá, ahora mismo... ahora mismo... siento que estoy decepcionándote otra vez al decirte estas cosas... al volverte a hacerte infeliz... al ser egoísta... al molestarte por cosas que yo debería haber superado hace años. Siento que solo estoy considerándome a mí misma y que no me doy cuenta de que lo hiciste lo mejor que pudiste.

Jackie y Sarah se miraron fijamente. Jackie quería que Sarah hablara, pero le daba miedo lo que pudiera escuchar. Sarah quería hablar, pero dudaba porque no sabía si Jackie había acabado de hablar. Finalmente, Sarah no pudo esperar más.

—Cariño, nunca he estado tan orgullosa de ti como lo estoy ahora. Tienes el coraje... —dijo Sarah echándose a llorar. Jackie y Allison esperaron en silencio. Jackie extendió la mano y cogió la de su madre. Sarah continuó—: Tienes el coraje... que yo nunca tuve de contarle a mi madre cómo me sentía. ¡Y mis sentimientos se parecían mucho a los tuyos! Estaba convencida de que nunca era lo suficientemente buena, de que era egoísta. Y nunca pude decírselo. Pero tú sí... tú lo has hecho... y estoy muy orgullosa de la persona en la que te has convertido. Tengo mucha suerte de que seas mi hija... de que nunca tiraras la toalla conmigo cuando necesitabas a tu madre.

Volvieron a abrazarse. Jackie empezó a temblar mientras lloraba. Sarah le acarició la espalda y el pelo y luego la abrazó con fuerza y se balanceó de un lado a otro con su hija en sus brazos. Luego le dio un beso en la cara y volvió a abrazarla. Minutos después se alejaron un poco, aunque sus manos seguían juntas. Cuando ambas miraron a Allison y sonrieron, ella habló:

—Ha sido un honor para mí haber presenciado este momento. Admiro mucho lo que habéis hecho. Siento alegría por vosotras... y con vosotras... en este momento.

COMENTARIO

Cuando Jackie habló por primera vez con Allison acerca de sus dudas sobre la relación con su madre, se dio cuenta de que estaba afectando a su relación con Katie. Se volvió cada vez más capaz de ver cómo algunos de los comportamientos de Katie provocaban una respuesta en ella que probablemente tenía casi tanto que ver con sus interacciones pasadas con Sarah como con el comportamiento real de Katie. Se dio cuenta de que si conseguía entender la relación con su madre, podría ser mejor madre para Katie. Lo más probable es que lo que la motivara en primer lugar para dar el difícil paso de abordar la relación con Sarah fuera poder ayudar a Katie. Suele pasar con frecuencia. Para muchos padres sería casi inconcebible que se plantearan resolver e integrar las experiencias difíciles que habían tenido con sus propios padres de no ser por el deseo de satisfacer mejor las necesidades de sus hijos. Esto es lo que primero motivó a Jackie a hablarlo con Allison. A medida que pasaban los días, Jackie tenía cada vez más ganas de abordar esas experiencias por su propio bien y por su relación con Sarah, no con Katie.

En esta historia, la respuesta de Sarah a Jackie, auspiciada por Allison, resultó ser excelente y facilitó el fortalecimiento de su relación. Si Sarah no hubiera podido "escuchar" a Jackie y sentir empatía por ella, la experiencia en la consulta de Allison habría sido muy estresante para ambas y habría perturbado la estabilidad general de su relación. Allison habría ocasionado que Jackie fuera consciente de los riesgos que corría al abordar esas experiencias no resueltas. Como Jackie era una adulta que funcionaba bastante bien en su vida y contaba con el firme apoyo de su esposo y de otras personas, Allison estaba segura de que Jackie podría integrar la experiencia incluso si Sarah rechazaba su esfuerzo por obtener comprensión y validación. Cuando Allison trabajaba con niños como Katie, necesitaba estar más segura acerca de la capacidad y la disposición de los padres para "escuchar" y sentir empatía por la experiencia del niño antes de pedirle que comunicara sus vulnerabilidades a sus padres.

Con frecuencia, un niño con dificultades significativas debido a traumas y a problemas de apego, como Katie, activa las propias historias de apego de los padres de acogida o adoptivos. Cuando pueden abordar e integrar esas experiencias satisfactoriamente a través de la ayuda de su pareja, de amigos o de su terapeuta, a menudo perciben una mejora inmediata en su capacidad para mantener La Actitud con su hijo. Cuando pueden discutir abiertamente e integrar estas experiencias con uno de sus padres o con ambos, las mejoras son aún más obvias y fáciles de lograr. Incluso cuando sus padres no pueden unirse a ellos para revisitar sus primeros años familiares, es probable que esta exploración de su propia historia vital facilite su desarrollo social y emocional, incluidas sus capacidades de crianza. Cuando los padres están dispuestos a hacer lo que le piden a su esforzado hijo, todos se benefician del viaje.

Por otro lado, hay veces en las que puede que una reunión como esta no sea lo mejor para el padre que está tratando de criar a un niño tan complicado. Si Jackie hubiera estado segura de que Sarah no iba a poder escuchar lo que tenía que decir sobre sus experiencias infantiles y si hubiera previsto que Sarah reaccionaría con comentarios crueles y con rechazo, entonces habría sido razonable considerar no celebrar esa reunión, sino más bien intentar reflexionar sobre esos recuerdos de la infancia de manera que se redujeran las emociones asociadas de vergüenza y de miedo. En ese caso, buscar el consuelo y la comprensión tanto de Allison como de Mark o de alguna terapia específica para ella podría haber sido la forma más inteligente de proceder.

CAPÍTULO 14

INVIERNO EN MAINE

Los siguientes meses fueron una montaña rusa. En los puntos álgidos, los arrebatos de rabia de Katie eran toda una experiencia. Se tiraba al suelo, magullándose el cuerpo y derribando cualquier cosa que tuviera cerca. La ira parecía ser su única forma de abordar una relación. ¡Aquí está Katie! ¡Más vital que nunca! ¡Con mucha pasión! ¡Y con mucho odio! Y bajo el odio, siempre… ¡la vergüenza!

En los puntos más bajos de la montaña rusa, parecía estar a kilómetros de distancia, perdida en algún lugar de una realidad que no podía compartir. Katie no expresaba ningún afecto a través del que se pudiera sentir su vida interior. No era capaz de pedir ni apoyo ni consuelo. En estos momentos, Jackie casi anhelaba su ira.

Pero Jackie notó por primera vez otra cualidad en Katie a principios de enero, unas semanas después de las vacaciones. Katie era capaz de reír espontáneamente y de empezar a disfrutar hablando con Jackie y con Mark. Había una autenticidad inédita en sus interacciones. Parecía poder recrear brevemente su actitud durante el "tiempo con mami" fuera de los tiempos estructurados sostenidos por la presencia intersubjetiva de Jackie. En esos momentos, no transmitía sus cualidades obsesivas y controladoras habituales, ni hacía sus típicos monólogos repletos de cháchara. Katie parecía "una niña normal". Jackie no le mencionaba estas observaciones. A menudo, terminaban repentinamente con Katie diciendo o haciendo algo que seguramente causaría la ruptura de cualquier reciprocidad emocional cómoda en su tiempo juntas. Jackie contaba estos momentos en minutos, no en horas. Se lo dijo a Allison y ambas sonrieron esperanzadas. Tuvieron cuidado de no albergar expectativas de continuidad. Necesitaban protegerse de la decepción. Además, su expectativa probablemente sería percibida por Katie y eso volvería a alejarla más. No esperarían estos momentos: estarían abiertas a ellos, los descubrirían, responderían y aceptarían. Eran lo que eran, simplemente regalos que caían del cielo junto con la nieve.

Katie ya llevaba siete meses con Jackie. Visto desde fuera, Katie no había cambiado ni un ápice. Pero Allison y Jackie sabían que sí lo había hecho. Habían visto momentos de disfrute recíproco donde la necesidad de controlar parecía disiparse. Habían visto a una niña a la que se le podía pedir que hiciera algo, y que al final, con calma... ¡lo hacía! Habían visto a una niña que parecía estar expresando, a veces, una sensación de seguridad interior y satisfacción. No sabían si estos momentos se convertirían alguna vez en una parte importante de su vida.

* * *

El 27 de enero de 1995, Allison y Jackie se reunieron con Steven y con Kathleen, su supervisora. Kathleen les había dicho en junio que quería revisar su progreso a los seis meses, pero en realidad les había dado un mes extra. Steven tampoco había podido asistir a muchas sesiones de terapia en los últimos dos meses, por lo que la reunión serviría para ponerle al día.

Jackie resumió los días típicos de Katie con su rabia y su resistencia, con mentiras y destrucción, pero también con los destellos de calma que se estaban abriendo paso. Continuó describiendo cómo Katie pasaba mucho tiempo participando en varias actividades prácticas o divertidas con Jackie o en la habitación en la que se encontraba Jackie. Mencionó que Katie comía con frecuencia con Jackie antes que el resto de la familia porque a menudo trataba de interrumpir la comida diciendo algo malo a alguien o comiendo de forma grosera. Explicó que Katie solo había recibido algunos pequeños regalos tanto en su cumpleaños como en Navidad, ya que algo más grande la abrumaría, la desregularía y le estropearía el día tanto a ella como posiblemente a otros miembros de la familia. Katie parecía aceptar los abrazos de Jackie, e incluso a veces pedía que le cantaran y que la mecieran. Jackie estaba emocionada por esos momentos de disfrute compartido. Le explicó a Kathleen y Steven cómo era su "tiempo con mami" con Katie y que esperaba que sirviera para que Katie empezara a experimentar lo que significaba tener una madre de una forma distinta. Ahora Katie tenía otra forma de vivir en la casa aparte de la motivación exclusiva derivada de querer tener el control. Por supuesto, no optaba por esa "otra forma" muy a menudo. El único momento sistemático en el que se dejaba cuidar era en su ritual de acostarse.

Allison contó que Katie se mostraba generalmente muy implicada durante las sesiones de terapia, pero a través de mucho apoyo. Allison dirigía las sesiones y se relacionaba con ella de manera cercana e inter-subjetiva. Allison notaba que Katie todavía tenía muchas dificultades para explorar sus malos comportamientos sin caer en una vergüenza aparentemente interminable. Esto generaba una actitud defensiva, negación y rabia. Allison dijo que Katie estaba respondiendo a su acep-tación y curiosidad al respecto y que parecía ser capaz de gestionar sus experiencias de vergüenza más abiertamente y de aceptar su empatía un poco más, pero no siempre era así. Indicó que estas exploraciones seguirían siendo fundamentales para la terapia, ya que eran la esencia de lo que debía suceder para facilitar la integración de Katie de su sentido de sí misma y para reducir su creencia fundamental de que era una niña mala que no merecía que la quisieran. Esto era lo que más impacto ten-dría en la predisposición de Katie a confiar en Jackie. Allison también describió las experiencias terapéuticas de afecto e intimidad especiales que Jackie, Katie y ella habían compartido y que interpretaba como un indicio del potencial de Katie para tener un apego seguro más significa-tivo y duradero.

—Hasta ahora no parece haber hecho ninguna mejora significativa duradera —sugirió Kathleen—. Parece tan enfadada y desafiante como lo estaba cuando entró por primera vez en un hogar de acogida hace más de dos años. ¿Podrá tener una vida normal en una familia alguna vez?

—Si ese no fuera nuestro objetivo, no estaríamos ejerciendo tanta presión sobre ella y sobre nosotros mismas—dijo Allison—. Solo tiene siete años. Es brillante y es una luchadora. Solo le estamos enseñando que no tiene que luchar con Jackie, especialmente cuando está pasando por un momento difícil y la necesita más que nunca. Si puede llegar a aprender eso, tendrá un gran futuro. Además, no estoy del todo de acuerdo contigo en que no haya hecho ninguna mejora significativa. Cierto es que no hay cambios duraderos y generales que se puedan apreciar desde fuera. Sin embargo, ha demostrado cambios más sutiles en su capacidad para tolerar el afecto intenso y la cercanía con Jackie y conmigo. Creo que, por primera vez, comienza a percibir el mundo de la confianza, el afecto y el disfrute recíproco. No se ha metido de lleno en ese mundo, pero ya ha metido un pie para probar cómo es.

—¿Pero conseguirá hacerlo alguna vez, quiero decir, hacerlo de verdad? —preguntó Kathleen.

—No lo sé. Pero lo que sí sé es que se merece una oportunidad. Y también sé que no hay nadie mejor para alentarla a hacerlo que Jackie. Está haciendo mucho por esta niña, y creo que algún día veremos resultados.

—¿Tú que crees, Jackie? —preguntó Steven.

—Estoy de acuerdo con Allison —respondió Jackie—. No puedo leer en el futuro, pero sé que Katie tiene valor. Se empeña mucho en lo que cree que más le conviene. El problema es que lo que creemos y sabemos que le conviene más es casi siempre algo distinto de aquello en lo que se empeña. Solo tiene que descubrir que necesita una madre, no una sirvienta. Necesita aprender a divertirse conmigo, a confiar en mí y a escucharme, no a controlarme y a obligarme a rechazarla.

—Parece que estuvo muy cerca de hacer que tiraras la toalla en Acción de Gracias —dijo Steven.

—Sí. Pero ya no ha vuelto a pasar, y noto que estoy en racha. ¡El pavo ha encontrado la horma de su zapato! Ninguna salsa va a poder conmigo —dijo Jackie sonriendo.

—Bueno —dijo Kathleen—, esto nos lleva a nuestra próxima gran pregunta. Tenemos que decidir si le pedimos al juzgado que revoque los derechos paternos de Sally y Mike. Ha estado en régimen de acogida durante casi dos años y medio, y sus padres han hecho muy poco por que vuelva a vivir con ellos. Como sabéis, su madre no está interesada en verla más que de tanto en cuanto, y apenas se ha esforzado en su propia psicoterapia. Su padre no ha hecho nada, y además siguen viviendo juntos. Ninguno de ellos ha asumido responsabilidad alguna por sus actos de maltrato o abandono. De hecho han dejado de ver al terapeuta porque no asistieron a algunas sesiones y tenían que abonar una cantidad por las sesiones perdidas.

—Desde que vi a la niña por primera vez, me pareció que nunca iba a volver con sus padres —dijo Allison—. No solo no están haciendo su trabajo, sino que le han hecho tanto daño que nunca podrían volver a criarla en condiciones. Si regresara con ellos, no duraría ni una semana, y se iría tan dolida que habría un gran riesgo de que nunca pudiera conseguir recuperarse.

—Tienes razón —dijo Kathleen—, pero otra pregunta importante que nos harán en el juzgado es si Katie es adoptable o no. Si no podemos asegurar que somos capaces de asignarla satisfactoriamente en adopción, dudo que el juez cancele los derechos de sus padres. En el juzgado no son muy dados a crear huérfanos legales, independientemente de lo improbable que sea que tenga una buena relación con sus padres alguna vez.

—Entiendo el problema —dijo Allison—. En este momento, incluso aunque encuentres un hogar adoptivo que esté dispuesto a criarla, existe el riesgo de que la adopción se interrumpa. Incluso aunque los padres adoptivos mantengan su compromiso con ella, es probable que necesiten muchísima ayuda en los próximos años, a menos que Katie pueda realizar cambios significativos. Sus posibilidades de realizar esos cambios son mucho mayores si puede continuar su trabajo con Jackie y conmigo.

—Pero la pregunta es: ¿será posible en algún momento que alguien adopte a Katie? —preguntó Kathleen.

—Creo firmemente que Katie tendrá la oportunidad de ser adoptada. Y estoy más que dispuesta a hacerle esta recomendación a un juez —dijo Allison—. Como sabes, incluso si el juez acepta revocar los derechos de sus padres dentro de tres meses, todavía pasarán entre seis y doce meses antes de que un trabajador social de adopciones se familiarice con Katie y le encuentre un hogar adecuado. Eso nos dará a Jackie y a mí mucho tiempo para seguir trabajando con ella y ayudarla a estar lo mejor posible antes de la adopción. Todavía tiene siete años. Merece una oportunidad en un hogar permanente, aunque tendremos que ser muy cuidadosas para encontrarle la familia adecuada.

—Como todavía tenemos el encargo de realizar la reunificación, Jackie, debo decir esto con mucho cuidado —dijo Kathleen—. Si los derechos de sus padres acabaran en el futuro, ¿crees que solicitarías la adopción de Katie?

Se hizo el silencio y dio la sensación de que a Jackie le costaba respirar. Finalmente dijo:

—Se me ha pasado por la cabeza muchas veces, Kathleen. La idea de conseguir finalmente que confíe en mí y luego decirle que la va a adoptar otra persona no me gusta nada. Viví la misma situación con Gabe. Lloré mucho antes de decidir que no podía adoptarlo. Hay varios motivos, aunque ninguno me hizo sentir mejor cuando tuve que tomar la decisión. La razón principal es que realmente quiero continuar mi trabajo como madre de acogida que puede ayudar a estos niños con problemas a aprender realmente sobre el amor maternal. Creo que me gustaría hacerlo durante otros veinte años más o menos, lo que significa que podría ayudar a otros diez o quince niños. No podría hacerlo si hubiera adoptado a Gabe. Si lo hubiera hecho, no estaría trabajando ahora con Katie.

—Realmente no me había parado a pensar en lo que estás haciendo con Katie —dijo Steven—. Ahora me pregunto si es lo correcto. ¿Deberíamos organizarlo todo para que esté con Jackie un año y luego acabé mudándose a otra casa? ¿Eso es justo para ella? ¿Estamos siendo deshonestos?

—Es un tema importante, Steven —dijo Allison—. A lo largo de los años he encontrado tres respuestas. En primer lugar, ¿qué otras opciones tenemos? En el caso de una niña como Katie, que es incapaz de formar un apego seguro con sus cuidadores, estoy convencida de que las probabilidades de que pueda hacerlo con padres adoptivos no son buenas. La mayoría de los padres adoptivos no están interesados en adoptar para convertirse en padres de acogida. Quieren dar su amor y su hogar a un niño que puede aceptar lo que tienen que ofrecer en un grado razonable y beneficiarse de vivir con ellos. Es poco probable que Katie responda a ese hogar a menos que los padres puedan y se comprometan a aprender a criarla de una manera similar a como lo está haciendo Jackie. Se necesita cierto tipo de persona para criar a una niña como Katie. Si fuéramos verdaderamente honestos con los futuros padres adoptivos acerca de lo que implica realmente la crianza de un niño con graves dificultades derivadas de un trauma del desarrollo, creo que no encontraríamos suficientes familias que estuvieran dispuestas. Además, el tipo de intervención que ofrecemos Jackie y yo no es algo habitual ni en este estado ni en el resto del país. Se trata de un área de conocimiento bastante nueva que los profesionales de servicios de salud mental y servicios sociales aún no comprenden suficientemente bien. Y ella necesita este tipo de trabajo para continuar, especialmente para fomentar el paso a la adopción.

»En segundo lugar, dado que suelen pasar al menos dos años desde que un niño llega a un hogar de acogida hasta que pasa a un hogar adoptivo cuando la reunificación con los padres no funciona, ¿conviene a los intereses del niño no alentarlo a que desarrolle un apego seguro? ¿Podemos… es más, debemos pedirle a un niño que confíe únicamente en sí mismo y no en sus padres de acogida mientras viva con ellos? ¿Debemos decirle que sus padres de acogida no deberían significar mucho para él? ¿Decir a sus padres de acogida que no dejen entrar al niño en sus corazones? Creo que esa postura es emocionalmente negligente. Esos niños serían menos capaces de responder a un proceso de adopción que aquellos niños que pueden formar un apego seguro con sus padres de acogida.

»En tercer lugar —continuó Allison—, mi experiencia me dice que Katie podrá formar apego con unos padres adoptivos después de haber aprendido a hacerlo con Jackie. Cuando Gabe supo que no se quedaría con Jackie y que tendría su propia familia adoptiva, estuvo llorando e incluso gritando durante días. Pero se trataba de un dolor saludable por la pérdida anticipada de la primera persona en quien había confiado. Sin embargo, ¡durante ese periodo triste fue capaz de recurrir a Jackie para que le consolara! Cuando estuvo listo para afrontar la adopción, habló con ella muchas veces sobre sus esperanzas y temores sobre su nueva familia. Cuando finalmente vio las fotos de sus nuevos padres, estaba emocionado y compartió su emoción con Jackie. No volvió a su vida anterior, en la que no sabía cómo tener un apego seguro. No perdió su confianza en Jackie. Sabía que ella todavía lo quería y que le deseaba lo mejor. Es importante que se le diga claramente al niño que la acogida es temporal y que cuando desarrolle un apego seguro, se le apoye en su dolor. Katie ya sabe que su colocación en la casa de Jackie es temporal.

—¿Qué tal le va a Gabe en su hogar adoptivo? —preguntó Steven.

—Bueno, lleva casi un año viviendo con su familia y va bien —dijo Jackie—. Estuvo triste un tiempo, pero ahora parece sentirse seguro en su hogar. Me llama y me envía cartas. Es obvio que todavía soy importante para él. Creo que me he convertido en su tía especial. Pero lo más importante es que el apego con su madre adoptiva parece fuerte. Creo que psicológicamente ella es ahora más importante para él que yo.

—Es triste que Katie tenga que mudarse algún día —agregó Allison—. Sin embargo, estoy convencida de que la mejor fórmula para satisfacer sus necesidades es la adopción, y no una acogida de larga duración. Si se quedara con Jackie en una acogida de larga duración, le iría mucho mejor que a otros niños con el mismo régimen que todavía van de casa en casa. Pero a medida que creciera, se daría cuenta de que es una niña en acogida, de que Jackie y Mark no son sus padres legales y de que no es su hija. Lo más probable es que eso socavara su sensación de valía, así como el compromiso de Jackie y Mark con ella por ser tan especial para ellos como lo son sus hijos biológicos.

—Gracias por explicar tu razonamiento y tus experiencias con niños que pueden aprender a desarrollar un apego seguro con sus padres de acogida y luego son adoptados por otra persona —respondió Kathleen—. Me parece algo muy importante si un niño no es adoptado por sus padres de acogida. Lo hablaremos en la oficina, pero es muy probable que cuando acudamos al juzgado en primavera, intentemos poner fin a los derechos de paternidad de Mike y Sally.

* * *

El 20 de febrero de 1995, comenzaron las vacaciones escolares de una semana de Katie. Le estaba yendo bastante bien en el colegio en comparación con las dificultades que tenía en casa. Según su maestra, la señora Robinson, Katie estaba perfectamente integrada con el nivel académico de su clase e incluso leía al nivel de un curso superior. Sin embargo, no parecía comprender lo que leía tan bien como los otros niños de la clase. Le costaba mucho hablar de las historias, y su profesora pensaba que a menudo no parecía entender el tema principal y los deseos y motivos de los personajes.

Katie tendía a ser dominante con sus compañeros de clase. No parecía haberse hecho ningún amigo especial. Los otros niños no estaban seguros de cómo reaccionaría y solían mantenerse algo distantes. La señora Robinson creía que era socialmente inmadura en comparación con sus compañeros. También había iniciado un sistema de recompensas para ver si podía aumentar los comportamientos de Katie concentrados en tareas y reducir algunos de sus comportamientos disruptivos. Cuando habló con Jackie sobre la implementación de un sistema similar en casa para que hubiera más homogeneidad, Jackie se negó y le indicó que ya tenía un programa muy completo y estructurado que no dependía de recompensas concretas para motivarla. La señora Robinson le dijo a Jackie con tacto que Katie le había contado algunos de los problemas que había tenido en casa. Añadió que Jackie podría obtener mejores resultados si adoptaba un enfoque más positivo de los problemas de Katie, en lugar de hacer hincapié sus malos comportamientos. Le sugirió a Jackie que consultara con el especialista en comportamiento escolar para que la orientara a centrarse en lo positivo. Jackie le explicó por qué dudaba de que ese plan de comportamiento fuera a funcionar, dada la gran dificultad de Katie para tolerar las "recompensas" más básicas de la diversión y el amor. Apuntó que no consideraba que la estructura y la supervisión que le estaba dando a Katie fuera "negativa", sino que le estaba dando una mayor oportunidad de involucrarse en conductas positivas. La estructura y la supervisión ayudaban a Katie a tener éxito, con la asistencia activa de Jackie, en lugar de fallar por sí misma incluso con recompensas. Jackie le explicó brevemente que los niños que habían tenido episodios de maltrato a manos de sus padres biológicos tenían una necesidad básica de aprender a confiar en las relaciones íntimas, y eso era lo que ella necesitaba para centrarse en la casa. La confianza creada a través de la aceptación incondicional que implica la provisión de la seguridad de su apego era necesaria antes de que los esfuerzos por enfocarse en cambiar sus comportamientos pudieran funcionar. La señora Robinson se dio cuenta de que Jackie y ella no estaban hablando realmente el mismo idioma. Jackie se sintió agradecida cuando la maestra de Katie cambió de tema para hablar de cuestiones académicas. Sabía que había algunos buenos recursos para introducir los temas de apego en los colegios, pero consideraba que ese no era el momento adecuado para presentarlos.

Katie continuaba mostrando la intensidad de su ira hacia Jackie de todas las formas imaginables. Le daba absolutamente igual el momento, lugar o circunstancia. Se enfadaba por lo que Jackie decía o hacía, simplemente porque tenía que hacerlo. La pregunta que Allison planteó fue: ¿Qué es lo que busca alcanzar realmente con su enfado? ¿El rechazo por parte de Jackie? ¿Una prueba de su propia inutilidad? ¿La rabia de Jackie? ¿La negación de su propia desesperación? ¿La confirmación de sus expectativas de que el mundo nunca podrá satisfacer sus necesidades? ¿O simplemente trata de evitar el siguiente rechazo inevitable a su manera en lugar de ser vulnerable a la desesperación de no ser buena de nuevo? Allison pensaba que a veces Katie estaba motivada por alguno o por todos estos factores. Jackie estaba de acuerdo.

Entonces, ¿por qué parecía conectar adecuadamente con Jackie a veces? ¿Por qué parecía estar realmente interesada en algo que sucedía en la familia que no estaba relacionado con ella? ¿Por qué parecía disfrutar realmente de sí misma? Vale, esos momentos apenas duraban diez minutos, como mucho, pero contaban igual. De hecho, contaban mucho.

Al no tener la estructura que le proporcionaba el colegio, Katie necesitaba un horario bastante ajustado en casa para poder funcionar adecuadamente durante la semana de vacaciones. Jackie planificó algunas actividades artísticas y manualidades junto a las rutinas habituales. También tenía la intención de sacar a Katie a la nieve un rato todos los días, aunque seguro que se quejaría de tener frío y enseguida querría volver a entrar.

Después de comer, Jackie decidió llevar a Katie afuera para construir un caballo de nieve en el patio trasero. Después de las quejas habituales, Katie logró encontrar y ponerse las botas y su ropa de nieve, todo un logro para ella. La nieve estaba húmeda, pesada y pegajosa, excelente para modelar. En poco tiempo, lograron juntar dos grandes bolas de nieve que formarían el cuerpo del caballo. Consiguieron poner una bola más pequeña sobre una de las grandes. Esto acabaría siendo el cuello y la cabeza. La cola vendría en último lugar, si conseguían adherirla a la otra bola. Luego darían forma a las cuatro patas y harían una abertura entre las patas delanteras y traseras. Sorprendentemente, Katie se involucró en la actividad y se quejó muy poco. Después de dar la forma que ellas querían, Katie retrocedió para mirarlo mientras Jackie comenzaba a abrir el espacio debajo del cuerpo.

—¡No parece un caballo! —gritó Katie.

—¡Claro que sí! —replicó Jackie—. Solo tienes que usar tu imaginación un poco.

—¡Parece un perro grande! —dijo Katie riéndose.

—¡Un perro grande! ¿Qué dices? —dijo Jackie sonriendo mientras se levantaba y caminaba hacia Katie. ¡No es un perro! —dijo volvió a decir mientras ambas seguían mirándolo fijamente—. ¡Es más bien un oso!

—¡No, es un elefante pequeño! —dijo Katie. Cada vez se reían más—. ¡Creo que es una rana gigante!

—¡Katie, no llames rana a nuestro caballo! ¡Un perro o un elefante es una cosa, pero una rana es demasiado! —bromeó Jackie.

—¡Es una cabra! —añadió Katie mientras gritaba.

—¡Katie, ya está bien! —dijo Jackie fingiendo estar molesta por lo que la niña estaba diciendo de su trabajo.

—¡Es una cabra! —repitió Katie.

—¡Te la estás buscando!

Jackie cogió un puñado de nieve, se lo lanzó a Katie y la alcanzó en el pecho y un poco en la cara. Jackie contuvo la respiración. Katie gritó. Pero era un grito diferente. Estaba impregnado de risas. Katie cogió nieve con las dos manos y se fue corriendo hacia Jackie. Jackie se cayó de espaldas y Katie le llenó la cara de nieve. Jackie entonces gritó y agarró a Katie, y ambas rodaron por la nieve hasta que se acabaron empapadas y sudorosas.

—Katie, ¿por qué no te subes a nuestra "cabra" y averiguas si parece o no un caballo? —dijo finalmente Jackie. Corrieron hacia la figura de nieve y Jackie levantó a Katie. Luego se arrodilló y continuó cavando una abertura debajo de ella.

Katie finalmente se metió en el papel estar montando un "caballo". Fingió que cabalgaba "a través de la llanura". Katie gritaba al caballo y saltaba sobre su lomo. Jackie siguió cavando debajo del caballo hasta que el agujero llegó al otro lado. Había comenzado a retroceder cuando un salto de Katie hizo que se partiera el lomo del caballo, y Katie y el caballo (que pesaba como si fuera un elefante) cayeron encima de Jackie. La niña se asustó al caer tan repentinamente y al ver las piernas de Jackie sobresaliendo de la nieve que había debajo de ella. Jackie estaba asustada por la caída de Katie, sobre todo porque no podía ver nada. Finalmente, consiguió cavar para salir de debajo de su corcel caído.

—¿Estás bien, Katie? —preguntó Jackie mientras luchaba con la avalancha.

—Estoy bien —respondió Katie y se sentó inmóvil, sin saber qué hacer a continuación.

Primero lentamente y luego cada vez con más fuerza, ambas se echaron a reír de nuevo, totalmente arrebatadas por sus salvajes aventuras en la nieve. No quedaba mucho del caballo que enseñar después de una hora de trabajo.

—Bueno, Katie, creo que ahora mismo nuestro caballo no se parece mucho a nada. Pero nosotras tenemos la misma pinta que dos patos empapados —dijo Jackie mientras aún estaba tumbada entre las ruinas.

—¡Dos patos empapados! —repitió Katie y volvió a reírse. Luego añadió sin pensar—: Una mamá pato y su bebé. Atrapadas en la nieve lejos de su nido.

—Bueno, Katie —dijo Jackie con desinterés fingido—, esta mamá pato y su bebé deben meterse en su nido de inmediato si no quieren ponerse malas.

Jackie se levantó y ayudó a Katie a ponerse de pie. El corazón de Jackie parecía expandirse con amor y con esperanza. Mientras caminaban hacia la casa, echaron un último vistazo a los montones de nieve.

—Katie —dijo Jackie—, ahora podemos decirle a todo el mundo que hicimos un hermoso caballo y nadie sabrá que en realidad parecía una cabra.

A Katie le gustó la idea. En la cocina, le contó a Diane la historia de su hermoso caballo que, por desgracia, se había derrumbado. Luego miró a Jackie, sonrió y casi le guiñó un ojo.

Jackie decidió darle a Katie chocolate caliente y galletas saladas para merendar. A ninguna de las dos les gustaba el frío y disfrutaban del calor de la cocina. Jackie se preguntó cuánto tardaría Katie en estropear el momento. Nunca habían pasado tanto tiempo divirtiéndose juntas. El récord estaba en unos diez minutos, así que aquello era territorio inexplorado. Seguro que no duraría.

Después de la merienda, Katie llevó su plato y su taza al fregadero. Se volvió hacia Jackie y le preguntó:

—¿Puedo ver *Aladdin* en la tele?

Jackie sabía que había llegado el momento de la rabieta. Katie había encontrado una gran razón para estar enfadada y solo necesitaba la cooperación de Jackie.

—Esta tarde no, cariño. Tengo que arreglar unos papeles, así que voy a sacarte la casa de juguete y algunos libros para colorear para que juegues mientras lo hago. Sé que nos hemos divertido mucho juntas esta mañana y que es difícil parar. Es un rollo que la diversión no pueda durar para siempre, ¿verdad? Pero bueno, *Aladdin* puede esperar a otro día.

Jackie miró a Katie. No estaba gritando ni tirándose al suelo. Tampoco buscaba algo que tirar, ni intentó huir de la habitación. Se quedó allí quieta con aspecto triste. ¡Triste! Miró directamente a Jackie a los ojos con una expresión en la que solo había tristeza. Jackie no sabía qué decir. Se tocó la cabeza y volvió a comentar lo difícil que era cuando se acababa la diversión.

—Vale, mamá —dijo Katie en voz baja, y luego se dirigió a la mesa para comenzar a recogerla y que Jackie pudiera fregar los platos. Jackie se volvió hacia el fregadero y casi se le cae la taza. Se obligó a quedarse allí, haciendo como que fregaba los platos. No quería hacer nada que afectara a la situación e interfiriera con lo que estaba sucediendo dentro de la cabeza de Katie.

El resto del día y la noche fueron bastante tranquilos. Katie se quejó un poco e intentó que Matthew se enfadara con ella. Se fue a la cama sin problemas y pareció disfrutar de la lectura de Jackie y de cuando la arropó.

Cuando Jackie se dio la vuelta para salir de la habitación, Katie preguntó:

—Mamá, ¿podemos hacer otro caballo mañana? Me gustaría que todos lo vieran y también dibujarlo.

—Me parece un plan genial, Katie. Me encantaría. Seguro que sacamos algo de tiempo después de comer, como hoy.

—Buenas noches, mamá.

—Buenas noches, peque.

Al día siguiente no hicieron ningún caballo. Cuando Katie bajó a desayunar, se negó a comerse los huevos, las tostadas y el zumo que Jackie le había hecho e insistió en comer tortitas. Ese desacuerdo la llevó a negarse a comer, a asearse, a lavarse los dientes, a "recoger" las habitaciones de la planta baja con Jackie y a trabajar en un proyecto con Jackie. En general estuvo desagradable, fue un verdadero suplicio y mantuvo una actitud sombría y contrariada durante todo el día.

—Pero, ¿por qué no le recalcaste lo maravilloso de que hubiera sido capaz de divertirse contigo y también de aceptar que le negaras ver la tele?

—preguntó Steven en la siguiente sesión de terapia después de escuchar la historia del caballo de nieve.

—Si lo hubiera hecho —respondió Jackie—, lo más probable es que no hubiera conseguido acabar bien el día y que no hubiera tenido otro momento así en mucho tiempo.

—Pero si no la felicitas por eso, ¿cuándo lo harás? ¿Cómo sabrá que está haciendo un buen trabajo?

—Steven, estás asumiendo que si Jackie evalúa positivamente lo que hizo Katie, será más probable que la niña vuelva a hacerlo —dijo Allison—. Pero Katie no funciona así. No va a sentirse motivada para actuar de esa manera porque Jackie estará sacando algo de esto. Si Jackie está realmente contenta por algo, Katie no será capaz de ver que eso la está beneficiando a ella, y no a Jackie. Sospechará que Jackie quiere que actúe de esa manera en su propio beneficio y es probable que considere los elogios como una forma de tratar de manipularla y controlarla. El mejor elogio para Katie ahora mismo es el mero disfrute explícito de Jackie en lo que hagan juntas, expresado de manera no verbal y espontánea, en silencio y con énfasis. Lo que marcará la diferencia es esta reciprocidad natural en la que Katie llega a experimentar realmente la felicidad de Jackie para y con ella. Es como si el corazón de Jackie le hablara al corazón de Katie de la niña que Jackie está viendo y disfrutando por debajo de toda esa desconfianza y necesidad de controlar. Todavía no es capaz de imaginar que Jackie esté realmente feliz por ella, y no por su propio beneficio. Finalmente, si cree que Jackie está contenta cuando actúa de esta manera, sospechará y tratará de estropearlo. Se resistirá a divertirse con Jackie y, en su lugar, se sentirá motivada a molestarla, sin centrarse en si divertirse con Jackie la beneficia o no.

—Todavía no entiendo en qué afectaría a su progreso decirle que finalmente está haciendo lo que llevamos tanto tiempo queriendo que haga —dijo Steven, que no estaba convencido.

—El problema es que solo lo hará cuando ella quiera —dijo Allison—. Y cuando se sienta lo suficientemente segura como para hacerlo. Y continuará haciéndolo si quiere. Esta es su manera de experimentar para decidir si quiere una vida basada en el apego con Jackie. Declarar nuestras preferencias en el momento en que está experimentando solo la distraerá de la retroalimentación interna que queremos que perciba. Es decir: "Esto sienta bien", "Esto me gusta", "No hay nada que temer aquí".

—Entonces, ¿cuándo podrá gestionar los elogios? —preguntó Steven.

—En general, los elogios están sobrevalorados como forma de criar a los niños —dijo Allison—. Elogiar a los niños tiene tantas desventajas como ventajas para su desarrollo, si no más. Hay una exhaustiva investigación sobre esto que puedo pasarte si quieres. Los padres deben fomentar una motivación intrínseca para que el niño haga lo que más le convenga a largo plazo. La motivación intrínseca no se basa en factores externos, ya sean recompensas o evaluaciones personales en forma de elogios. La motivación intrínseca proviene de los padres que quieren mucho a sus hijos, que son buenos modelos de vida y que comunican la necesidad de aprender a tomar decisiones y a vivir con las consecuencias de las decisiones que se toman. La motivación intrínseca proviene de sentirse bien por dentro sobre las consecuencias de las propias acciones. Se trata del juicio del niño, no del nuestro. Mostrarle a nuestro hijo lo especial que es e interesarnos en cómo está aprendiendo y en las formas en que está descubriendo cómo manejar su vida contribuye mucho más a su desarrollo que hacer comentarios del estilo "buen chico". Queremos que sea él, y solo él, quien decida si es un buen chico. Todos los niños (y puede que los que tienen que afrontar desafíos como los de Katie aún más) prosperan mejor con aceptación incondicional. Las evaluaciones o juicios sobre su comportamiento, expresados como elogios, a menudo los ponen tensos y los llenan de incertidumbre. ¿Seré lo suficientemente bueno la próxima vez? ¿Me van a estar juzgando siempre? ¿Y qué pasa si no lo hago tan bien? ¿Me desaprobarán? Katie necesita ver en Jackie expresiones entusiasmadas de deleite y de disfrute, ver cómo la experimenta Katie cuando están juntas, pero no un juicio cognitivo de que lo que está haciendo es bueno.

»Decir que hizo un "buen trabajo" está bien, pero es algo exagerado, en mi opinión —continuó Allison—. A los niños se les suele decir eso cien veces al día. Cuando lo usamos demasiado, es probable que se den cuenta de que realmente no queremos decir lo que estamos diciendo. Y no pueden escapar a la sensación de que siempre los estamos evaluando. Necesitan sentir que disfrutamos y aceptamos su comportamiento la mayor parte del tiempo, que a ellos los aceptamos todo el tiempo, que a veces evaluamos sus comportamientos y que a ellos no los evaluamos nunca. Por supuesto que hay que darle un reconocimiento específico a algo de lo que tu hijo esté orgulloso. Por supuesto que es muy importante que Jackie se deleite con Katie y exprese admiración y aprecio por sus logros, pero estas expresiones son experiencias compartidas con ella, no juicios sobre ella. Estás compartiendo su alegría. Estás afirmando sus experiencias internas. La estás queriendo, no la estás evaluando.

—Pero Katie se mete en líos decenas de veces al día —dijo Steven—. ¿No estamos evaluándola cada vez y de forma negativa? ¿No deberíamos equilibrarlo con decenas de evaluaciones positivas, por pequeñas que fueran?

—Cuando Katie "se mete en líos" decenas de veces, no la evaluamos en esos momentos —dijo Allison—. La aceptamos. Evaluamos sus comportamientos cuando les ponemos límites y hacemos que le resulte difícil tenerlos a través de nuestra supervisión y de nuestra estructura diaria. Su comportamiento podría desconcertarnos porque conduce a una consecuencia aparentemente indeseable, pero no estamos evaluando su motivación para hacerlo. Incluso podríamos decir algo como: "Bueno, Katie, me da pena que no puedas hacer esto ahora porque parecía que tenías muchas ganas. Estás tan enfadada ahora que no puedo dejar que lo hagas". O "Si cambias de opinión, puede que tengas otra oportunidad mañana, o la semana que viene o cuando estés lista". O "Si puedo ayudarte a descubrir cómo hacerlo, dímelo, por favor". O "Bueno, podemos intentar hacerlo juntos otro día". Y debemos hacer esos comentarios sin sarcasmo y sin ningún atisbo de actitudes del estilo "Es que no tienes ni idea", sino de forma genuina. Queremos que actúe de la manera que más le convenga, y le proporcionaremos las dosis de estructura y supervisión que necesite para salir airosa. Si se enfada cuando le digamos que no está lista para hacer algo satisfactoriamente, la apoyaremos en su angustia, pero no la dejaremos hacer algo en lo que va a fracasar.

»A veces necesitamos evaluar sus comportamientos negativos, y debemos hacerlo de una manera clara y contundente. Si intenta hacerle daño al perro, necesita que le digamos con rotundidad que ese comportamiento es inadmisible. Pero con la mayoría de los niños esos comportamientos son menos frecuentes de lo que pensamos. Necesitan aceptación con respecto a su vida interior y a la mayoría de sus comportamientos, dentro de un entorno necesariamente estructurado en el que nuestras escasas evaluaciones contundentes estén dirigidas hacia comportamientos específicos serios.

—Creo que ya lo voy entendiendo —dijo Steven—, pero todavía me cuesta un poco aceptar esta técnica de falta de elogios.

—Sí —respondió Allison—, es una forma diferente de ver las cosas que puede llegar a ser confusa, sobre todo cuando no paramos de leer manuales para padres que están llenos de ideas sobre sistemas de recompensa y alabanzas enfocadas. ¿Qué te parece si te pongo un ejemplo? Imagina que este domingo te toca a ti levantarte con Rebecca para que Jenny duerma un poco. Cuando Jenny baja, te dice: "Steven, has hecho muy buen trabajo con Rebecca. Está perfectamente vestida y está jugando la mar de bien, e incluso la has aseado... no te has dejado nada". —Steven y Jackie se rieron algo nerviosos—. Ahora compáralo con lo que sentirías si tu esposa bajara, te preparara un poco de café, te diera un achuchón, se sentara y sonriera al veros jugar a los dos juntos. Y al preguntarle que por qué sonríe, ella te dijera: "He dormido de maravilla, y me encanta veros pasar tiempo juntos".

—¿Me has estado espiando? —preguntó Steven con fingida indignación—. ¡Eso último es casi idéntico a lo que pasó la semana pasada!

—¿Y lo primero? —preguntó Allison.

—Me volvería loco —respondió Steven riéndose un poco más—. ¿Y sabes lo más curioso? Cuando Jenny me dijo eso la semana pasada, pensé: "¡El domingo que viene por la mañana me vuelvo a ocupar yo! ¡Ella trabaja un montón y se merece un buen descanso!".

Los tres se echaron a reír, y Steven le pidió a Allison en tono de broma que le asegurara que no estaba asesorando a su esposa en secreto para que pudiera sacar el máximo provecho de él. Siguieron riéndose y Jackie le hizo prometer a Steven que no cambiaría de opinión con respecto a darle a Jenny la sorpresa de esas horas de sueño extra. Steven la tranquilizó diciéndole que había entendido a la perfección que ser madre es un trabajo duro.

—Claro que lo es —dijo Jackie.

—Y ser padre también —intervino Allison, sonriendo—. Bueno, ya es hora de que traiga a la niña.

Una vez que se acomodó en el sofá entre Jackie y Allison, Katie hizo gala de su actitud curiosa y ligeramente juguetona, lo que sugería que probablemente estaría bastante receptiva a las intervenciones de Allison.

—Katie, me dice tu madre que hicisteis un bonito caballo de nieve. Qué lástima que se rompiera y se le cayera encima —dijo Allison con inocencia.

Katie miró a Jackie y sonrió.

—Nos pusimos muy tristes. Mamá dijo que nunca había hecho uno tan bonito —dijo Katie en voz baja antes de que Jackie y ella estallaran de risa.

—¿Qué os hace tanta gracia? —preguntó Allison—. ¿De qué os estáis riendo vosotras dos?

—No, de nada… —dijo Jackie.

—¡De nada! —dijo Katie mientras seguía riéndose.

—¡Algo está pasando aquí! —exclamó Allison—. ¿Qué sucedió realmente?

—¡Nada! —volvió a gritar Katie mientras miraba a Jackie de nuevo.

—Katie, dímelo o te vas a meter en un lío —dijo Allison sonriendo.

—¡Es la verdad! —gritó la niña entre risas.

—¡Tú te lo has buscado! —dijo Allison mientras empezaba a hacerle cosquillas—. ¡Dímelo!

—¡Está bien! —gritó Katie—. Era feo y parecía una cabra. O un perro.

—¡Katie incluso dijo que parecía una rana! —añadió Jackie.

—No nos pusimos tristes cuando se rompió. ¡Nos reímos tanto que casi me hago pis! —gritó Katie.

—Así que eso era. Un caballo feo. Y casi te haces pis en medio de la nieve. ¡Seguro que si te hubieras hecho pis le habrías dicho a todo el mundo que había sido el caballo feo! —sugirió Allison.

Charlaron un poco más sobre cuánto estaba nevando en Maine ese invierno. Allison sugirió que su siguiente proyecto podría ser un dinosaurio de nieve. Jackie refunfuñó al darle las gracias por la sugerencia, mientras que Katie se emocionó con la idea.

—Probablemente termine pareciéndose a una ballena —añadió Steven.

Después de discutir algunas cosas sin importancia de la semana, Allison reflexionó un poco sobre los meses de Katie con Jackie.

—Katie, me encanta saber que te divertiste con Jackie en la nieve y también otras cosas que han sucedido en casa estos últimos meses. Lo pasas bien con tu familia, te ríes, haces tonterías, aprendes cosas ¡y te comes unas tortitas riquísimas! Eres solo una niña. Sé que Jackie y tú también habéis pasado momentos muy difíciles, sobre todo en otoño, cuando no os conocíais tanto. A veces te parecía que Jackie estaba siendo mala contigo, que te estaba haciendo daño, que no le gustabas.

Katie escuchaba sin moverse, tal vez recordando los tiempos difíciles desde una distancia mayor, desde otra perspectiva. Allison recordó algunos de los momentos difíciles que Katie había tenido con Jackie, y Katie no se opuso. Parecía estar tratando de dar sentido a lo que estaba sucediendo. Luego, Allison continuó en voz baja:

—No hemos hablado mucho de Sally y de Mike últimamente. Vivir con ellos te hizo daño de muchas maneras. Te hizo tanto daño que todavía te duele ahora. Puede que te hicieran tanto daño que te pareciera que Jackie era como ellos cuando te decía que no.

—No me duele —dijo Katie.

—Ojalá que así fuera, cariño —dijo Allison—. Pero yo creo que sí. Se te hace difícil vivir con tu nueva familia sin tener tantos problemas. Creo que Sally y Mike todavía te confunden y no sabes bien cómo confiar en Jackie y en Mark. Y creo que algunos de los momentos más felices que has tenido últimamente podrían significar que estás empezando a entender que tal vez Jackie y Mark no son iguales que Sally y Mike. Tal vez puedas ser feliz en esta familia. —Katie no respondió, así que Allison continuó—: Cuando vivías con Sally y con Mike, había una vecina que los escuchaba gritarse y gritarte a ti. La vecina dijo que a veces escuchaba a Sally y a Mike decirte cosas horribles que tuvieron que ser muy molestas para una niña tan pequeña. Dijo que Sally te llamaba "mocosa egoísta". Y que Mike te llamó "niñata de mierda" a la que habría que meterle la cabeza en el váter. Ay, Katie, eso debió de ser muy difícil para ti... que tus primeros padres te dijeran esas cosas.

Katie respondió rápidamente:

—No me molestaba.

Allison respondió con calma:

—Katie, me resulta difícil imaginar que no te molestara que tus padres te llamaran "mocosa egoísta" y "niñata de mierda". ¿Cómo hiciste para que no te molestara?

—No los escuchaba.

—Me alegro, Katie. Me alegra que encontraras una manera de ignorarlos. ¿Cómo lo hacías?

—Pensaba que eran estúpidos y que Mike también era un "niñato de mierda".

—¿Así que pensabas que tanto él como tú erais unos niñatos de mierda?

—Sí, los dos.

—¿Y Sally?

—Ella era simplemente estúpida. No me gustaba porque yo no le gustaba a ella. Decía que nunca me querría porque yo era muy mala.

—Eso tuvo que ser difícil de escuchar, que Sally dijera que pensaba que eras mala...

—No. Yo era mala.

—Ay, Katie, qué difícil tiene que ser pensar que eres mala y que no vas a gustarle a nadie o que nadie te a querer porque eres mala.

—¡Soy mala! ¿Todavía no te has enterado a estas alturas? ¡Pues entonces tú también eres estúpida!

—¿Qué es lo que te hace estar tan segura de que eres mala, Katie?

—¡Ya lo sabes! —gritó Katie—. Sabes que le he pegado a Jackie, y que le he escupido, ¡y que la he llamado "niñata de mierda"!

—Vale, ahora creo que lo entiendo mejor. Cuando haces algo mal, piensas que es porque eres mala... porque eres una niñata de mierda. No crees que pueda haber alguna otra razón para hacer esas cosas.

Katie siguió gritando:

—¡No hay ninguna otra razón! ¡Y tú lo sabes! ¡O eres estúpida o estás mintiendo! ¡Probablemente tengas que decir eso porque eres mi terapeuta!

—Sé que es muy difícil que me creas si te digo que sé que había otras razones... muy difícil. Entonces lo que me estás diciendo es que todos los días piensas que eres una niñata de mierda... ¡todos los días! ¡Menudos pensamientos y sentimientos complicados sobre ti misma tienes en la cabeza! Qué complicados... qué complicados... ¿cómo haces para gestionarlos?

—¡No pienso en ellos! ¡Excepto cuando me los recuerdas! Por eso no me gusta la terapia. Solo quieres que sea infeliz, así que hablas de estas cosas.

—No debes de confiar nada en mí si crees que quiero que seas infeliz a propósito. ¿Crees que estoy siendo mala contigo cuando hablo de estas cosas?

Allison respondió a las expresiones intensas y agitadas de Katie con una intensidad similar en su voz que transmitía una sensación de urgencia por entender la experiencia de Katie y serle de ayuda.

—¡Estás siendo mala conmigo! ¡Muy mala!

—Siento que pienses que ese es el motivo por el que hablo de estas cosas. Lo siento. Eso debe de hacerlo aún más difícil... pensar que lo hago a propósito para hacerte infeliz.

—Entonces, ¿por qué hablas de ello?

—Gracias por preguntar, Katie, gracias. Hablo de ello porque Sally y Mike te hicieron mucho daño con lo que te decían. Te hicieron daño entonces haciéndote sentir triste, enfadada y molesta. Y todavía te hacen daño porque creo que les crees. Te llamaron "estúpida niñata de mierda", y tú te lo crees. Crees que lo eres y que por eso haces cosas que no debes hacer.

—Entonces, ¿por qué hago esas cosas si no soy mala?

—Porque te resulta muy difícil no poder hacer lo que quieres. Cuando Jackie te niega algo. Es difícil porque te recuerda a todos los momentos terribles en los que Sally y Mike te negaron algo. Y cuando Jackie te recuerda a ellos, ¡te enfadas! ¡Es como si estuviera siendo igual de mala contigo que ellos! ¡Así que te enfadas con ella! Al igual que os enfadabais Sally, Mike y tú. Te cuesta mucho que Jackie te diga que no a algo que quieres hacer. —Katie se quedó mirando una foto en la pared, como tratando de dar sentido a lo que decía Allison. Luego, en voz muy baja, Allison añadió—: ¿Por qué no le dices a Jackie que a veces crees que es mala contigo?

—Ella no es mala —respondió Katie rápidamente, y luego pareció confusa.

—Katie, parece que esto te está confundiendo. Seguro que recordarás que a veces piensas que Jackie es mala contigo, y otras veces no piensas que lo sea. Sí, es muy confuso. —Allison continuó después de un momento—: ¿Querrías decirle a Jackie que a veces te confunde, que a veces no sabes si le gustas o si cree que eres mala?

Katie parecía muy preocupada cuando miró a Jackie y le dijo:

—¿Te gusto?

Jackie la cogió de la mano y se miraron. En silencio y lentamente, Jackie dijo:

—Me gustas mucho, Katie. Y entiendo que tengas dudas al respecto.

Katie de repente parecía asustada.

—¡Pero soy una niña mala!

Jackie le apretó la mano.

—Si eso es lo que Sally pensaba, no estoy de acuerdo con ella. Creo que a Sally no le importabas. Creo que Sally estaba equivocada.

—A veces creo que eres mala. A veces te odio.

—Lo sé, Katie. Lo sé. A veces te cuesta mucho que te diga que no.

—Ahora no te odio.

—Me alegro.

Ambas sonrieron, luego se abrazaron y acabaron llorando.

Cuando Jackie y Katie se fueron, Steven se quedó un momento para hablar con Allison.

—Esto ha sido muy intenso, Allison. Sobrecogedor. No puedo ni imaginar lo difícil que debe de haber sido para Katie.

—Sí, Steven, ha sido difícil para ella. Sin embargo, la estaba observando de cerca y me ha dado la impresión de que lo estaba gestionando bien. Si me hubiera parecido demasiado para ella, habría alejado el énfasis de su vergüenza. Pero llevar esa vergüenza como lo hace ella, día tras día, es aún más difícil. Esperemos que cuando llegue a verlo, a darle sentido, no sea algo tan grande ni tan pesado. Esperemos que sus dudas sobre si Jackie se preocupa por ella o no también se reduzcan.

—Si puede conseguirlo —dijo Steven—, supongo que estaremos salvados.

—Si puede conseguirlo —añadió Allison—, creo que Katie tendrá una buena oportunidad de comenzar a aprender quién es, quién puede llegar a ser y lo que puede significar tener un hogar de verdad.

Diario de Jackie

28 de febrero de 1995

Katie parecía más retraída hoy. Le he sugerido que a lo mejor tenía en mente todavía la sesión de Allison ayer. Pero no era eso. Por lo visto, en el colegio le han dado un juguete de recompensa por tener un buen día, y automáticamente se lo ha tirado a otra niña que solo la estaba mirando. Cuando le han corregido esta actitud, ha mirado a la señora Robinson, ha pisado el juguete y ha sonreído. Sé que no debería sentirme bien por ello, pero me ha costado mucho contener la risa al leer la nota. Ojalá que poco a poco comiencen a entender a Katie y cómo ayudarla. Le pediré a Allison unos buenos folletos para colegios que pueda enviarles. El momento de irse a la cama ha ido bien. Ha tolerado mi interpretación de *La vaca lechera* y se se ha reído cuando le he hecho tonterías. También ha aceptado algunos abrazos.

1 de marzo de 1995

Katie parece haber encontrado una nueva fuente de placer. Antes de la cena, le he dado unos rotuladores para dibujar en la mesa mientras yo cocinaba. Me he despistado un segundo y, al volver a mirar, había tirado al suelo dos rotuladores y les había pisado la punta. ¡Que desastre! ¡Y me miraba y me sonreía! Supongo que era algo que tenía que averiguar por sí misma. Había funcionado para sacar de quicio a la señora Robinson… ¿funcionaría conmigo? Pues no. Me ha dado pena que ya no tuviera rotuladores con los que dibujar, porque le gustaban. Le he dado un barreño de agua con jabón y la he ayudado a limpiar el suelo. Como era de esperar, ha ido muy despacio para que llegara la hora de la cena antes de acabar, ¡pero no le ha salido bien la jugada! Al acabarse la cena, hemos vuelto a la tarea para acabar de limpiar el suelo. Todo bien a la hora de ir a dormir. Incluso le ha gustado que nos diéramos de comer mutuamente rodajas de plátano pinchadas en palillos. Después de cómo había ido la cena, no tenía claro cómo iba salir eso, pero me he arriesgado. Luego la he mecido un poco.

4 de marzo de 1995

Katie ha cooperado de verdad conmigo y hemos acabado nuestras tareas en una hora. Por lo general, nos lleva más o menos dos horas los sábados por la mañana. Me he enterado del motivo. Diane y ella querían salir de casa en medio de la tormenta de nieve. Para mí, en esta época del año, no hay nieve que valga. Para ellas, era una oportunidad de ser niñas. Quién lo diría. Katie eligiendo ser una niña. Diane siente que se puede permitir actuar como una niña pequeña y tontorrona cuando juega con Katie. A Katie no le importa. Así que ambas han hecho tonterías y locuras bajo la tormenta. Mirándolas, nadie hubiera dicho que Katie estaba realizando una tarea monumental ante mis ojos. Se estaba divirtiendo. ¡Divirtiéndose de verdad! Tal vez Katie nos esté enseñando el valor terapéutico de la nieve. Si es así, podría mudarme al norte de Alaska. Por supuesto, al entrar en casa ha tirado su ropa mojada al suelo de la cocina y me ha ordenado que les preparara un poco de chocolate caliente. Yo le he ordenado a la leche que saliera de la nevera, que se metiera en el cazo para calentarse y que luego saltara a la taza. ¡Pero no lo ha hecho! Después de una pequeña sonrisa que ha tratado de esconder ante mí, ha recogido la ropa y ha limpiado el charco del suelo. Esa actividad le ha dado tiempo para pensar, ¡y vaya si lo ha hecho! Se ha acercado a mí, me ha pedido chocolate caliente usando todo su encanto y luego ha cooperado bastante bien mientras lo preparábamos juntas. A lo mejor significa que está creando nuevos hábitos, pero no me hago ilusiones. A la hora de ir a la cama hemos cantado *En la granja de Pepito* y ella iba jugando con sus animales de peluche mientras cantaba. Luego la he acariciado con círculos suaves en la cara para ayudarla a dormirse.

5 de marzo de 1995

Como de costumbre, la iglesia no le ha causado a Katie ninguna impresión. La misa le parece aburrida. Lo que ocurre es que, como cuando se porta mal durante la misa esperamos a Mark en el coche y luego hacemos una pequeña misa en casa, suele optar por quitárselo de encima en la iglesia. Aunque hoy, después de comer, se ha sentado con Mark y han leído juntos la Biblia para niños. Prefiere las historias del Antiguo Testamento a las del Nuevo Testamento. ¡No me sorprende nada! Me he dado cuenta de que a última hora de la tarde del domingo Katie tiende a estar bastante irritable e inquieta. Tal vez le cueste pasar el fin de semana con una familia bastante relajada, cariñosa y activa. Necesita el colegio para descansar del estrés mental de la vida familiar. ¡Y apenas faltan cuatro meses para el verano! Como siempre, la hora de irse a la cama es cuando más disfrutamos juntas. Es como si firmara una tregua durante nuestro momento especial de cada noche. El resto del día, ni en broma.

10 de marzo de 1995

Katie está furiosa porque su maestra le ha hecho escribir una disculpa por romper el asa del táper de Erica. ¡Dice que no lo ha hecho y que su profesora no la cree! ¡Y dice que en realidad ha sido su amiga Sandy pero que ha mentido y le ha cargado el muerto a ella! Por lo visto, la señora Robinson ha tenido que sujetarla. Supongo que ha sido duro para ella. Es lo que pasa por mentir constantemente. Que te echan la culpa por cosas que no has hecho. Le he dicho que eso se arregla empezando a decir la verdad y que me encantaría ayudarla si ella quería. Me ha mirado como si estuviera mal de la cabeza. Le he sugerido que si alguna vez cambiaba de opinión, podía contar conmigo para practicar a decir la verdad. Mientras tanto, estaba sola ante los peligros de las falsas acusaciones.

11 de marzo de 1995

Menudo sábado de locos. Katie se ha portado fatal al despertarse. A las 10, ya estaba amable y dispuesta a cooperar. En la comida nos ha tocado esperar a que terminaran los otros niños. A las 2 de la tarde, parecía contenta con las tareas previstas. A las 5 se ha enfadado con John y luego conmigo cuando he intercedido a su favor, aunque lo he hecho por su bien. A la hora de acostarse, estaba encantadora, no paraba de reírse y daba gusto tenerla cerca. ¿Me estaré volviendo loca?

12 de marzo de 1995

Hoy ha ido todo de maravilla. Se ha mostrado colaborativa en la iglesia y servicial en la comida, ha sido una alegre compañera mientras explorábamos los bosques y ha vuelto a ser la misma hija cariñosa que vi anoche a la hora de dormir. ¿Qué significa esto? Debe de estar preparando el terreno antes de hacerme algo horrible. O tal vez, tal vez, su cerebro se está reconfigurando. Eso espero.

19 de marzo de 1995

Toda esta semana ha ido bien. Claro que ha habido algunos problemas, pero Katie está gestionando sus frustraciones bastante bien y en realidad parece disfrutar, sobre todo de estar conmigo. Tal vez está empezando a captar algo. Pero quizás Allison también tenga razón al decir: "No tengas expectativas hasta que algo se repita durante al menos tres meses". Ya veremos.

COMENTARIO

Katie no tenía ni idea de lo que estaba sucediendo en lo profundo de su cerebro. En realidad, nadie la tenía. ¿Las conexiones entre el "cerebro viejo" y el "cerebro nuevo" que deberían haberse desarrollado durante los primeros dos años de vida estaban brotando ahora, a los siete años? ¿Estaba empezando a notar y experimentar el placer de las sonrisas y expresiones recíprocas? ¿Estaba empezando a experimentar consuelo, emoción, afecto y diversión cuando Jackie y Mark la abrazaban, la tocaban, la achuchaban y, a veces, la mecían arropada con una manta? ¿Estaba experimentando el placer y la seguridad de reconectar con Jackie después de un conflicto? ¿Cómo y cuándo notó por primera vez que los demás tenían sentimientos? Parecía preocupada una mañana que Whimsy no se levantaba y Jackie lo llevó al veterinario. ¿Estaba sintiendo empatía? ¿Hacia Whimsy? ¿Hacia Jackie?

Katie estaba empezando a percibir el mundo interpersonal de la casa de los Keller. Y ella formaba parte de él. Los otros miembros de la familia no eran simplemente "objetos vivos" que manipular, engañar, intimidar o atacar. Jackie no hablaba con ella, ni la escuchaba, ni la alimentaba, ni la peinaba ni se reía o se acurrucaba con ella por la noche porque tuviera que hacerlo. Steven, Allison, Mark y Katie no obligaban a Jackie a hacer esas cosas. Jackie quería hacerlas. ¿Por qué? Esa pregunta todavía confundía a Katie. Le resultaba difícil creer que alguien pudiera disfrutar estando con ella, protegiéndola, jugando con ella y ayudándola. Jackie lo hacía. ¿Por qué?

Las preguntas surgían y su mente lidiaba con ellas. Katie trataba de evitarlas. De ahí su viaje por la montaña rusa de enero, febrero y marzo. Si conseguía evitar esas preguntas, podría preservar el mapa de su mundo que había configurado con Sally y con Mike. Podría seguir basando su vida en el encanto y la rabia, en las excusas y en culpar a los demás y, sobre todo, en controlarlo todo para intentar mantenerse a salvo y satisfacer sus necesidades básicas por sí misma. Estas nuevas preguntas contravenían sus primeras suposiciones, que eran el fruto de sus primeros esfuerzos para dar sentido a su vida. Jackie y Allison planteaban constantemente esas preguntas, más en su forma de relacionarse con ella que en palabras, y cada vez era más difícil evitarlas. Katie estaba agitada tanto interna como externamente.

La sesión con Allison en la que Katie empezó a abordar su sentimiento generalizado de vergüenza fue una experiencia fundamental en el progreso que estaba logrando, tanto en la capacidad de regular sus estados emocionales como en la confianza en su relación con Jackie. Esa vergüenza generalizada hace que sea muy difícil para un niño abordar las emociones vulnerables de tristeza, miedos y decepciones. Esa vergüenza también dificulta que una niña confíe en que su madre vaya a cuidarla (y a seguir comprometida con ella) si averigua lo mala que es. Dentro de la vergüenza, no está lo suficientemente segura como para confiar en alguien, sentirse triste y aceptar el consuelo.

Con frecuencia, los profesionales cuestionan la decisión de facilitar un apego seguro entre un niño y su padre de acogida cuando en el futuro acabará mudándose a un hogar adoptivo. Pero es la mejor opción. Los niños con problemas derivados de un trauma del desarrollo, que a menudo incluyen la desorganización del apego, solo pueden comenzar a formar un sentido integrado y valioso de sí mismos a través del establecimiento de una relación fluida con sus cuidadores. Katie solo puede comenzar a comprender que relacionarse con una madre es una fuente de placer si participa en innumerables experiencias intersubjetivas con Jackie. Finalmente, Katie necesita vivir la seguridad de estas experiencias con Jackie para poder llegar a integrar y a aprender algún día de experiencias que generen culpa (y no vergüenza) y a experimentar la reparación en su relación con Jackie con bastante rapidez.

Si Katie es capaz de formar un apego seguro con Jackie (de confiar verdaderamente en ella) y, en menor medida, con Allison, ya nunca olvidará cómo se hace. Cuando tenga que marcharse, se pondrá triste, pero podrá comenzar a formar un apego similar con sus padres adoptivos. Podrá transferir el apego porque Jackie se habrá convertido en parte de sí misma. La identidad de Katie incluirá una sensación de valía, y podrá disfrutar de relaciones recíprocas con los demás. Katie habrá descubierto la empatía y la confianza y anticipará que puede ser "adorable" y "encantadora" para sus cariñosos padres adoptivos.

Cuando los bebés y los niños pequeños se involucran en experiencias intersubjetivas con sus padres, pueden experimentar e integrar los sentimientos positivos de interés/emoción y de alegría/disfrute. No son capaces de generar y mantener estos estados interiores placenteros por sí solos. Necesitan tener estas experiencias intersubjetivas para experimentar los estados internos de interés y alegría, como ha quedado ampliamente demostrado en muchos estudios, por ejemplo, el completo trabajo de Daniel Siegel, *La mente en desarrollo* (2013). Katie está comenzando a experimentar interés y alegría mientras está involucrada con Jackie durante el "tiempo con mami" o durante otras breves interacciones del día. ¡Pero no puede mantener esos estados placenteros sola! Todavía no ha interiorizado a Jackie, al igual que un bebé o un niño pequeño todavía no ha interiorizado a sus padres. Necesita estas experiencias intersubjetivas antes de poder alcanzar estados emocionales subjetivos y placenteros. Cuando Jackie no consigue implicarla con afecto, atención e intenciones comunes, el placer interior se evapora. Esta verdad es fundamental en nuestros intentos de facilitar un apego seguro a estos niños solitarios y llenos de vergüenza. Katie no podrá mantener un estado interior placentero fuera de la presencia física y psicológica de Jackie. A través de la experiencia repetida de esta presencia intersubjetiva y de su estado interno asociado, podemos esperar que acabe siendo capaz de interiorizar la presencia de Jackie y de mantener el estado mientras está sola. Luego se involucrará con éxito en el desarrollo de un sentido de sí misma integrado y coherente, al igual que muchos niños pequeños.

CAPÍTULO 15

TRIBUNAL DE DISTRITO DE MAINE

Cuando la doctora Allison Kaplan llegó al tribunal de distrito de Augusta el 18 de marzo de 1995 por la tarde, iba vestida de manera mucho más formal que en terapia. Sentarse cómodamente cerca de los niños requería una apariencia mucho más informal de la que era necesaria para convencer a un juez de que considerara seriamente su opinión profesional.

Allison saludó a Steven Fields en el pasillo, quien la acompañó a una sala de reuniones en la que le presentó a Robert Craven, el asistente del fiscal general que llevaba los casos de asuntos infantiles ante el tribunal en Augusta. Allison estrechó la mano de Robert y se sentaron para comentar el tipo de interrogatorio que iba a realizar y qué se podía anticipar de las preguntas de Rachel Nutting, la abogada de Sally Thomas. Robert le aseguró a Allison que el juez Paul Caldwell era un hombre razonable que realmente trataba de determinar qué era lo mejor para el niño dentro de los límites de la ley.

Robert Craven iba a defender ante el tribunal que lo mejor para Katie Harrison era revocar los derechos de sus padres, Sally Thomas y Mike Harrison, de modo que se pudiera proporcionar a la niña otro hogar permanente. Para poder hacerlo, Robert necesitaba convencer al tribunal de que el señor Harrison y la señora Thomas carecían de la motivación o de la capacidad para brindar atención adecuada a Katie durante el período de tiempo requerido para cubrir sus necesidades.

Quería que Allison diera al tribunal su opinión profesional sobre las necesidades de Katie. Allison tendría que abordar si el régimen de acogida o la adopción podrían satisfacer mejor sus necesidades. También tendría que explicar si sería perjudicial que Katie siguiera unos años más en régimen de acogida en caso de que fuera necesario esperar ese tiempo hasta que uno o ambos padres pudieran comenzar a cuidarla. Allison era la cuarta testigo del DHS. Esa mañana Steven había resumido ante el tribunal la vida de Katie desde que había pasado a la custodia del estado, así como los servicios proporcionados a Sally Thomas y a Mike Harrison. Después de Steven, llegó el turno del doctor Peter Jacobs, quien testificó sobre los hallazgos derivados de las evaluaciones psicológicas de Mike Harrison y Sally Thomas. Según su testimonio, ninguno de ellos había reconocido la gravedad del maltrato a Katie; tampoco habían aceptado su responsabilidad ni habían demostrado remordimiento. Mike había expresado mucha hostilidad hacia el DHS por interferir con sus derechos para criar a su hija. Sally estaba menos enfadada y expresaba su deseo de hacer lo que fuera necesario para reunirse con Katie. Sin embargo, minimizaba su papel en el maltrato a Katie y no veía en qué había fallado al proteger a Katie del maltrato de Mike. El doctor Jacobs evaluó a Sally en enero de 1993, y nuevamente en octubre de 1994. No observó diferencias significativas en su grado de aceptación de responsabilidad por sus acciones y en su comprensión de las necesidades de Katie entre la primera y la segunda evaluación. Esta ausencia de cambio era evidente a pesar del hecho de que había asistido a dos cursos para padres y había recibido terapia tanto individual como grupal. Su participación en terapia había sido esporádica. Solo asistía con mayor regularidad antes de una vista ante el tribunal. Debido a las citas a las que no acudió, sus dos primeros terapeutas se negaron a seguir tratándola. El tercero había indicado que Sally parecía querer a Katie, pero le costaba mucho comprometerse con la reunificación debido a su relación con Mike. Mike había rechazado tajantemente cualquier terapia. Cuando se hizo evidente que Sally no podía esperar que su hija regresara mientras siguiera con Mike, se separó de él, pero siguió viéndolo regularmente. El doctor Jacobs no creía que el tribunal pudiera esperar de manera realista que Sally fuera capaz de criar a Katie de manera segura a menos que comenzara a aceptar su completa responsabilidad por sus errores, participara en la terapia de manera productiva y, después de haber demostrado un progreso significativo, asistiera a sesiones conjuntas con Katie en las que pudiera recuperar su confianza. En su opinión, toda esa secuencia se prolongaría un mínimo de dos años, incluso aunque Sally demostrara una mayor motivación de la que había tenido hasta la fecha, dada su falta de progreso en los últimos dos años y medio. Rachel Nutting, la abogada de Sally, aclaró que el doctor Jacobs no había visto a Sally en los últimos cinco meses y que por lo tanto no podía saber si había hecho algún progreso significativo desde su última evaluación. También hizo hincapié en que Sally estaba lista para visitar a Katie, pero que el DHS no se le permitía. Finalmente, indicó que Sally había dejado claro que se separaría de Mike si era necesario para obtener la custodia de su hija. La abogada Nutting sugirió al doctor Jacobs que esa disposición a dejar al hombre al que quería por su hija demostraba su compromiso con Katie.

Posteriormente, la actual terapeuta de Sally, Marjorie Taylor, indicó que solo llevaba con ella cuatro meses y que todavía estaba construyendo la relación terapéutica. Sally asistía a la mayoría de las sesiones, pero se había olvidado de dos citas. La señora Taylor indicó que Sally no había aceptado la responsabilidad de hacer daño a Katie y que solo había expresado su pesar por lo que Mike le había hecho. La terapeuta consideraba que Sally podría ser capaz de reconocer su propia responsabilidad por las experiencias de maltrato y abandono de Katie una vez que desarrollara un mayor grado de confianza en terapia. Coincidía con el doctor Jacobs en que el proceso llevaría al menos dos años y no estaba segura de la probabilidad de éxito. Estaba dispuesta a seguir trabajando con Sally para tratar de lograr ese objetivo.

Allison subió el estrado con su ansiedad y sus dudas habituales. ¿Se había preparado lo suficiente? ¿Sería capaz de presentar su opinión sobre las necesidades de Katie de una manera exhaustiva y creíble? Le preocupaba cometer un error al explicar las necesidades psicológicas de Katie y que el tribunal adoptara una decisión que podría perjudicar mucho a Katie. Cometer un error ante el tribunal podía ser tan perjudicial para Katie como cometer un error en la terapia.

—Doctora Kaplan —comenzó Craven después de explicar el cargo de Allison y su vinculación con Katie—, ¿podría explicar al tribunal su diagnóstico sobre Katie?

—Katie muestra un diagnóstico de trastorno de estrés postraumático, así como trastorno negativista desafiante. Ambos trastornos cuentan con el agravante de que Katie también manifiesta un comportamiento propio de los traumas del desarrollo, entre los que se encuentra la desorganización del apego. Estos conceptos no son un diagnóstico, sino más bien unas clasificaciones de investigación que se consideran factores de riesgo para el desarrollo de psicopatologías. Entre los comportamientos característicos de estos diagnósticos y clasificaciones, se observan relaciones muy marcadas por la vigilancia y, en el mejor de los casos, por una gran ambivalencia hacia sus cuidadores principales. Katie se resiste al consuelo, al afecto y a las experiencias de disfrute mutuo. También es extremadamente desafiante hacia sus cuidadores y, hasta hace poco, siempre ha mostrado indiferencia con respecto a quedarse en una casa o en otra. Sus objetivos principales en la vida son controlar a todos los que la rodean y hacer que la gente le dé cosas y haga cosas por ella. Tiene poca conciencia del amor materno y paterno, y la mayoría de las veces se resiste a él o le es indiferente. También se puede considerar que estos comportamientos reflejan las características de un diagnóstico de trastorno reactivo del apego. Sin embargo, ese diagnóstico no cuenta todavía con el suficiente grado de consenso profesional como para que me sienta cómoda al usarlo.

—Doctora Kaplan, ¿cuál es la causa del trastorno de estrés postraumático (TEPT), del trastorno negativista desafiante y del trauma del desarrollo y la desorganización del apego? —preguntó Craven.

—En este momento, existe el consenso de que el TEPT está causado principalmente por un trauma que no se puede resolver. Cuando se combina con características de comportamiento asociadas con la desorganización del apego, hay razones para creer que el trauma fue interpersonal e intrafamiliar. Ahora se considera que estos traumas reflejan un trauma del desarrollo, que tiene síntomas más generalizados que el TEPT. Es probable que este tipo de trauma incluya el "trauma de la ausencia", que implicaría abandono. Una las posibles causas sería la existencia de múltiples cuidadores, lo que haría que el niño careciera de atención predecible y segura. Después de innumerables experiencias de abandono y/o de cuidadores suplentes, el niño se repliega en sí mismo para mantenerse a salvo. Los patrones de comportamiento de Katie sugieren que experimentó un considerable abandono de sus necesidades emocionales y sociales antes de sufrir el maltrato que la llevó a protección de menores. Debido a esa dejadez, perdió la confianza en sus cuidadores y ya no anticipa el amor ni se esfuerza por recibirlo ni por darlo. Creo que el segundo diagnóstico de trastorno negativista desafiante es simplemente un resumen de sus síntomas derivados de la vida que acabo de describir.

—¿Qué tratamiento necesita Katie para poder recuperarse satisfactoriamente de su trastorno? —preguntó el señor Craven.

—El tratamiento debe ser intensivo y completo. Me refiero a que tiene que involucrarla de una manera profundamente emocional, alejándola suavemente de su necesidad generalizada de controlar y evitar, y además enseñarle, en el nivel preverbal más básico, que aprender a confiar y querer a su cuidadora es algo seguro y bueno para ella, además de muy agradable. Con el fin de conseguir estos objetivos, la madre adoptiva de Katie, Jackie Keller, participa activamente en la terapia. La señora Keller también cuenta con la formación y las habilidades especiales necesarias para criarla en casa de manera que facilite su capacidad para formar un apego seguro con ella. Brindar a Katie una madre preparada y comprometida es más importante que la sesión terapéutica en sí misma —añadió Allison con cuidado.

—¿Qué necesita Katie ahora, doctora Kaplan?

—A mi juicio —dijo Allison de manera deliberada—, Katie necesita poder vivir en un hogar permanente, donde su capacidad de desarrollo para crear un apego seguro obtenga una respuesta completa por parte de unos padres que estén profundamente comprometidos con su crianza hasta que sea adulta y que sigan a su lado posteriormente. Me refiero a un hogar adoptivo. Tiene casi ocho años. Creo que debe acceder a ese hogar permanente pronto para que tenga la oportunidad de formar un apego seguro con sus padres mientras siga siendo bastante joven. Si esperamos a que tenga once o doce años, es probable que estemos limitando enormemente nuestra capacidad de proporcionarle cuidadores permanentes apropiados, así como su capacidad de disfrutar de unos buenos padres.

—A tenor de los problemas de Katie, ¿será posible asignarle unos "buenos padres" que pudieran satisfacer sus necesidades? —preguntó el señor Craven.

—Ha hecho algunos progresos, y confío en que en los próximos seis a doce meses veamos muchos más. Si el tribunal determinara que puede ser adoptada, ese es más o menos el tiempo que llevaría encontrar esa casa. Todavía tiene siete años. Creo que hemos empezado a trabajar con ella siendo lo suficientemente joven, por lo que considero que podría funcionar bien en un buen hogar adoptivo.

—Doctora Kaplan, ya ha leído los informes sobre los padres de Katie del doctor Jacobs y de la señora Taylor, entre otros. ¿Por qué considera que no conviene seguir trabajando para reunificar a Katie con su madre o con ambos? —preguntó el señor Craven.

—Katie ya lleva más de dos años y medio en régimen de acogida. Creo que ha sido tiempo más que suficiente como para que uno de sus padres hubiera mostrado ser consciente de lo que le hicieron, hubiera reconocido su responsabilidad y hubiera logrado un progreso significativo en terapia como para poder brindarle ahora un buen nivel de atención. Según lo que he leído, eso no ha ocurrido. No creo que a Katie le convenga esperar otros dos años, como mínimo, para ver si su madre o su padre finalmente demuestran el compromiso necesario como para cuidarla adecuadamente de una manera que cubra sus necesidades. A causa del daño infligido, Katie va a necesitar que la críen unos padres excepcionales, no unos padres ineptos, ni siquiera mediocres. Nada de lo que he leído me ha hecho confiar en que ni su madre ni su padre tengan la capacidad de proporcionarle el nivel de crianza que va a requerir. La oposición de Katie a que la críen es tan intensa que si se la coloca en un hogar marginal, el fracaso será estrepitoso y su trastorno se convertirá en crónico con toda probabilidad.

—Gracias, doctora Kaplan —declaró el señor Craven.

—Su testigo, señora Nutting —dijo el juez Caldwell.

—Doctora Kaplan —comenzó la señora Nutting con energía—, ¿en qué se basa para asegurar que Sally Thomas no puede proporcionar a Katie la crianza que necesita si no la conoce?

—Me baso en mi conocimiento de Katie y en mi revisión de los informes de otros profesionales que han estado en contacto con la señora Thomas. Si esos informes son erróneos, no tendría ningún problema en reconsiderar mi recomendación —respondió Allison.

—Pero la señora Thomas está yendo a terapia y asistió a cursos para padres, doctora Kaplan. ¿Cómo podemos saber que no podría criar adecuadamente a su hija si le diéramos un año o dos más? —continuó la señora Nutting.

—No estoy diciendo que sea imposible —dijo Allison—. Simplemente opino que después de dos años y medio, tendría mucha más confianza si a estas alturas hubiéramos visto un progreso significativamente mayor del que parece haber ahora mismo. Además, me refiero al hecho de que estamos exponiendo a Katie al gran riesgo de no tener unos padres permanentes, cariñosos y capaces si esperamos otros dos o tres años para que sus padres puedan criarla y eso finamente no sucede. En total, habrá estado cinco años sin un hogar permanente. Esa situación es perjudicial para cualquier niño, y especialmente para un niño que ya tiene dificultades importantes para confiar en los adultos. Antes de asumir tal riesgo, recomiendo al tribunal que cuente con pruebas contundentes de que los padres de Katie tienen la motivación y la capacidad para criarla.

—Doctora Kaplan —continuó la señora Nutting cambiando aparentemente de táctica—, si sus impresiones sobre Katie son correctas, creo que deberíamos dejar a Katie en su hogar de acogida actual y permitir que sus padres la visitaran. Si padece esos trastornos, no creo que hacer que vuelva a mudarse sea beneficioso para ella.

—Estoy de acuerdo en que cambiar a Katie a un hogar adoptivo será difícil para ella después de haber formado un apego seguro con su madre de acogida —dijo Allison lentamente—. Seguramente lamentará la pérdida de su madre de acogida. Pero esa pena será temporal, y las ventajas de vivir en un hogar permanente superarán con creces a las desventajas temporales de la pérdida de su madre de acogida. Habría sido más ventajoso para ella desarrollar su primer apego seguro con sus padres permanentes. Pero eso ha sido imposible dada la situación legal y su nivel de necesidades. No podíamos permitirnos esperar hasta que el tribunal decidiera sobre su permanencia antes de alentarla a confiar en sus cuidadores. Si esperamos tanto tiempo, Katie nunca aprenderá, y no solo por su edad, sino también debido a la dificultad de encontrar una familia adoptiva que pueda y quiera comprometerse con una niña con problemas tan importantes.

—Doctora Kaplan, si le preocupa encontrar buenos padres que estén dispuestos a comprometerse con Katie, ¿no cree que debería considerar a la señora Thomas? Es la madre de Katie y ha estado esforzándose en recuperarla, aunque a usted no le parezca que ha trabajado lo suficiente. ¿Por qué no considera a la señora Thomas, doctora Kaplan?

—Ojalá pudiera, señora Nutting —respondió Allison—. Me hubiera encantado haber leído que la señora Thomas realmente entiende y lamenta la gravedad de lo que ella y el señor Harrison le hicieron a Katie. Si tuviera confianza en que pudiera criarla en un futuro próximo, me encantaría poder trabajar duro con Katie para que comenzara a confiar en la señora Thomas. Sin embargo, me asustan los efectos que podría tener sobre Katie que el tribunal decidiera que debe volver con la señora Thomas. Nada de lo que he leído sobre la señora Thomas me indica que pueda proporcionarle a Katie lo que la niña necesita.

—Quizás ahora no, doctora Kaplan —replicó Nutting—, pero puede que dentro de un año o dos sí.

—No he leído nada que genere mi confianza en esa posibilidad —dijo Allison—. Y por ello, insto encarecidamente al tribunal a que no haga esperar a Katie más tiempo.

—Eso es todo, doctora Kaplan —dijo la abogada.

Hubo otras cinco horas de testimonio antes de que el tribunal deliberara sobre la petición para revocar los derechos paternos de Sally

Thomas y Mike Harrison. El 9 de abril de 1995, el juez Caldwell emitió un auto con el que revocaba todos los derechos paternos de la pareja sobre su hija Katie.

COMENTARIO

Los efectos devastadores del abandono emocional generalizado y la falta constante de cuidados se van haciendo hueco poco a poco en las vistas judiciales e influyen en las decisiones posteriores con respecto a la vida de estos niños. El maltrato físico sexual y severo recibe una respuesta mucho más contundente y adecuada por parte del sistema legal. Los traumas del desarrollo, la desorganización del apego y el trastorno reactivo del apego son las consecuencias más graves del maltrato, del abandono severo y de las múltiples asignaciones en el desarrollo de los niños. La incapacidad de un niño para confiar incluso en los mejores padres daña inmensamente al *self* y a la capacidad de experimentar la crianza y una relación recíproca. Un niño de este tipo que no reciba intervenciones significativas y satisfactorias corre el gran riesgo de no encontrar nunca un lugar seguro en nuestra sociedad.

Demasiado a menudo, los sistemas legales y de servicios sociales todavía no son lo suficientemente conscientes de la necesidad de proporcionar a un niño una decisión a tiempo para que pueda mudarse a un hogar permanente lo suficientemente rápido como para reanudar el progreso del desarrollo. Muchos niños esperan durante años sin ninguna resolución de su estado temporal en régimen de acogida. A menudo, el sistema dictamina que los padres que fueron responsables de que el niño pasara al régimen de acogida no son lo suficientemente responsables como para comprometerse a reunirse con su hijo tan pronto como sea posible. A menudo los padres postergan demasiado su decisión y solo hacen intentos a medias para resolver sus problemas importantes. El sistema legal debe aceptar el daño significativo que se está haciendo a los niños mientras esperan, año tras año, a menudo cambiando de una casa de acogida a otra, y de esa a la siguiente.

CAPÍTULO 16

LA LLEGADA DE LA PRIMAVERA

A finales de marzo de 1995, a Katie le estaba pasando lo que a muchas personas en Maine cuando ya tienen cuerpo primaveral pero aún faltan semanas para que llegue el buen tiempo. Estaba irritable, malhumorada y no paraba de sentir lástima por sí misma. Aquella semana en la que todo había ido bastante bien a principios de mes era ya cosa del pasado. A diferencia de los habitantes de Maine, que se las apañan como pueden para aguantar hasta la llegada de la primeras briznas de hierba a finales de abril, Katie no tenía tanta confianza en su futuro. Era como si ahora sintiera que participar con Jackie en cosas que ambas disfrutaban era algo que, de hecho, la beneficiaba. Sin embargo, tenía planes propios para lograr su beneficio que no eran compatibles con los de su madre de acogida. Katie creía que negociarían sobre lo que era apropiado o no en la familia. Ella "daría un poco" si Jackie "daba otro poco". En su mente, la vida familiar era una democracia en la que su voto valía lo mismo que el de Jackie. Y cuando Jackie se negaba a cooperar en sus términos, Katie decidía "devolvérsela". Hacía la vida de Jackie más difícil como castigo por no ser "justa". La desafiaba, la retaba y actuaba taimada y con mal humor cuando estaban juntas. En su mente, Jackie merecía ese tratamiento.

Quizás Jackie debería haber visto venir esta respuesta después de constatar que los períodos de cooperación y la satisfacción aparentemente genuina de Katie se habían vuelto más evidentes. El estrés de integrar estas experiencias en su autoconcepto y su modelo de funcionamiento en las relaciones debía de ser enorme. No parecía probable que Katie pudiera aceptar estas nuevas características de sí misma y de su vida sin una gran agitación. Pero Jackie no lo vio venir y tardó cinco o diez días en reconocerlo. Como de costumbre, no se dio cuenta hasta que notó el aumento de su propia tensión e irritabilidad. También notó que estaba decepcionada por algunos de los comportamientos de Katie. Había empezado a esperar más de ella, y la continua oposición de Katie la había frustrado. Además se dio cuenta de que culpaba a Katie de su propia molestia. "¡Si por lo menos Katie…!" era una manera frecuente e insatisfactoria de articular sus pensamientos.

¡Se estaba volviendo como Katie! Esta idea se le vino a la mente hacia finales de marzo cuando Katie perdió el autobús del colegio. Se enfadó de inmediato y se sintió atrapada. No quería estar "atrapada" con Katie todo el día, pero tampoco tenía ganas de llevarla al colegio. Tenía ganas de hacerla caminar diez kilómetros hasta la escuela y se sentía molesta por saber que ese plan no era posible. Mientras se preocupaba por la situación, miró a Katie y vio que estaba sentada a la mesa la mar de contenta. Tenía a Jackie donde quería. Jackie estaba molesta y enfadada, ¡y había sido cosa de Katie! Jackie salió de la habitación y caminó por la sala de estar, mirando por las ventanas y hablando consigo misma sobre su situación. El barro que se acumulaba en la entrada de la casa parecía representar su estado de ánimo.

"Bueno, Katie, ya me has vuelto a pillar, ¡menudo pájaro estás hecha!", se dijo a sí misma. "Se te da genial hacer que me sienta tan mal como tú. ¡Me has contagiado tu pesimismo! Pero esto no acaba aquí, peque. Te he pillado, ¡así que no me vas a contagiar nada de nada!

Jackie se enorgullecía de haber entendido lo que estaba sucediendo. ¿Cómo había vuelto a "pillarla" Katie?? Jackie se paró un momento a pensar y se le vinieron a la cabeza sus recientes conversaciones con Allison y con su madre. ¡Sí, era similar! ¡Decepción! De alguna manera, estaba decepcionada con Katie de una manera similar a como a menudo sentía que su madre estaba decepcionada con ella. Cuando Jackie hacía algo malo, ¡creía que su madre la veía como una egoísta! ¡Sí! Y eso es lo que estaba pensando ahora al responder a Katie. ¡Y era también la forma en que Katie le estaba respondiendo!

Katie pensaba que Jackie estaba siendo egoísta, tal y como parecía que su madre solía pensar de ella. ¡Vaya! Qué fácil era entrar en esos viejos patrones de percepciones y respuestas. ¡Qué difícil es limitarse a permanecer en el presente y responder solo al significado del presente! Jackie decidió comenzar de nuevo. Su reciente trabajo con Sarah en la consulta de Allison había hecho esta tarea mucho más fácil.

Volvió a la cocina y le dijo alegremente a Katie:

—Cariño, me entristece que hayas perdido el autobús. Sé las ganas que tienes de ir al cole. Pero no te preocupes, que yo te llevo. Lo que pasa es que voy a tener que dejar de lado algunas de mis tareas para tener tiempo de llevarte, así que las reservaré para que puedas ayudarme cuando llegues a casa.

Jackie cogió su abrigo y las llaves y se dirigieron al coche. Katie gruñó y dijo que no iba a hacer ninguna de las tareas de Jackie, quien ignoró sus quejas y comentó que era una lástima que no se pudiera pasar del invierno a la primavera sin tanto barro.

—Bueno, creo que ayuda apreciar la primavera aún más cuando finalmente llega. ¡Y acabará llegando! —dijo Jackie en armonía con su recuperado optimismo.

Una vez que Jackie volvió a centrarse en preservar su propio equilibrio emocional y también a aceptar la ira, la resistencia y la imprevisibilidad de Katie, la vida en el hogar de los Keller volvió a la normalidad. En términos relativos, "normalidad" quería decir que Katie volvía a ser incapaz de distribuir su angustia y de tener la casa alborotada. Además, Jackie comenzó a notar que los momentos de genuino disfrute y cooperación que Katie había estado mostrando en los últimos tres meses estaban volviendo. Al proteger su propia vida interior y la atmósfera emocional de la familia, Jackie posibilitó una nueva aproximación de Katie a esa otra forma de vida. Gran parte del dolor existencial permanecía dentro de Katie, donde ahora tenía que estar si Jackie quería poder ayudarla a reducirlo. Katie necesitaba entender que lo que más le convenía era encontrar una forma de vivir con los demás que realmente cambiarían su vida.

Diario de Jackie

7 de abril de 1995

Katie ha recibido una llamada telefónica de una niña de su clase llamada Sandy. ¡Y es una niña normal! Su madre quiere que Katie vaya a jugar mañana. Le he sugerido que venga Sandy aquí mejor. Vendrá de 1:00 a 3:00. Katie está muy rara. Se sienta y se queda a mi lado. No consigue calmarse. Le sugiero que se siente con los ojos vendados, como solía hacer Gabe cuando ya había progresado. ¡Está de acuerdo y de inmediato se siente más tranquila e incluso verbaliza algunas de las sensaciones de las que se da cuenta sin ver! Esto no habría funcionado a menos que sintiera cierta confianza en su entorno. Canto y ella se une a mí. La cena va bien y se lo pasa bien con sus muñecas al irse a la cama. Me da las gracias por dejar que venga Sandy. Le digo que ya está lista para pasar tiempo con una amiga.

8 de abril de 1995

La primera visita de Katie ha ido más o menos bien. Estaba muy ansiosa; ha tratado por todos los medios de "ser buena" con su amiga para gustarle. Ha sido capaz de compartir y de dejar que Sandy decidiera qué hacer parte del tiempo. Katie ha entrado en su espacio personal a menudo y ha parloteado mucho. Sandy estaba un poco frustrada. Ninguna agresión verbal o física. Más tarde, al irse Sandy, hemos tenido que comer separadas del resto de la familia por primera vez en un par de semanas. Ha sido difícil calmarla a la hora de acostarse, pero no ha dado guerra.

9 de abril de 1995

Hoy después de la iglesia, Katie ha hecho muchas preguntas sobre la Pascua. Parecía afectarle emocionalmente de verdad que Jesús muriera por nosotros. También le preocupaba que Judas fuera tan "malo". Estaba triste por María. Con Katie, ese tipo de empatía por los demás rara vez es tan fuerte. Mark se ha llevado a Katie a pasear por el bosque. Ha visto a la familia del zorro con las crías. Al principio estaba emocionada, pero luego se ha asustado cuando la madre los ha visto. Ha cogido a Mark de la mano. Ha vuelto a casa con ella montada sobre sus hombros. Sé que a Mark le gusta realmente Katie a pesar de sus desafíos. No lo finge, y creo que ella se da cuenta. ¡Y me lo ha contado todo! Parecía tranquila a la hora de acostarse.

10 de abril de 1995

Difícil mañana al prepararnos para el cole. Se enfada por la ropa que le elijo. Se enfada por el desayuno. Rechaza la empatía. ¡Vuelve triste a casa! Sandy no ha querido jugar con ella en el recreo. Una de las pocas veces que ha demostrado que algo le importaba sin enfadarse por ello. Acepta consuelo. Es capaz de ayudar a Diane a limpiar el porche con buen humor y sigue instrucciones. Antes de acostarse le canta canciones de cuna a las muñecas, las mismas que yo le canto a ella. Luego me pide que se las cante yo a las muñecas, y luego a ella.

11 de abril de 1995

Está contenta por poder volver a jugar con Sandy. Posibilidad de experimentar una amistad nueva. Ansiedad sana al respecto. Inseguridad. Pide la Biblia para niños para leer sobre la Pascua. Lee más de una hora. Menos parloteo y más conversación. Cantamos a la hora de acostarse: le pide a Diane que venga y se nos una. Es la primera vez.

12 de abril de 1995

Vuelve muy enfadada del cole, ni idea de por qué. Se niega a estar en la cocina, se queda por los columpios. Finalmente entra a la hora de cenar y se enfada porque al acabar la esperan los deberes. Se pierde el programa de la tele; no explota, parece triste. Reina el silencio durante las actividades de antes de acostarse. Acepta empatía y consuelo.

15 de abril de 1995

Está emocionada y ansiosa por la celebración de la Pascua. Tiene un vestido nuevo. Mi madre, mi hermano y su familia vienen a cenar. Hace muchas preguntas sobre las tradiciones de la Pascua. A la hora de acostarse, le preocupa "no poder gestionar" la emoción del día. Es la primera vez que expresa un miedo realista. Algo profundo y encantador empieza a emerger.

16 de abril de 1995

Pascua muy especial para Katie. Está muy atenta y se muestra educada y controlada. No quiere ensuciarse el vestido. Se queda muy cerca de mí en la iglesia. Sigue las instrucciones antes y después de la cena. Mi hermano la ve mucho mejor que en enero. Quiere hablar tranquilamente a la hora de acostarse, nada de juegos. Habla del verano. No quiere ir al colegio nunca más. Quiere quedarse en casa todo el tiempo.

17 de abril de 1995

El lunes por la mañana vuelve a ser difícil. Muestra angustia e ira hacia mí. Rechaza la empatía. La sorprendo recogiéndola en el cole y llevándola al parque infantil de Waterville con zumo y galletas. Está perpleja porque aún le quedaban tareas matutinas pendientes que tenía que hacer después de clase. Cuando llega a casa ya están hechas. Noto que se pasa un rato preguntándose por qué. Me da abrazos extra fuertes a la hora de dormir.

18 de abril de 1995

Parece que la terapia de hoy ha tenido impacto. Allison lleva meses trabajando con las diferencias entre Sally y yo. Con su voz de adulta, Katie le ha dicho a Allison que Sally y yo somos diferentes, como si Allison no lo supiera. De camino a casa, me ha dicho que le estaba diciendo la verdad a Allison. Pero claro, cuando la he obligado a irse de la mesa por gritar, me ha odiado. A la hora de acostarse me ha dicho que me había mentido y que no me odia. Es solo que estaba enfadada conmigo. Le he dicho que la creo.

19 de abril de 1995

Me he llevado a Katie a la tienda para hacer algunas compras. Ha robado algunas chuches pero no me he dado cuenta hasta subir al coche. Hemos vuelto para que las devolviera y se disculpara. Ha hecho lo que le he dicho y parecía más triste que enfadada después. Hemos hecho pompas de jabón fuera después de cenar. ¡Se acerca el verano! La hora de acostarse va bien.

* * *

El sábado 29 de abril de 1995, Jackie mantuvo a Katie ocupada con varias actividades. Tuvo tiempo extra esa tarde y decidió llevarla a dar un paseo por el bosque en busca de algunos síntomas de la primavera. Por la mañana habían contado catorce petirrojos en el patio. A estas alturas, Katie estaba bastante dispuesta a aceptar las actividades que Jackie planeaba para ella. Jackie no creía que la niña fuera a cooperar tanto si le daba más libertad. Sabía que Katie había llegado a confiar en la rutina externa bien definida y estructurada que Jackie le proporcionaba. Katie no podía mantener su comportamiento amistoso y cooperativo sin esa estructura. El paseo por el bosque sería una variación, pero aun así partiría de una decisión de Jackie.

Salieron al viejo sendero que había detrás del cobertizo. El sendero ascendía, cruzaba una cala de abedules blancos y amarillos y bajaba hasta un pequeño estanque que siempre evitaban en verano a causa de los mosquitos. Comenzaron a buscar las primeras flores primaverales apartando las hojas viejas en un grupo de árboles que había al lado sur de una pequeña colina. Katie parecía interesada de verdad en lo que Jackie le estaba enseñando. Movieron las hojas suavemente, prestando atención a lo que había entre ellas. Encontraron una flor pequeña, frágil y amarilla que Jackie identificó. Era un diente de perro, una de las flores favoritas de Jackie. Poco después encontraron algunas huellas de ciervos y un nido de puercoespín. Jackie estaba disfrutando de uno de sus lugares favoritos y Katie parecía compartir su sentido de asombro y paz mientras se abrían paso a través del valle de abedules.

Finalmente se detuvieron en otro lugar en el que podía haber flores. Katie adoptó un papel más activo esta vez. Parecía querer encontrar esas mágicas flores que a Jackie le gustaban tanto. En su excitación, se inclinó y apartó bruscamente algunas hojas. Al no encontrar nada, se puso algo nerviosa y comenzó a dar patadas a más hojas. Jackie la vio y le dijo que fuera más delicada para no destrozar las flores que pudiera encontrar. Katie parecía decepcionada, pero obedeció, se arrodilló y retomó su búsqueda. Pasado un tiempo, vio una flor, la arrancó y se la llevó alegremente a Jackie.

—Mira, mamá, ¡un diente de perro! —gritó Katie.

Jackie levantó la cabeza y vio a Katie llevándole la flor.

—¡Pero Katie, no la cojas! ¡Es solo para que disfrutes mirándola! —dijo Jackie. Katie escuchó la decepción de Jackie y reaccionó como si le hubieran dado un golpe. Jackie lo vio y trató de reducir el impacto de sus palabras—. Cariño, gracias por enseñármela. Sé que pensabas que me haría ilusión que me la trajeras para que la viera. Gracias, cariño. —Katie no respondió a lo que dijo. Tiró la flor y le dio la espalda—. Cielo, debería haberte dicho que no cogieras las flores. Tú has creído que me iba a alegrar y no sabías que solo me gustaba mirarlas.

Jackie intentaba recuperar el momento. Katie se alejó unos metros y comenzó a dar patadas a las hojas.

—¡Me da igual! —gritó—. ¡Me da igual! ¡Me da igual!

Jackie se levantó y se acercó a ella. Katie corrió por el sendero. Se dirigía hacia la casa, así que Jackie no se preocupó demasiado.

—Katie, para y espérame. No estoy enfadada contigo. ¡Solo quiero que me esperes!

Para Jackie, este era uno de esos incidentes repentinos en los que tenía que decidir intuitivamente cómo responder. ¿Tenía que perseguir a Katie o seguir caminando y llamarla para que se detuviera? ¿O no debía permitir que Katie la molestara y seguir con su propia exploración de los bosques? Decidió caminar desenfadadamente de regreso a casa, mirando a su alrededor mientras lo hacía. Vio que Katie iba ya por la cuesta y supuso que la vería en casa. Cuando se acercó a la linde del bosque, se detuvo un momento para mirar a su alrededor. Le vino bien hacerlo, ya que vio a Katie escondiéndose detrás de un árbol a unos cinco metros del sendero.

—Katie, sal para que podamos volver juntas a casa —dijo Jackie tranquilamente.

Como Katie no respondió, Jackie fue hacia la casa sabiendo que Katie iría cuando ella quisiera. A Katie le daba un poco de miedo el bosque, así que Jackie confiaba en que no se quedaría allí sola mucho tiempo.

Cuando se acercó a la parte trasera del cobertizo, escuchó a Katie corriendo detrás de ella. Sonrió y se dio la vuelta, y entonces vio a Katie tirándole una piedra. Levantó el brazo instintivamente y la piedra le rebotó en un lado de la muñeca y le golpeó la mejilla. Mientras gritaba "¡Katie!", se dio la vuelta y se colocó en una posición defensiva. Notó que otra piedra le golpeaba en la pierna y una tercera le pasó cerca del hombro. Volvió a mirar a Katie y vio que ya no le quedaban más piedras que tirar. Dio tres zancadas hacia ella y la agarró por los brazos.

—¡Katie, no voy a permitir que me hagas daño! ¡Estoy enfadada por lo que has hecho! ¡Podías haberme hecho mucho daño! ¡En esta familia no nos hacemos daño!

—¡No me importa! ¡Te odio! ¡Te odio! —gritó Katie.

Jackie se sorprendió por la rabia que vio en los ojos y en la cara de Katie. Podía sentir su odio.

—Cariño, no te odio por tirarme piedras. Pero estoy enfadada y no voy a dejar que lo hagas.

—¡Suéltame! ¡Me odias! ¡Me odias! —gritó Katie otra vez mientras le caían las lágrimas.

—Te quiero, Katie. ¡Te quiero! —respondió Jackie atrayéndola hacia ella.

Katie volvió a gritar y luchó por zafarse. Tiró hacia atrás y hacia abajo, de manera que Jackie perdió el equilibrio y cayeron al suelo. Katie continuó gritando sin parar:

—¡Suéltame! ¡Suéltame! ¡Que me sueltes!

Katie intentó dar patadas y golpear a Jackie, pero esta le sujetaba los brazos contra los costados y las piernas estaban demasiado cerca de Jackie como para que le diera una patada. Luego trató de golpearla con la cabeza y arañarle los brazos. Jackie la sujetó con fuerza y las dos se quedaron tumbadas en la tierra húmeda. Jackie se alegró de que no hubiera rocas debajo de ellas o cerca de las manos de Katie.

—Estás a salvo, cariño. Estoy enfadada por haberme tirado las piedras, pero te quiero. Te sujetaré todo el tiempo que necesites —dijo Jackie con calma.

—¡Me odias! —comenzó Katie de nuevo. Ahora había menos intensidad en su voz y sus movimientos tenían menos fuerza.

—No, Katie, no te odio. Me dio pena que arrancaras la flor, pero sé que lo hiciste por mí. Simplemente no te había dicho que las flores eran para mirarlas. No te odio en absoluto, y entiendo por qué estabas molesta por no parecer feliz cuando me trajiste la flor. —Jackie hablaba en voz baja y Katie escuchaba. Notó cómo la niña empezaba a relajarse. Levantó el brazo y comenzó a limpiarle las lágrimas de la cara—. Ay, cariño, te has enfadado. Estás aprendiendo a estar cerca de mí y has hecho algo que creerías que me gustaría, pero no ha sido así. Me has dado con una de las piedras, pero estoy bien.

Katie miró a Jackie y vio algo de sangre en su mejilla.

—¡Estás sangrando! —gritó aterrorizada—. ¡Estás sangrando! ¡Te he hecho daño!

—Es un corte de nada, cariño. Estoy bien —dijo Jackie y sonrió.

Katie se quedó mirando el corte.

—¡No! ¡No me abraces, por favor! ¡Soy mala! ¡No me quieras! ¡No me quieras!

Katie parecía estar muy asustada.

—¡Ay, Katie, siento mucho que pienses que eres mala! ¡Lo siento mucho! ¡Te quiero y voy a seguir queriéndote!

—¡No, no me quieras! —dijo Katie, que estaba angustiada.

—Katie, Katie, Katie, puede que tú te odies ahora, pero yo no —dijo Jackie con lágrimas en los ojos—. Te quiero y espero que algún día aprendas a quererte tú también.

Jackie comenzó a mecerla lentamente en el barro y la hierba. Katie comenzó a llorar más fuerte y se inclinó más hacia Jackie. Enterró la cara en el cuello de Jackie y sus sollozos las sacudían a ambas.

Katie se echó hacia atrás para mirar a Jackie a los ojos. Se quedó mirándola un segundo y luego dijo desde la más pura desesperación:

—Es demasiado difícil. Aprender a querer es demasiado difícil. No puedo hacerlo es muy difícil.

Jackie miró a esta niña que había crecido entre el miedo, la soledad y la vergüenza. La miró fijamente y se dio cuenta de que Katie le estaba enseñando algo que nunca debía olvidar. Jackie nunca podría conocer las profundidad del dolor con el que vivía esta niña. Nunca sabría lo difícil que fue, y lo difícil que seguía siendo. Las lágrimas de

Jackie y el nudo que tenía en la garganta le impedían hablar. Acercó de nuevo a la niña y le susurró al oído.

—Sé que es difícil, Katie. Sé que es duro. Pero quiero que lo sigas intentando. Quiero que aprendas sobre el amor. Vale la pena. ¡Quiero que lo sepas! —dijo Jackie.

Descansaron un rato. Jackie le pasó las manos por el pelo y le sonrió con cariño. Cuando empezaron a tener frío, se ayudaron mutuamente y caminaron hacia la casa abrazadas.

—¿Y a vosotras dos qué os ha pasado? —dijo Diane sorprendida mientras cruzaban la puerta de la cocina—. ¿Os habéis caído al estanque?

—¿Y por qué dices eso? —dijo Jackie con cierta sorpresa—. Solo hemos ido a dar un paseo tranquilo por el bosque.

—Sí —dijo Katie sonriendo y mirando a Jackie—. Solo hemos ido a ver árboles y flores.

Ambas rieron.

—¿Por qué no te duchas tú primero, Katie? —dijo Jackie—. Creo que estás un poco más mojada que yo.

Katie se fue hacia su habitación con más facilidad que de costumbre.

Al día siguiente, domingo, después de la iglesia, Katie y Jackie terminaron su caminata por el bosque. Jackie pudo mostrarle a Katie su segunda flor favorita de primavera: la hepática.

* * *

A la semana siguiente en la terapia, Allison quería ayudar a Katie a integrar la importante experiencia que había tenido con Jackie el sábado. Tuvo cuidado de no limitarse hablar de ello racionalmente, ya que Katie probablemente habría utilizado las palabras para minimizar el impacto emocional que tuvo en ella. Para ayudar a Katie a beneficiarse más de esa experiencia, Allison tenía que propiciar la capacidad de Katie para volver a vivirla (incluidos los sentimientos), aunque sin el mismo nivel de intensidad que tuvo al estar sola con Jackie.

Después de establecer una atmósfera emocional positiva y rica y de explorar varios eventos e ideas menores, Allison dirigió la atención de Katie hacia el sábado.

—Me he enterado de que Jackie y tú os pasasteis un rato rebozándoos por el barro el fin de semana —dijo Allison como quien no quiere la cosa.

Al principio Katie no estaba segura de lo que quería decir. Cuando se dio cuenta de a qué se refería Allison, parecía confundida. Era como si no supiera lo que sentía. Quería reírse y bromear al respecto, y también evitar el tema y lo que podría provocar. Con cautela, siguió con el tono ligero de Allison.

—Nos llenamos de barro y hacía mucho frío. Tuvimos que volver a casa y yo me duché primero.

—Me sorprende que no os hayáis esperado hasta el verano, cuando es más cálido dar vueltas en el barro. Es lo que hacen los cerditos —bromeó Allison.

—No queríamos pasar demasiado calor, Allison —dijo Jackie—. Y queríamos ver si el barro primaveral se nos pegaba al pelo.

—¿Y lo hizo? —preguntó Allison.

—¡Sí! —respondieron ambas.

—¡Con lo tranquila y calmada que había empezado vuestra caminata! —dijo Allison—. ¡Quién hubiera adivinado cómo iba a acabar!

Allison esperó un momento. Katie no iba a poner de su parte, así que Allison le pidió a Jackie que la rodeara con los brazos. Esperaba recrear su experiencia en la sesión.

Allison se sentó en una silla cerca de ellas y continuó:

—Parece que ambas sentisteis muchas cosas durante la caminata. Tuvo que ser muy difícil para ambas, y también muy especial.

—Lo fue, Allison —dijo Jackie.

—Katie, creo que te sientes un poco molesta por que esté hablando de esto. Dile a tu madre lo que sientes ahora.

—No quiero hablar de eso —dijo Katie en voz baja.

—No me extraña, Katie —dijo Allison en voz baja.

Allison le pidió a Jackie que hablara con Katie sobre el incidente. Jackie lo hizo, también en voz baja.

—Ya veo que realmente no quieres hablar de ello... y volver a sentir todo eso... Pero puedes escucharlo. Fue muy muy duro para ti... ¡Estabas muy confusa cuando me diste la flor y no me gustó que la hubieras arrancado! —dijo Jackie en voz más alta—. Seguro que pensaste: "¡No la quiere! ¡Se ha enfadado conmigo por haberla arrancado! ¡No hago nada bien! ¡No soy buena! ¡No consigo hacer nada bien! ¡Ella me odia! ¡Pues yo también la odio!". Todos esos pensamientos deben de haberte pasado por la cabeza, Katie. ¡Y te sentiste molesta! ¡Estabas muy confundida! ¡Y muy enfadada! ¡Y muy triste de que tu flor no me hubiera alegrado! ¡Te odiaste y me odiaste!

Jackie observó a Katie mientras hablaba. La niña estaba tensa y parecía molesta. No quería volver a sentirlo.

—¡No hables de eso! —gritó Katie.

—¿Quieres que me calle? —respondió Jackie con un tono de voz similar—. No quieres sentirte tan molesta como el otro día.

—¡Cállate!

—Ay, Katie —dijo Jackie mucho más suavemente—, ojalá no tuviéramos que hablar sobre lo que pasó. Pero fue muy confuso para ti... y muy importante... para las dos. Creo que tenemos que volver a hablar de ello para que Allison pueda ayudarnos.

Jackie le dio un rápido abrazo a Katie, pero no respondió.

—Katie, dile a tu madre lo difícil que fue para ti —dijo Allison—. Dile: "Mamá, fue muy difícil para mí". —Katie estaba sentada en silencio, tensa y distante—. ¿Qué tal si hablo por ti, Katie? ¿Qué tal si hablo y tú solo escuchas si quieres? —Katie asintió—. Mamá, ¡fue muy difícil para mí! —dijo Allison por Katie mirando a Jackie.

—Sé que lo fue, Katie —respondió Jackie.

Allison continuó como si fuera Katie:

—Mamá, ¡me enfadó mucho que no te gustara la flor! ¡Pensé que nunca sería capaz de complacerte! ¡Pensé que eras mala! ¡Pensé que no me querías! ¡Hizo que me enfadara mucho contigo! ¡Estoy enfadada contigo por que no te gustara mi flor!

Allison comprobó que Katie estaba ahora más triste que tensa; parecía querer mirar a Jackie pero tenía miedo de hacerlo.

—¡Estoy enfadada contigo por no gustarte! —dijo Allison con mucha tristeza en su voz. Katie se echó a llorar. Intentó enterrar la cabeza en el costado de Jackie, quien le cogió la cara con suavidad y la giró hasta que volvió a mirarla. Allison dijo en voz baja, aún expresando tristeza—: Estoy triste porque no te gusto. —Allison siguió hablando por Katie, que no paraba de llorar—: ¡Tengo miedo de que realmente no me quieras! ¡Tengo miedo de no llegar a ser buena nunca! ¡Creo que siempre seré mala! ¡No puedo creer que me quieras de verdad!

Allison se sentó en silencio, ya que vio que Katie estaba intentando hablar, pero no la dejaban las lágrimas. Finalmente, dijo con desesperación—: No creo que... tú... me quieras...

Se echó a llorar y Jackie la meció y canturreo tranquilamente mientras lo hacía. Pasado un rato, Katie se tranquilizó un poco y Jackie y ella se miraron a los ojos. Jackie se enjugó las lágrimas y se alisó el pelo. Jackie se inclinó y susurró:

—Podemos hacer esto sin barro también.

Katie sonrió volvieron a abrazarse.

—Vosotras sí que sabéis cómo se da un buen abrazo —dijo Allison mientras sonreía—. Ya veo lo difícil que debió de ser para ambas el otro día. —Después de más silencio, Allison añadió en voz baja—: Katie, cuando salíais del bosque, le tiraste piedras a tu madre y dos de ellas le dieron. Dile lo que estabas sintiendo entonces.

Katie miró a Jackie y expresó su temor de que Jackie la odiara cuando le dio con las piedras. Habló tranquila y sin desviar la mirada mientras seguía relajada en los brazos de Jackie.

—Eso imaginaba, cariño. Pensé que cuando me diste con las piedras probablemente estaría pensando que nunca podría volver a quererte por lo que habías hecho. Entonces te cogí para mantenernos a salvo, pero también para tratar de comunicarte que estabas muy enfadada y que yo seguía queriéndote.

Katie sonrió a Jackie y le apretó el brazo. Parecía muy tranquila.

—Katie, ¿por qué no le dices a Jackie que todo esto es muy confuso? —dijo Allison.

—Estoy comprendiéndolo, pero esto del amor es difícil.

—¿Qué es lo que estás comprendiendo, Katie? —preguntó Jackie en voz baja.

Katie se paró y miró a Jackie. Entonces apartó la mirada. Jackie y Allison estaban esperando, y era como si fueran a esperar para siempre.

—Estoy comprendiendo que me quieres —dijo finalmente Katie.

—¡Me alegro! —dijo Jackie, sonrió y volvió a abrazarla.

—Ya está bien, ¿eh? —dijo Allison—. Volvamos al trabajo y guardaos esos amores para el resto de la semana.

—Es que también quiero demostrarle que la quiero en terapia, Allison —dijo Jackie, y se rieron.

—Me parece genial —dijo Allison—, pero todavía tenéis que contarme cómo arreglasteis al final el tema de las piedras.

—¿Se lo cuento yo o se lo cuentas tú? —le preguntó Jackie a Katie.

Katie quería sonreír, pero parecía un poco avergonzada.

—Tuve que limpiar todo el barro de nuestra ropa con un cepillo en el fregadero. Y luego la metí en la lavadora —dijo Katie con una sonrisa.

—También tuvo que ayudarme a ponerme una tirita en la mejilla —añadió Jackie, y ambas volvieron a sonreír.

—Bueno, chicas, yo creo que podemos dejarlo por hoy. ¡No os perdáis en el bosque!

* * *

Durante mayo de 1995, Katie continuó explorando su relación con Jackie como si fuera una experiencia completamente nueva. Y lo era. Comenzó a percibir a Jackie como una persona separada. Jackie sorprendía a Katie mirándola con frecuencia a lo largo del día. Katie apartaba la mirada cuando Jackie sonreía. Cuando Jackie le pedía que hiciera algo, Katie obedecía de inmediato. La niña parecía querer complacerla con una compulsión que casi rivalizaba con sus esfuerzos anteriores por desafiarla.

Katie también parecía estar tratando de entender los motivos por los que Jackie hacía las cosas. Katie siempre había asumido que Jackie le hacía cosas porque era mala, porque ella no le gustaba o sencillamente porque no le importaba lo que ella quería, pero ahora era como si Katie pareciera estar tratando de averiguar si había algo más. Tal vez Jackie solo estaba intentando enseñarle algo. Tal vez Jackie solo necesitaba hacer alguna tarea. Tal vez solo necesitaba ayuda. Tal vez disfrutaba ayudándola. Katie estaba dándose cuenta y aprendiendo quién era su madre mediante la observación.

La rabia que Katie sentía por su vida no desapareció tal que así. Todavía explotaba, pero lo hacía con menos frecuencia y con menos intensidad. Lo que iba en aumento era la rabia que dirigía hacia sí misma. Comenzó a golpearse en la cara o a darse cabezazos contra la pared. Lo hacía cuando Jackie la corregía o no le permitía hacer algo. Parecía querer limitar su ira hacia Jackie y estaba dispuesta a golpearse si era necesario.

—Bueno, Katie —dijo Jackie después de la escuela el 16 de mayo, cuando se dio cuenta de que Katie se autogolpeaba después de decirle que no podía coger la bici—. Me parece que estás siendo muy dura contigo misma. Lamento que quieras golpearte cuando te enfades conmigo.

Jackie se alejó. Le daba miedo que, si intentaba "salvar" a Katie de su ira, estos arrebatos no hicieran más que aumentar. Jackie quería que viera que ella era la única perjudicada por sus propios comportamientos. Jackie estaba triste por ella, pero Katie no le estaba haciendo daño.

—Katie —dijo Jackie al día siguiente cuando se dio cuenta de que Katie se automaltrataba después de una pequeña frustración—, ¿por qué crees que te pegas tanto cuando te enfadas?

Katie la miró fijamente un momento antes de responder:

—Solo siento el dolor... y luego... desaparece.

Jackie se inclinó y la abrazó.

—Ya no tienes que sentir ese tipo de dolor, Katie.

—No pasa nada. No dura mucho tiempo. Y me siento bien cuando para —dijo Katie sin ninguna emoción. Si acaso, estaba confundida por la preocupación de Jackie.

—Pero es que no tienes que sentir ese dolor en absoluto, Katie. Si no te golpeas, todo seguirá igual. No tienes que castigarte para que te perdone.

—¡No! —respondió Katie con fuerza—. Tengo que hacerme daño.

Es la única manera de sentirme bien de nuevo. Pero no te preocupes, mamá. Está bien. No duele mucho y luego me siento mejor.

—Ay, Katie —dijo Jackie mientras continuaba abrazándola—. Me entristece que pienses y sientas eso, pero lo entiendo. Es tan difícil para ti sentirte bien contigo misma. Mi amor está ayudando, pero creo que llevará más tiempo.

—¡No! ¡No lo entiendes! —gritó Katie—. ¡Tengo que hacer esto!

—Lo sé, Katie —dijo Jackie—. Crees que no mereces nada mejor.

Katie saltó de su silla y, al hacerlo, la tiró al suelo. Miró la silla y explotó. Corrió hacia la puerta de atrás y, antes de que Jackie pudiera detenerla, se plantó en el porche y golpeó una maceta con un movimiento del brazo. Jackie no la oyó caer al suelo por el grito de Katie. Un momento después de que los geranios se esparcieran por el suelo, Katie estaba allí de rodillas entre los trozos de arcilla, la tierra, las raíces, los tallos y los pétalos.

—¡No! ¡No! ¡No! —gritó Katie—. ¡Me has obligado a hacerlo! ¿Por qué no dejas que me pegue? ¿Por qué?

Tenía las manos llenas de tierra mientras intentaba frenéticamente volver a armarlo todo.

—¡No te voy a detener, Katie! —dijo Jackie—. Solo quiero que sepas que ya no tienes que hacerlo.

—¡Sí que tengo que hacerlo! ¡Es que no lo entiendes! —gritó Katie mirando a Jackie a través de sus lágrimas—. Si no me hago daño... si no... me duele... te haré daño... ¡a ti o a tus flores! —Katie estalló en lágrimas. Lloró más fuerte de lo que Jackie la había visto llorar antes. Se llevó un geranio rojo a la cara. Jackie se arrodilló frente a ella y la abrazó—. ¡No quiero cargarme tus flores! —continuó Katie sollozando.

—Lo sé, Katie. Lo sé —dijo Jackie en voz baja mientras se mecía suavemente de un lado a otro.

—¿Por qué quieres que le haga daño a tus flores? —preguntó Katie desde los brazos de Jackie.

—No quiero eso, Katie. Y tampoco quiero que te hagas daño. Mis flores son especiales para mí, pero no tan especiales como tú. Eso es lo que quiero que entiendas algún día. También espero que descubras que no tienes que hacerte daño ni tampoco hacérmelo a mí cuando te enfades. Tus sentimientos no tienen que mandar sobre ti, Katie. No tienen que estar relacionados con golpear y hacer daño. Enfadarse no es más que un sentimiento y puede ser una señal para ti de que algo te está molestando. Intenta hablar conmigo o con Mark cuando te enfades. O busca maneras de pensar en otra cosa. O escribe sobre ello. O gruñe en tu habitación. No tienes que hacerte daño, ni a mí, cariño, tanto si estás enfadada como si no.

—Me temo que no he aprendido todavía a hacer esas cosas, mamá.

—No del todo, Katie, pero estás mejorando y lo estás intentando. Claro que te confundirás de vez en cuando. Pero yo podré con ello y seguiré queriéndote. Nuestro amor es más grande que cualquier error de los de antes.

Jackie notó que Katie comenzaba a relajarse en sus brazos. La niña respiró profundamente varias veces y se estremeció. Jackie la meció suavemente. Pasados cinco minutos, Katie se apartó y le tendió la flor a Jackie.

—¿Podemos volver a plantar esto? ¿Estarán bien?

Jackie cogió suavemente el geranio algo destrozado de Katie y dijo:

—Creo que sí, cariño. Ve a la parte trasera del garaje. En el banco verás que hay más macetas como esta. Trae una.

Katie se levantó de un salto y corrió hacia el garaje. Regresó de inmediato con la dedicación de quien porta la antorcha olímpica. Luego Jackie y ella replantaron cuidadosamente las flores y volvieron a ponerlas al sol sobre la baranda.

Se quedaron mirando los geranios, que parecían más rojos aún a la luz del sol.

* * *

En terapia, Allison notó algunos cambios también. Katie gestionaba las conversaciones que tenían sobre sus acciones en casa sin caer inmediatamente en una actitud defensiva, enfadada y resistente. Contó que había golpeado a Jackie sin culpar a Jackie por el incidente. En realidad, parecía mostrar algo de remordimiento por lo que había hecho y algo de voluntad para tratar de darle sentido, en lugar de poner excusas. Mostraba algunos signos de sentirse orgullosa cuando Jackie contaba alguna situación que Katie hubiera manejado bien. Quizás la vergüenza de Katie estaba empezando a debilitarse y a quebrarse. Tal vez estaba dejando de controlar la mente, el corazón y el comportamiento de la niña.

* * *

En la sesión del 5 de junio de 1995, Allison exploró la sensación de Katie de que cuando se enfadaba tenía que hacerse daño. Katie participó en la conversación como si estuviera tratando de encontrarle sentido. Ahora estaba mucho más receptiva a hablar sobre los recuerdos que tenía. Allison le preguntó con calma si recordaba si su padre Mike la había golpeado cuando se enfadaba. Se relajaba con la ayuda de Jackie, a menudo la cogía de la mano o se apoyaba en ella mientras Jackie la rodeaba con el brazo. Allison se sentó cerca de ellas en el sofá.

—¡Me pegaba con su cinturón solo por apagar la tele cuando la estaba viendo! ¡Siempre era malo conmigo!

—¿Qué pensabas cuando te hacía eso, Katie?

—¡Pensaba que yo era mala! ¡Pero yo no era mala! ¡Él era malo!

Allison añadió en el mismo tono:

—¡Y encima era tu padre! ¡Se suponía que debía mantenerte a salvo y quererte, pero no golpearte!

Katie se unió con el mismo tono animado:

—¡Yo era pequeña! ¡Y también me pegaba cuando yo lloraba!

—Ay, Katie —dijo Allison—, ¡te pegaba por llorar! Eras una niña pequeña y te pegaba por llorar.

—¡Sí! ¡Me legaba! ¡Y me agarraba del cuello! ¡Y yo no podía respirar! —Katie parecía aterrorizada. Se apartó de Jackie, miró al techo y gritó—: ¡No podía respirar!

Continuó gritando sin palabras. Entonces Allison le dijo a Jackie:

—Intenta tocarla, acariciarla, y dile que ahora está a salvo. Dile que está a salvo una y otra vez. Y si no te deja abrazarla, siéntate lo más cerca que puedas.

Allison sabía que cuando un niño revisitaba el horror de su pasado, sus reacciones a veces eran impredecibles y necesitaba una respuesta sintonizada que hiciera hincapié en la seguridad y la corregulación de su emoción para poder volver con garantías al presente.

Jackie dijo con cierta intensidad:

—Katie, Katie, estás a salvo. Estás conmigo, Katie. Estás segura. Mike nunca volverá a hacerte daño. Estás a salvo conmigo. Estás a salvo conmigo. —Jackie pasó la mano del brazo de Katie a su hombro. Luego se acercó, y Katie se lo permitió—. Sí, Katie, estás a salvo conmigo. No dejaré que Mike te vuelva a lastimar. Estás a salvo conmigo. Nunca te haré daño por llorar. Nunca te haré daño por nada. Estás a salvo conmigo, Katie.

Jackie comenzó a mecerla suavemente mientras Katie se fundía con ella. Le besó el pelo, le acarició la cara y le dijo una y otra vez que estaba a salvo. Finalmente, Allison le dijo en voz baja a Jackie:

—Katie se ha permitido recordar más sobre su maltrato a manos de Mike de lo que probablemente haya hecho nunca antes. Parece haber recordado que Mike le hacía daño por llorar... Katie se ha percibido siendo herida. Parece que Mike pudo haberla asfixiado mientras lloraba. Puede que la aterrorizaba por llorar... que aterrorizaba a su hija pequeña por llorar.

Allison esperó tranquilamente en su mesa durante quince minutos mientras que Katie y Jackie se recuperaron un poco y sonrieron. Comenzaron a hablar en voz baja e incluso se echaron a reír. Miraron a Allison.

Allison se sentó a su lado en el sofá. Las rodeó a ambas con los brazos. Pasado un momento, le dijo a Katie:

—Cariño, desearía que no tuvieras que recordar y ni siquiera volver a sentir todo ese dolor para poder estar bien. Para poder entender el amor de Jackie. Ojalá. Me pone muy triste que esto sea tan difícil para ti. Has recordado un momento en el que no podías respirar por culpa de Mike. Tuvo que ser aterrador entonces y ha vuelto a serlo al recordarlo. Estoy muy contenta de que dejes que Jackie te ayude a sentirte segura. Y tal vez hayas empezado a confiar en que Jackie te mantendrá a salvo y en que ya no volverás a pasar tanto miedo. —Katie se limitaba a mirar a Allison, que siguió hablando—: Realmente creo que aprender a querer a unos padres buenos hace que todo este dolor valga la pena. Pero yo no soy tú, cariño. No puedo imaginar lo difícil que debe de ser para ti.

A Allison se le caían las lágrimas mientras apoyaba la mano sobre la de Katie. Katie levantó la mano y apretó la de Allison. Luego alcanzó un pañuelo y, muy cuidadosamente, le limpió las lágrimas a Allison. Luego cerró los ojos y se acurrucó más cerca de Jackie. Katie, Jackie y Allison descansaron.

COMENTARIO

En cuanto Katie comenzó a mostrar signos de progreso, Jackie se sintió comprensiblemente satisfecha. Sin embargo, Jackie no se conformó con sus logros y albergó la esperanza de que el progreso continuara sin interrupciones. Cuando Katie comenzó a demostrar más desregulación, Jackie se sintió molesta con ella y se resintió de sus problemas, mientras que unos meses atrás no le habría afectado tanto.

Jackie había pasado a anticipar un cierto grado de mejora en el comportamiento de Katie y luego se mostraba resentida con ella cuando no mantenía su progreso. Había comenzado a actuar como si el comportamiento de Katie sugiriera que ella era una madre deficiente o que Katie no se estaba esforzando lo suficiente. Sin ser consciente de ello, Jackie ya no aceptaba a Katie tal cual era. Katie percibió eso inmediatamente, lo experimentó como un rechazo y también lo vio como una oportunidad de controlar la vida emocional de Jackie. Jackie solo iba a poder recuperar el control sobre su propio bienestar emocional y sobre la atmósfera general de la familia si se daba cuenta de que había empezado a perder la virtud de la aceptación característica de su actitud terapéutica. Lo que ayudó a Jackie a ser consciente de ello fue su mayor conciencia sobre la relación pasada con su madre. Cuando consiguió percibir viejos patrones madre-hija que estaban afectando a sus interacciones actuales con Katie, pudo reducir el impacto de esos patrones.

Cuando un niño con problemas significativos progresa y luego parece regresar a un nivel anterior de conductas desreguladas e impulsivas, es habitual que un cuidador responda como lo hizo Jackie. Cuando comenzamos a esperar el disfrute en nuestra relación con alguien pero esa persona no se relaciona con nosotros de manera positiva, es difícil no frustrarse, desanimarse y posiblemente comenzar a dudar del compromiso del otro con la relación. El cuidador puede comenzar a pensar: "No lo hace de verdad" o "Realmente no le importa" o "Simplemente no lo está intentando". Esto implica el riesgo de que el cuidador diga: "Pues yo tampoco voy a intentarlo".

En realidad, hay un factor neurológico implicado en esta respuesta habitual a las recaídas que muy a menudo se da cuando los niños están progresando. Se conoce como "el choque de la dopamina". La dopamina crea placer en el cerebro, en este caso, en respuesta al placer de mejorar la relación. La dopamina se genera en el cerebro en anticipación a las cualidades positivas emergentes de la relación, y cuando estas cualidades no aparecen, la dopamina se detiene y es difícil para el cerebro confiar en que esas cualidades vuelvan a aparecer y, por lo tanto, es difícil sentir placer cuando están presentes, a veces durante un tiempo relativamente largo.

Las cuatro cualidades de La Actitud están muy entrelazadas. Cuando Jackie comenzó a tener dificultades para aceptar el comportamiento de Katie, también tuvo menos empatía por las dificultades que Katie tenía que afrontar para aprender a confiar en ella y aceptar su consuelo. Ciertamente, sentía menos curiosidad acerca de las opciones que Katie escogía y de las razones por las que las escogía. Se mostraba menos alegre en su propia respuesta, ya que se centraba en que Katie actuara de cierta manera. Aunque puede que Jackie se mantuviera fuerte en su compromiso con ella, perdió parte de la sensación de significado y de disfrute que aporta el hecho de cuidar a un niño. Jackie estaba experimentando una sensación de bloqueo de los cuidados en la que seguía criando a Katie, pero su corazón no estaba tan disponible para ella. Una vez que Jackie restableció su actitud general, volvió a parecerle mucho más fácil sintonizar con su vida afectiva y ayudar a Katie a superar sus experiencias de vergüenza. Las relaciones de Jackie con Mark y Allison fueron básicas para que Jackie pudiera pasar por este momento difícil y reconectara con su corazón para cuidar de Katie. Eran figuras de apego para ella que le brindaban seguridad y aceptación y que la apoyaban para que pudiera estar disponible como una figura de apego para Katie.

Cuando Katie empezó a querer complacer a Jackie, dio un paso importante en la formación de un apego seguro con ella. Al mismo tiempo, Katie estaba tratando de entender la vida interior de Jackie. Comenzó a estudiar los motivos, intereses y deseos de Jackie. Por primera vez desde que era una niña, se sentía motivada a querer que sus padres la quisieran y a ser como sus padres en lugar de encontrar una manera de manipularlos. Estos esfuerzos reflejaban el nuevo significado de tener una relación con una madre, así como su nueva comprensión de que tenía el valor suficiente para poder complacer a una persona importante en su vida. Por estas razones, era muy importante para Katie que sus primeros esfuerzos por complacer llegaran a buen puerto. Cuando cogió la flor para Jackie y comprobó que esta la recibía con disgusto y falta de sintonía, la niña lo experimentó como un rechazo hacia ella. ¡Había fracasado en este nuevo esfuerzo! La vergüenza que sintió fue intensa, e inmediatamente se enfureció con Jackie.

Cuando los niños como Katie comienzan a querer complacer genuinamente a sus padres, seguramente fracasarán con cierta periodicidad. Si bien Jackie pudo haber sido más sensible ante lo importante que era para Katie darle la flor, no podemos esperar que esté constantemente atenta a la necesidad de responder en sintonía a los esfuerzos de Katie. Aunque es consciente de la importancia de estos esfuerzos en el progreso general de Katie, Jackie aún debe proporcionar una respuesta realista al impacto de sus comportamientos en Katie. Si a Katie no le salían bien sus esfuerzos por complacer, Jackie tenía que volver a recurrir a La Actitud para ayudar a Katie a superar la vergüenza que le había provocado su fracaso. Si Jackie puede hacer eso de manera consistente, finalmente Katie podrá integrar la decepción que siente cuando sus esfuerzos por complacer no funcionan y aprender gradualmente que esos fracasos no dañarán su relación.

A menudo, cuando la niña sin un apego seguro comienza a querer complacer a su madre y buscar experiencias de disfrute mutuo con ella, descubre que no sabe qué hacer con sus períodos de enfado hacia ella. Katie estaba empezando a tratar de evitar tener arrebatos de ira hacia Jackie, pero a menudo seguía percibiendo erróneamente los motivos y comportamientos de Jackie hacia ella. A veces sentía que Jackie no quería estar con ella lo suficiente o que estaba siendo injusta. ¿Qué iba a hacer con su ira hacia Jackie si no quería enfadarse con ella? La solución de Katie, como suele ser el caso, era volver la ira hacia sí misma. Muchos niños con la historia de Katie incurren en comportamientos de automaltrato. Otros apenas muestran tales comportamientos hasta que comienzan a formar un apego significativo y seguro. Katie preferiría hacerse daño a sí misma antes que arriesgarse a lastimar a Jackie o a su relación en ciernes. Además, en realidad sentía enfado hacia sí misma y pensaba que su enfado hacia Jackie simplemente reflejaba el "*self* malo" que aún necesitaba controlar. Le estaba resultando más sencillo darse cuenta de que Jackie no era "mala" que darse cuenta de que ella misma no era "mala".

Cuando Jackie intentó disuadirla de que se hiciera daño, Katie se sintió atrapada. Si era fiel a su manera de controlar su ira, disgustaba a Jackie. Sin embargo, uno de sus motivos para controlarla era complacer a Jackie, ya que al hacerse daño a sí misma no se lo hacía a Jackie. Además, Katie sabía que el dolor que sentía cuando se hacía daño era menor en comparación con el dolor que sentiría si perdiera lo que comenzaba a ser la relación más importante en su vida. ¿Por qué Jackie no podía entenderlo?

Los esfuerzos de Katie por complacer a Jackie y sus esfuerzos por controlar su ira dirigiéndola hacia sí misma representaban un progreso significativo en su desarrollo psicológico. Su motivación intrínseca abarcaba ahora la relación emergente con su madre, Jackie. En lugar de dejarse llevar sin más por los impulsos de manipular y controlar, estaba integrando esta relación en la concepción de lo que más le interesaba. Es posible que sus soluciones aún no fueran las más saludables, pero eran cualitativamente diferentes y mejores que los motivos autodestructivos que emergen de estar sola, cuando mostraba signos de trauma del desarrollo. En comparación con su origen, ahora estaba en una etapa de desarrollo en la que le sería mucho más fácil comenzar a integrar sus nuevas experiencias en su concepción de sí misma.

Cuando Allison condujo a Katie hacia la exploración de su relación con Mike, Katie experimentó un intenso recuerdo de la experiencia de Mike aterrorizándola —y probablemente asfixiándola— cuando lloraba. Aunque esa emoción extrema no ocurre con frecuencia mientras se recuerda el maltrato, sí que ocurre y debe corregirse con alguien hacia quien el niño está desarrollando un apego seguro. Recordar esos eventos traumáticos, con la presencia reconfortante de Jackie, permitió a Katie involucrarse en el proceso de integración de ese evento en la historia de su vida y avanzar hacia su resolución para no acabar experimentándolo como abrumador y traumático. Es probable que tratar de evitar esos recuerdos deje el evento sin resolver y que se corra el riesgo de crear una desregulación cuando vuelvan a darse eventos estresantes en el futuro similares de alguna forma al original. Allison no indujo a Katie a recordar esos acontecimientos hasta que tuvo cierta confianza en que Katie podría confiar en ella y en Jackie para obtener el consuelo y el apoyo que necesitaría para mantenerse regulada y para comenzar el proceso de creación de nuevos significados de esos episodios traumáticos.

Si el niño vuelve a experimentar el trauma de la manera aguda expresada por Katie, el terapeuta debe mantener su actitud comprensiva y empática y comunicar lo difícil que es la experiencia para el niño. También debe comunicar con calma que no se está maltratando al niño en ese preciso momento y lugar y que está a salvo con el terapeuta y el padre. El terapeuta también debe definir claramente como maltrato el incidente anterior que el niño recuerda y explicar, si es posible, las formas en que el niño lo experimentó. También puede abordar la interpretación que hizo el niño del maltrato en ese momento (es decir, que era malo) y proporcionar una nueva interpretación que el niño pueda integrar (es decir, se portó mal). Sin embargo, si hay algún indicio de que el niño no se siente lo suficientemente seguro para esas exploraciones adicionales, lo mejor es esperar otro día. La prioridad es siempre garantizar la seguridad del niño antes, durante y después de centrarse de una u otra manera en los traumas del pasado.

CAPÍTULO 17

UN NUEVO VERANO

El 9 de junio de 1995, por primera vez, Katie completó un año entero viviendo en el mismo hogar de crianza. Jackie quería celebrar el aniversario, pero como de costumbre, pensó que era mejor no convertirlo en algo demasiado grande.

Esa mañana cocinó el desayuno favorito de Katie (salchichas y tortitas) y se lo ofreció cuando se sentó a la mesa.

—Aquí tienes, peque. Hoy es el aniversario de tu llegada aquí —dijo Jackie—. Tú puedes elegir el postre que quieras para la cena y yo puedo darte un abrazo extra.

Se acercó y abrazó a la niña, aunque Katie estaba más pendiente del desayuno que del abrazo.

—¿Y eso qué significa? —preguntó Katie—. ¿Qué es un aniversario?

Ya se había comido la mayor parte del desayuno antes de mostrar que había estado pensando en lo que Jackie le había dicho.

—Significa que has vivido con nosotros durante todo un año entero. Doce meses enteros. Trescientos sesenta y cinco días —respondió Jackie.

Katie lo pensó un poco más.

—¿Quieres decir que cada día será la segunda vez que viva contigo ese día?

—Esa es la idea, cariño —respondió Jackie—. Por ejemplo, el 4 de julio será la segunda vez que estés con nosotros en los fuegos artificiales. Y lo mismo pasa con tu cumple en agosto y con el mío en septiembre. Serán la segunda vez.

—¿Puedo tener una gran fiesta en mi cumpleaños? —preguntó Katie—. ¿Pueden venir Sandy, Emily, Elise y Erica?

—Para tu cumpleaños todavía queda mucho, cariño. Pero si puedes gestionarlo bien, tendrás un gran cumpleaños —respondió Jackie—. Cuando queden cinco o diez días para tu cumple te diré si creo que puedes con ello.

—Ahora soy diferente, mami. ¿No lo notas?

Jackie dejó el tenedor en la mesa y miró a Katie. ¿Adónde quería ir a parar? ¿Se refería a que era más grande, más inteligente, más adulta?

—¿En qué crees que eres diferente, cariño?

—Ya no soy mala.

—¡Ay, cariño! ¡Guau! Ya no piensas que eres mala. Eso es genial. Estás empezando a verte a ti misma como yo te veo. ¡Es genial! —dijo Jackie—. Y también estás aprendiendo a gestionar mucho mejor las cosas que te molestan.

—Antes siempre sentía que era mala —dijo Katie lentamente—. Simplemente no sabía que sentía que era mala. Pero creo que he debido de sentirlo desde que era un bebé. Ahora ya no siento que sea mala.

Katie sonrió a Jackie sin apartar la mirada.

—¿Por qué crees que has cambiado? —preguntó Jackie.

—Allison y tú me habéis enseñado que soy una buena chica —dijo Katie tranquilamente.

—¿Y cómo crees que lo hemos hecho? —dijo Jackie con un asombro que iba en aumento.

—No lo sé —dijo Katie en voz baja—. Pero creo que es porque me queréis.

—Creo que tienes razón, cariño. Yo te quiero... mucho.

—Lo sé, mamá.

Jackie se levantó y abrazó a Katie.

—No me voy a poner a llorar ahora, cariño, porque entonces tú también empezarías a llorar, y tienes que irte al cole en cinco minutos. Me pone muy contenta que estés descubriendo todas esas cosas. Y te voy a echar de menos mientras estés en el cole hoy.

—No pasa nada, mamá —dijo Katie—. Vuelvo esta tarde. Y solo quedan dos días de clase antes de las vacaciones de verano.

Jackie sonrió. Terminaron de desayunar. Katie abrazó a su madre y se subió al autobús escolar.

Jackie necesitaba hablar con alguien. Aunque Allison siempre le advertía de que no se emocionara demasiado con nada hasta que hubiera pasado un tiempo, Jackie decidió que esta iba a ser una excepción. Allison entendería que Katie acababa de confirmar que había estado pasando algo especial durante un tiempo. Jackie llamó a Allison y compartió las buenas noticias. Allison estuvo de acuerdo en que algo especial había estado sucediendo. Ambas estuvieron llorando mientras hablaban por teléfono.

Diario de Jackie

15 de junio de 1995

Primer día de las vacaciones de verano. Katie parece feliz y relaja-da. Realmente creo que quiere estar en casa ahora mucho más que nunca. Ha estado trabajado la mar de feliz conmigo en el jardín atan-do los guisantes mientras nos asábamos de calor. Me ha dicho: "En Augusta nunca brillaba el sol". No sabía lo que quería decir. Ha aña-dido: "Cuando vivía en Augusta con Sally y Mike, nunca brillaba el sol". Le he dicho que entendía cómo debía de haberse sentido. Y me ha dicho: "No, mamá. Es que allí nunca había sol". Le he dicho que me alegraba de que en Vassalboro brillara el sol y ha estado de acuerdo. Nada más que añadir.

17 de junio de 1995

Le he dicho a Katie que mañana es el día del padre[2]. Se ha pasado la mayor parte de la tarde trabajando en su habitación. Ha hecho seis dibujos de cosas que Mark había hecho con ella, como mecerla en una manta como si fuera una hamaca, llevarla a ver a los zorros en

---

2. *N. del t.*: en Estados Unidos, esta festividad corresponde con el tercer domingo de junio.

el bosque y arreglar la lámpara de su cama que había roto enfadada el mes pasado. En la parte superior de cada dibujo había escrito: "Mi papá hace…". Y en la séptima página había escrito: "Por eso quiero a mi papá". La he ayudado a hacer un libro con los dibujos después de de prometerle que no iba a contar nada.

18 de junio de 1995
El día del padre fue todo un éxito para Katie. A Mark le sorprendió y le conmovió la sorpresa. La cogió y le dio vueltas en el aire antes de sentarla sobre la nevera. Le dijo que iba a hacer muchas cosas diferentes con ella para que tuviera aún más dibujos que hacer para su cumpleaños. Parece que ya es más importante para Katie. Y me siento bien al ver que realmente la quiere.

22 de junio de 1995
Primer berrinche de las vacaciones. Se enfada por no poder ir a nadar con Diane. Me echa la culpa, aunque yo no he tenido nada que ver con eso. Camina dando pisotones por la cocina y por el porche. Le sugiero que lo haga pero dándole tres vueltas al garaje, y lo hace. Para darle un descanso, le "dejo" que limpie el jardín conmigo. Dice que la estoy engañando, pero sonríe y luego me ayuda. En el camino de vuelta a la casa, la rocío con la manguera para evitar que entre sucia en la cocina. Cuando vuelvo al jardín para buscar el cubo que había olvidado, me está esperando con la manguera y me limpia ella a mí.

25 de junio de 1995
Esta tarde ha venido a visitarla Emily, una amiga del cole. Han entrado y salido de la casa unas cuarenta veces. Katie realmente me recuerda a Diane cuando tenía su edad. En una ocasión le ha gritado a Emily por ensuciarle una muñeca, pero se ha recuperado rápidamente y se ha disculpado antes de volver a guardar sus muñecas favoritas. A lo mejor dejo que la próxima vez vaya ella a casa de Emily. Se ha calmado fácilmente cuando Emily se ha ido. Parecía aliviada de que se hubiera ido para no tener que controlar sus comportamientos tanto. Ha estado tranquila y cercana a la hora de acostarse.

28 de junio de 1995

Vamos al centro comercial. Katie ve a una madre gritarle a su niño pequeño, quitarle bruscamente un juguete de la mano y arrastrarlo gritando por el pasillo. Le molesta la forma en que está tratando al niño. Dice que la madre debía de tener problemas porque era mala con él y no sabía cómo decirle a su hijo que le devolviera el juguete. Me pregunta si el niño necesitaría un hogar como el de ella para sentirse seguro y aprender cómo los padres pueden querer a sus hijos. Parece decepcionada cuando le digo que a los niños tienen que hacerles mucho daño, como a ella, antes de que los servicios de protección infantil los saquen de sus casas. No entiende cómo alguien puede decidir qué es "mucho daño".

* * *

Durante la sesión de terapia del 2 de julio de 1995, Allison decidió mostrarle a Katie algunas fotos de Sally y de Mike que Steven había conseguido que le dieran. Los había visitado para pedir información y fotos para el libro de la vida de Katie que iba a usar para preparar la adopción. Ese libro contendría su historia desde su nacimiento hasta su adopción y sería algo a lo que recurriría durante toda su vida cuando recordara sus primeros años. Allison tenía fotos de Sally, Mike y Katie por separado. En una serie de fotos, Katie aparecía de bebé, y en otras, ya de mayor. Había una foto en la que Sally estaba cogiendo a Katie, y otra en la que Katie posaba con sus padres.

—Bueno, peque —dijo Allison—, tu madre me dice que las últimas semanas has estado bastante feliz y que has gestionado las cosas que te han surgido bastante bien. ¿Es así?

—Sí —respondió Katie. Luego añadió—: Me lo estoy pasando genial este verano.

—Eso está muy bien. Y te ha ido bien incluso aunque no nos viéramos la semana pasada por mis vacaciones. ¡Me pregunto qué significa eso!

—¡Significa que ya no tengo que verte! —dijo Katie sonriendo.

CONSTRUIR LOS VÍNCULOS DEL APEGO

—No tan rápido, peque —contestó Allison—. ¿Crees que puedes deshacerte de mí tan fácilmente? De eso nada. ¡Pienso meterme contigo hasta que tengas cincuenta años!

—No. Estoy aprendiendo a ser una niña normal en casa de mamá y tú me dijiste que me veías para eso —replicó Katie risueña.

—¡Vaya, vaya! —dijo Allison—. Y Jackie también me cuenta que eres una niña normal. ¿Y eso que querrá decir?

—Que creo que ya no soy mala —dijo Katie llanamente.

—Caramba, me alegro mucho de que te hayas dado cuenta de que eres una buena chica —dijo Allison—. Soy testigo de que has trabajado mucho para conseguirlo.

—Sí, y mamá dice que ya puedo gestionar un chorro de diversión —dijo Katie con orgullo.

Allison miró a Jackie con curiosidad.

—Allison, no sé si te acuerdas de que hace mucho tiempo le dijimos a Katie que solo podía gestionar un poquito de diversión cada vez, así que teníamos cuidado de no darle demasiada. Pues bien, últimamente he decidido que ya puede manejar un chorro de diversión, así que le doy más que de costumbre. ¡Y justo a tiempo para el verano!

—¡Y pronto podré gestionar montones de diversión! —dijo Katie.

—¡Montones, dice! ¡Lo tienes todo planeado! —dijo Allison.

—Bueno, por el momento es un chorro —dijo Jackie sonriendo.

—Está bien, chica alegre —dijo Allison—. Entonces ya no crees que seas mala, estás gestionando tus enfados y molestias mucho mejor, te diviertes y quieres a tu mamá con más facilidad. ¡Menudo año! —Katie miró a Jackie y sonrió. Jackie le dio un achuchón—. Me cuenta tu madre que le hiciste a Mark un regalo realmente bonito para el día del padre —dijo Allison—. Nunca hablamos mucho de tu papá, pero parece que las cosas también te van bien con él.

—Hice dibujos de cosas que hizo conmigo —dijo Katie rápidamente—. Y dijo que iba a hacer muchas más cosas conmigo para que le hiciera más dibujos para su cumpleaños.

—Qué buen plan, cariño —dijo Allison—. Tiene pinta de ser un papá muy especial.

356

—Lo es.

Katie volvió a sonreír a Jackie, así que Jackie volvió a achucharla.

—Qué diferencia entre Jackie y Mark, tu mamá y tu papá ahora, y Sally y Mike, tu mamá y tu papá del principio —dijo Allison.

—Sally y Mike decían que yo era mala, y Jackie y Mark dicen que soy buena —dijo Katie—. Y Jackie y Mark me quieren. ¡Pero Sally y Mike eran malos!

—Esas diferencias son muy muy importantes, Katie —dijo Allison—. Yo me ponía muy triste cuando no podías ver lo diferentes que son Jackie y Mark de tus padres biológicos. Te enfadabas mucho con Jackie cuando no te dejaba hacer algo o cuando tenías que estar mucho tiempo cerca de ella.

—¡Creía que ella también estaba siendo mala! —dijo Katie—. No sabía que solo me estaba enseñando cosas que necesitaba aprender.

—Sí, creías que estaba siendo mala contigo y que tú también debías de ser mala —dijo Allison—. Me pregunto cómo te diste cuenta de que ninguna de las dos erais malas.

—Mamá seguía queriéndome cuando yo era mala con ella —dijo Katie. Parecía capaz de ir directa al grano—. Y ya no tengo un muro alrededor de mi corazón.

—¿Sabes, Katie? Creo que tienes razón —dijo Allison.

—Sí —dijo Katie.

Allison y Jackie se miraron y sonrieron. Katie también sonrió y achuchó ella a Jackie. Las tres se rieron.

—Bueno, Katie —dijo Allison—, aún queda trabajo que hacer.

Katie puso cara de decepción y luego miró a Allison con calma.

—Steven me ha dado algunas fotos tuyas de cuando vivías con Sally y Mike y también fotos de ellos —dijo Allison—. Me gustaría verlas contigo ahora y que me dijeras qué te parecen. Jackie, ¿podrías sentarte muy cerca de Katie en el sofá mientras ve estas fotos?

—Claro, Allison —dijo Jackie.

Allison le dio a Katie una foto de cuando tenía unos tres meses de edad, tumbada sobre una manta en el suelo.

—¿Esa soy yo?

—Claro que sí, cariño.

—Ay, Katie, qué guapa eras de bebé —exclamó Jackie—. Qué ojazos más encantadores. Y ese pelo tan ligero. —Katie se quedó mirando su foto. Jackie y Allison esperaron. Finalmente, Katie miró a Jackie—. Ojalá hubiera podido cuidarte cuando tenías tres meses —dijo Jackie.

—¿Qué habrías hecho? —preguntó Katie.

Jackie atrajo a Katie hacia sus brazos. Comenzó a mecerla lentamente y luego dijo tranquilamente:

—Te habría mirado a los ojos y habría visto lo maravillosa que eres. Te habría acunado así y habría mirado tus deditos así. Luego te habría achuchado suavemente así y te habría cantado una nana. Y te habría alimentado y abrazado con cuidado. Y lo habría hecho durante horas todos los días y habrías sabido que eras buena y especial para mí y que te quería.

Jackie siguió mirándola fijamente hasta que Katie la abrazó con fuerza.

—Ojalá hubieras sido mi madre cuando nací —dijo Katie—. Ojalá hubiera estado dentro de ti como Diane y Matthew.

—A mí también me habría encantado, Katie —dijo Jackie.

Katie sonrió y dijo:

—¡Pero ahora puedes cantarme una canción de cuna!

Se rieron de nuevo. Jackie le cantó una canción de cuna y le susurró:

—Te quiero.

Luego, Jackie la sentó de nuevo junto a ella y Allison le mostró algunas fotos más. Cuando le mostró la foto de ella de cuando tenía unos dieciocho meses y estaba con Mike y Sally, Katie se quedó callada y tensa. Miró la foto prestando especial atención a cada persona.

—Imagina que Sally y Mike están aquí, Katie, como en la foto —dijo Allison—. Di lo que quieras decirles.

Inmediatamente Katie comenzó a hablarle a la foto.

—¿Por qué fuisteis malos conmigo? ¿Por qué no me cuidasteis bien? Me tratasteis muy mal. ¡Los padres no deben tratar así a sus hijos! ¡Me hicisteis pensar que yo era mala! Me hicisteis mucho daño. ¿Por qué no me cuidasteis bien?

Katie se detuvo y miró la foto un poco más.

—Diles que nunca más volverán a hacerte daño, Katie —dijo Allison.

—Nunca volveréis a hacerme daño. Jackie es mi madre y ella me mantiene a salvo. Me quiere y me muestra que soy buena —dijo Katie—. Soy buena y ya no volveréis a ser malos conmigo.

Allison cogió la foto y le dio a Katie una en que solo salía Sally.

—¿Qué te gustaría decirle solo a Sally, Katie?

—¿Por qué no me cuidaste mejor? ¿Por qué dejaste que Mike me hiciera daño? —Katie miró la foto en silencio—. A veces todavía te echo de menos y deseo que me hubieras cuidado bien. A veces deseo que me hubieras querido de la forma en que lo hace Jackie.

—Katie —dijo Jackie—, es triste que Sally no lo hiciera mejor a la hora de cuidarte y quererte. Sé que a veces la echas de menos y que la quieres, además de estar enfadada con ella. Estoy segura de que Sally a veces te abrazó, te meció y te mostró que eras especial para ella. Es solo que no podía hacerlo tan a menudo como tú necesitabas. Tan a menudo como necesitaría cualquier bebé. Entiendo que a veces desees que te hubiera cuidado mejor para que aún pudiera ser tu madre, una buena madre.

Pasados unos momentos, Allison le mostró a Katie una foto de Mike.

—¿Qué te gustaría decirle a Mike, Katie?

—¡No te echo de menos! Fuiste muy malo conmigo. Nunca me abrazaste y nunca me quisiste. Sally lo hizo, ¡pero tú no! ¡No te echo nada de menos!

Katie sonaba fuerte y segura en sus palabras. Solo sentía rabia hacia Mike en ese momento, y posiblemente lo haría durante mucho tiempo.

Después de colocar las fotos en su mesa, Allison le dijo a Katie que Steven haría un álbum de fotos para ella con esas fotos y muchas más de su vida en hogares de acogida, incluidos los tres primeros.

—No quiero fotos de los otros —dijo Katie.

—¿Y eso por qué, Katie? —preguntó Allison.

—Porque no fui feliz en esas casas. No pienso en ellos —respondió Katie.

—¿Qué recuerdas de esos primeros hogares de acogida? —preguntó Allison.

Katie pensó por un momento.

—Recuerdo que no sabían cómo cuidarme. Se enfadaban mucho conmigo. No me cuidaban como lo hace mamá.

—¿En qué se diferencia tu madre de la forma en que eran Ruth y Susan? —preguntó Allison.

—Mamá no me odiaba cuando yo la odiaba —dijo Katie—. No sé si las otras mamás me odiaban, pero yo sentía que no les gustaba, ¡así que ellas a mí aún menos!

—Parece que aún sentías que eras mala cuando vivías con las otras mamás y ellas no supieron hacerte ver que eres buena —dijo Allison.

—Sí —dijo Katie. Estaba empezando a perder interés. Allison decidió que esta niña, que aún no había cumplido los ocho años, ya había trabajado suficiente. Le dijo a Katie que se había ganado una sesión corta para poder volver a casa a disfrutar de ese chorro de diversión. Katie estuvo de acuerdo.

Cuando Jackie y Katie se fueron, Steven se quedó unos minutos para hablar con Allison.

—¿Qué ha pasado aquí? —preguntó—. Esa no es la niña que yo conocí hace seis meses, ni siquiera la niña de hace tres meses.

—Creo que tienes razón —respondió Allison—. Los cambios llevan ocurriendo de seis meses a esta parte, pero en su mayoría eran internos y, por tanto, difíciles de ver. Ahora Katie es una niña diferente por dentro y por fuera.

—¿Pero cómo ha ocurrido?

—Es por un conjunto de cosas. Jackie y yo llevamos trece meses trabajando con ella. Lo que sucedió durante la primera semana y la primera sesión fue tan importante como lo que sucedió la semana pasada. Finalmente, ha sido capaz de darse cuenta de lo que Jackie le estaba ofreciendo y comenzar a integrarlo en un *self* coherente que no alberga dosis de autoodio, rabia, aislamiento, desesperación, vergüenza y miedo. Con Jackie ha comenzado a sentirse segura y, por lo tanto, ha podido depender de ella, confiar en ella, sentirse consolada y divertirse con ella. Jackie ha ido viendo, descubriendo realmente, cosas maravillosas sobre la niña que ella misma no sabía que tenía. Sally no las había visto con la suficiente frecuencia. Ahora Katie también está empezando a verlas.

—¿Y por qué de forma tan repentina?

—Ha estado sucediendo durante bastante tiempo —dijo Allison—. Ya en enero empezamos a notar momentos de autorreflexión, aceptación de la autoridad de Jackie y capacidad de divertirse y experimentar un afecto genuino. Se ha producido un proceso interno de autointegración y autoaceptación que refleja un proceso externo de conocimiento, confianza y seguridad de apego con Jackie. Lo que estamos viendo ahora nos permite suponer que está integrando la experiencia de Jackie con ella en su experiencia de sí misma, algo que nunca antes había hecho de esta manera con nadie, ni siquiera con Sally.

—¿Es probable que sea permanente?

—Creo que sí —respondió Allison—. Puede que en condiciones de estrés en el futuro se desregule un poco. Cuando eso suceda, Jackie volverá a estar "presente" para ella, volverá a centrarse en mantener La Actitud y luego la mantendrá cerca y le brindará más estructura y supervisión. En cuanto vuelva a estar lista, Jackie le ofrecerá más oportunidades para hacer lo que quiera y le dará sus "montones de diversión" de nuevo.

»Pero las realidades psicológicas básicas de Katie han cambiado de tal manera que estoy convencida de que serán duraderas —siguió diciendo Allison—. Ahora ya sabe en qué consiste el amor. No la veo dándole la espalda de nuevo, como hizo cuando era un bebé. También sabe —y lo sabe de verdad— que es una buena niña, una gran niña. Puede que le entren dudas al respecto de vez en cuando, pero ha comenzado a darse cuenta de esa verdad en su interior, y lo más probable es que ya no la olvide.

»A algunos niños les lleva más tiempo que a Katie, así que hemos tenido suerte. Algunos nunca llegan al punto en el que Katie parece estar. Todo su mundo se está abriendo, con una nueva conciencia que nunca antes había tenido. Empatía, remordimiento, risas profundas, amistades, emoción que realmente se disfruta, ser curiosa, descubrir su talento. Todo esto antes eran palabras vacías para Katie que no tenían relevancia en su vida real. Ahora sí la tienen. ¡Ya verás dentro de un año!

»Pero antes de hablar de dentro de un año, debemos abordar el tema de la adopción —dijo Allison—. Me imagino que el DHS comenzará a trabajar con Katie para la adopción pronto. Estoy segura de que le va a costar, así que tendremos la oportunidad de ver hasta qué punto ha integrado lo que ha conseguido.

—Me alegra que lo hayas mencionado —dijo Steven—. He logado que Kathleen me diera permiso para seguir siendo el asistente social de Katie durante el proceso de adopción. Ahora tendré un supervisor diferente que me enseñará a prepararla para la adopción. En realidad, tenía pensado llamaros a Jackie y a ti pronto para organizar una reunión en la que decidiéramos cuál es la mejor manera de hablar con Katie sobre la adopción y el cambio de casa.

* * *

El 6 de julio de 1995, Steven llamó a Jackie para decirle que Janis (su supervisora en la fase de adopción) y él querrían reunirse con ella y con Allison para hablar sobre los planes de adopción de Katie. Dijo que necesitaban abordar cómo sería el proceso de adopción, quién se lo diría a Katie primero y cuánto tiempo llevaría el proceso. Finalmente le dijo que debería pensar en el tipo de padres que serían más adecuados para Katie. Comentó que Allison estaba libre el lunes 10 de julio, y a Jackie la pareció bien la fecha.

Esa noche, Jackie y Mark hablaron sobre esa llamada telefónica y sobre lo que significaba para Katie y para ellos. Jackie se sentía muy protectora con respecto a su hija después de haber vivido con ella durante más de un año. Sabía que había logrado algunos avances reales, pero ¿no debería tener más tiempo para estabilizar realmente el progreso que había logrado? ¿Estaba Katie lista para la terrible experiencia que causaría el anuncio de su mudanza? ¿Era su apego a Jackie lo suficientemente fuerte como para encajar la idea de que iba a tener otra madre? ¿Dejaría que Jackie la consolara? Periódicamente, Allison y ella le habían dicho a

Katie que la estancia con Jackie era solo temporal. Un hogar de acogida era un "hogar para ayudar a los niños" hasta que pudieran ir a un "hogar en el que crecer". Katie nunca respondió demasiado a esa información. Probablemente no significaba mucho al principio, ya que Jackie no había sido muy especial para Katie entonces. Cuando comenzó a significar algo para ella, se las arregló muy bien para no pensar en ello. Pero ahora ya no podría evitarlo.

—Mark, estoy hecha un lío. Con Gabe lo tenía claro. En cierto modo él era más abierto y confiado. Quizás es simplemente que con él estuvimos más tiempo y estábamos seguros de que lo lograría antes de empezar a trabajar en su cambio de casa.

—Estoy totalmente de acuerdo —respondió Mark—. Parece demasiado pronto para Katie y no la veo tan segura como a Gabe. Tampoco quiero que desande todo el camino que ha hecho.

—Me preocupa que no me quiera lo suficiente como para poder sufrir mi pérdida. Si no lo hace, me temo que nunca podrá formar un apego seguro con otra persona. Aun así, sé que tiene casi ocho años y no puede esperar otro año más a tener padres adoptivos —dijo Jackie.

—¿Por qué tenemos que hacerla pasar por esto? —preguntó Mark—. Vamos a adoptarla.

Jackie se apartó y miró a su marido.

—¿Qué? ¿Qué has dicho, Mark?

—Que la adoptemos —respondió.

—¿Quieres adoptarla? —preguntó Jackie—. ¿Lo dices en serio?

—Allison, Steven y los demás tienen claro que la adopción es lo mejor para ella —dijo Mark—. Y estoy de acuerdo con ellos. Tú la quieres, yo la quiero. Ella está aprendiendo a querernos de verdad, y seguro que nos necesita. Así que... me parece de lo más lógico.

—Pero nunca habías dicho nada sobre eso antes —dijo Jackie.

—Es que era un tema que todavía no estaba encima de la mesa. Y no quería hacerte sentir culpable si no quisieras adoptarla. Sé lo mucho que quieres ser madre de acogida, y es algo que tendrías que dejar, al menos por un tiempo. Tú eres quien hace casi todo el trabajo con ella. Para mí es fácil decir "Vamos a adoptarla", cuando es algo que a ti te afecta mucho más y eres responsable de gran parte de su seguimiento. Así que no había dicho nada porque estaba a la espera de que sacaras tú el tema.

—¿Por qué lo has dicho ahora, Mark? —preguntó Jackie, realmente perpleja.

—Pues porque te conozco y percibo la mirada que pones cuando se menciona la palabra "adopción". He visto cómo te ponías a temblar. Sé que la quieres tanto como a todos nosotros. Y como yo también quiero adoptarla, no iba a dejar de decirlo aunque tú no lo hicieras.

—Pero no lo haces solo por mí, ¿verdad, Mark? —preguntó Jackie.

—Quiero que la adoptemos porque ya está en nuestra sangre. Hagámoslo legal —dijo Mark—. ¿Y ahora qué? ¿Quieres llorar, abrazarme o hacer las dos cosas a la vez?

Hicieron ambas cosas a la vez.

El 10 de julio de 1995, Steven y Janis Marshall, la supervisora de adopción, se reunieron con Jackie y Allison para hablar sobre la adopción. Janis había instruido a Steven en los procedimientos generales que seguirían al preparar a Katie. Se reunieron en la casa de Jackie para discutir cómo proceder.

—Creo que debería ir a tu casa y decirle formalmente que trabajaré con ella en su historia de vida. Le explicaré lo que es y por qué es importante prepararla antes de comenzar a buscar el hogar adecuado. Me aseguraré de que sepa que sus opiniones y sentimientos sobre la familia adecuada son muy importantes, así que participaré en el proceso —dijo Steven sin mucho entusiasmo.

—Antes de que sigas, Steven —dijo Jackie en voz baja—, me gustaría decir algo. —Le prestaron toda la atención posible porque era evidente que Jackie tenía dudas y que le costaba hablar, algo raro en ella—. Mark y yo hemos estado hablando mucho sobre el tema —dijo finalmente—, y no queremos que se mude.

Se hizo un silencio. Janis finalmente consiguió decir:

—Pero es que ya tiene siete años, Jackie. No creo que podamos considerar el régimen de acogida a largo plazo.

—Lo sé —respondió Jackie.

De nuevo el silencio. Y entonces sonrió.

—¡Jackie! —gritó Allison con una intensidad que Steven nunca había escuchado antes—. ¡Queréis adoptar a Katie!

—Sí, Allison. Queremos hacerlo.

—¡Ay, Jackie! —Allison se levantó, se acercó a Jackie y la abrazó. Steven y Janis se quedaron sentados y miraron atentamente. Se sentían un poco confundidos. Esto no era lo que esperaban.

—Me alegro por tu decisión, Jackie —dijo finalmente Steven—, pero hace unos meses dijiste que no ibas a adoptarla. ¿Por qué has cambiado de opinión?

—No lo sé, Steven —respondió Jackie lentamente—. Tengo la sensación de que Katie es diferente de Gabe. Sabía que sería difícil para Gabe dejarnos, pero también estaba segura de que sería capaz de desarrollar un apego seguro con su familia adoptiva y tener una buena vida. Pero en algún lugar dentro de mí, tengo dudas con Katie. No sé si sería capaz de transferir lo que está aprendiendo conmigo a otra madre. No sé si podría entender por qué no elegí quedarme con ella después de todo lo que hemos pasado juntas. No sé si se recuperaría del trauma de este cambio. No quiero perderla ahora, Steven.

—Te entiendo, Jackie —dijo Allison en voz baja—. Sé lo mucho que esta niña ha llegado a significar para ti. Pero también sé que ahora está avanzando de verdad y que si le dicen en las próximas semanas que la va a adoptar otra familia en algún momento del año que viene, será capaz de hacer la transición. Será un trauma, sí, pero podrá apoyarse en nosotras para resolverlo, para gestionar la pérdida y para estar lista para desarrollar un apego seguro con otros padres. Gracias a ti, Jackie, ahora es resiliente. Podrá salir adelante y tú podrás seguir teniendo un papel secundario en su vida. No tienes que sentirte atrapada y pensar que tienes que adoptarla, Jackie.

—No me siento atrapada, Allison. Mark y yo queremos adoptarla —dijo Jackie con una voz cada vez más firme—. Si estuviera tan segura como tú de que estará lo suficientemente sana como para mudarse a otro hogar, a lo mejor sería distinto. Pero yo no tengo tu confianza. Es lo que siento. Y no somos unos mártires. Sabemos que no tenemos que adoptarla. La queremos a ella. La elegimos a ella. La queremos. Ya forma parte de nuestra familia y queremos que se quede. Si continúa con su progreso celebraremos su futuro. Y si su progreso se detiene, seguiremos queriéndola. Ahora forma parte de mí de una manera que no puedo expresar.

—Sin duda daremos prioridad a tu solicitud para adoptarla —dijo Janis—. Sin embargo, no podemos aprobarlo ya, debemos realizar un estudio de idoneidad en el hogar en que tendremos que entrevistar a toda la familia, incluida Katie.

—Lo sé, Janis —dijo Jackie—. Mark y yo ya lo hemos hablado. Se lo hemos comentado a los tres niños mayores y nos apoyan. A Katie no le hemos dicho nada, por supuesto. Pero quería que lo supierais ahora, ya que imagino que esto afectará a lo que le digáis a Katie y a cuándo lo hagáis.

—Jackie —dijo Allison, que parecía tener ciertas dificultades para hablar—. Sé que la quieres. Pero una vez más, quiero que estés segura de esto. Prepararla para que la adopten otros es una opción válida. ¿Realmente quieres adoptarla o te ves en la obligación de hacerlo?

—Allison —dijo Jackie—, en muchos aspectos te quiero más que a una hermana. Sin tu conocimiento y tu apoyo, nunca hubiera podido criar a Katie. Ni a Gabe. Confío en tu juicio más de lo que puedo expresar... —Hizo una pausa; le costaba hablar—. Ahora te estoy pidiendo que confíes en mí —dijo con lágrimas en los ojos—. Mi amor por Katie me ha aportado un conocimiento sobre ella que sencillamente no encaja en ninguna categoría. Forma parte de mí y yo formo parte de ella. Querer adoptarla o tener que adoptarla es una falsa distinción. Confío en ti cuando me dices que puede conseguir adaptarse a otro hogar. Confía tú en mí cuando te digo esto es necesario para Katie y para mí. Tengo opción, pero no tengo opción. Puede irle bien en otro lugar, pero por alguna razón debe hacerlo conmigo. Sé que esto es necesario y correcto. Estoy llena de alegría y miedo, de gratitud y de humildad. Como debe ser.

Allison miró a esta mujer como lo había hecho a menudo durante los últimos años. Estaba entendiendo a Jackie de una manera nueva. Entendía de manera diferente el trabajo que ambas habían estado haciendo. El amor de Jackie por Katie la llevó a conocer a Katie y a una relación con ella que dejaba a Allison observando desde la distancia. Por supuesto, Allison confiaba en su juicio. ¿Cómo podría no hacerlo?

—No tengo dudas, Jackie. La conoces a ella y a tu familia mucho mejor que yo —dijo finalmente Allison, y se sonrieron al ver que ambas estaban llorando, como tantas veces en el pasado.

—Mark y yo tenemos una pregunta que hacerte —le dijo Jackie a Allison—. Se trata de Gabe. Cuando descubra que hemos adoptado a Katie y que no lo adoptamos a él, ¿le causará algún problema en su hogar adoptivo?

—No lo creo porque le está yendo muy bien —dijo Allison. —Parece que tiene un apego muy seguro con sus nuevos padres y creo que ahora simplemente sentirá que mudarse de tu hogar fue lo mejor para él y probablemente no se preguntará por qué. Si no le estuviera yendo bien en su hogar adoptivo, sí me preocuparían los efectos que pudiera tener sobre él el hecho de que Katie se quedara contigo.

Steven pensó en lo que tenía que decir a continuación. La reunión había ido sin duda en una dirección inesperada. Finalmente, él también sonrió y se levantó de la silla.

—¿Puedo darte un abrazo yo también? —preguntó con cierta vacilación.

No estaba seguro de si esto afectaría a su designación como encargado de la adopción de Katie, pero ya se preocuparía por eso más tarde.

COMENTARIO

A menudo, cuando los niños que no han conocido un apego seguro comienzan a mostrar progresos significativos a la hora de formar uno con sus nuevos padres, expresan que se han dado cuenta de que son "diferentes ahora". Con frecuencia, uno se sorprende del nivel de comprensión que tienen de los cambios que han ocurrido en su interior y en las relaciones con sus padres. En varias ocasiones, el niño ha expresado sus pensamientos por escrito y ha podido expresar con elocuencia su nueva visión del mundo.

Katie está descubriendo lo que otros niños criados con un apego seguro con sus padres biológicos dan por sentado. Al mismo tiempo, está descubriendo cómo usar las palabras para comunicar su vida interior de pensamientos y sentimientos. A medida que se da cuenta del amor, el disfrute mutuo, el consuelo, la alegría compartida, las bromas divertidas, la reparación de la relación después de los conflictos y los momentos tranquilos de aprender sobre el mundo juntos, a menudo comenta espontáneamente esta nueva realidad. Las palabras son obviamente genuinas. Indican que el trabajo más duro ya ha pasado. Las variadas y complejas experiencias intersubjetivas que ha tenido con Jackie han lanzado un torrente de experiencias subjetivas que habían superado su capacidad de descubrir cosas acerca de ella, de sus padres y del mundo por sí misma.

La decisión de Jackie de adoptar a Katie no cambia el hecho de que muchos niños pueden formar un apego seguro con sus padres de acogida y luego mudarse con éxito a un hogar adoptivo. Por supuesto que estos niños sufren la pérdida de su familia de acogida, pero muestran la capacidad de superar esas etapas de duelo y de ser receptivos a la adopción por parte de otra familia. Un futuro hogar adoptivo no es motivo para desalentar al niño a saber quiénes son tanto él como sus "padres" en su hogar de acogida. Estos retrasos son un desperdicio de años, y las dificultades para aprender a implicarse en patrones de apego seguros serían mucho mayores cuando fuera mucho mayor. Además, muchos padres adoptivos no se comprometen a introducir a un niño desconocido a su hogar si son conscientes de la existencia de problemas significativos asociados con un trauma no resuelto y con la falta de seguridad en el apego.

Aunque esta historia no ha hecho hincapié en ello, Steven, Jackie y Allison habían dejado claro a Katie desde el momento de su asignación en casa de Jackie que no se trataba de algo permanente. Jackie había comentado casualmente que Katie se mudaría algún día al guardar algunas cosas para mostrarle a sus padres biológicos o adoptivos en el futuro. Es mejor decirle a un niño de acogida que se trata de un hogar temporal y que acabará volviendo con sus padres biológicos o se mudará a un hogar adoptivo. Incluso aunque los padres de acogida piensen que podrían querer adoptar al niño cuando fuera legalmente posible hacerlo, deben mantener que se trata de un hogar temporal. Es mucho más fácil para un niño saber primero que es temporal y luego descubrir que es permanente que a la inversa.

CAPÍTULO 18

MIEDO Y ALEGRÍA

El 14 de julio de 1995, Katie estaba limpiando el jardín con Jackie cuando el coche de Steven aparcó en la puerta. Hoy iba a empezar a hablar con Katie sobre la adopción. Jackie no estaba segura de cómo respondería Katie. Su sensación de seguridad y sus expresiones de apego hacia Jackie y Mark parecían ser más fuertes cada día. ¿Esta discusión sobre su futuro la haría retroceder o se la tomaría con calma?

—Ahí está Steven, cariño —dijo Jackie—. Corre, ve a saludarlo y llévalo a la cocina. Yo voy enseguida. Saca la limonada y las galletitas saladas. Y si quiere café, ya se lo hago yo cuando vaya.

A Katie no hacía falta animarla demasiado para que dejara de limpiar el jardín. Saludó a Steven como si fuera su mejor amigo del colegio. Cuando Jackie entró en la cocina, Katie y Steven ya estaban disfrutando de sus bebidas.

De alguna manera, Katie había descubierto que Steven tenía una niña que se llamaba Rebecca y que tenía dos años y medio. Steven le enseñó la foto de Rebecca y Katie se la enseñó emocionada a Jackie.

—¿A que es guapísima? —dijo Katie.

—¡Sí que lo es! —dijo Jackie—. Me recuerda a las fotos tuyas que vimos en la consulta de Allison.

—Yo no era tan guapa —dijo Katie.

—Si dices eso otra vez, cariño —dijo Jackie sonriendo—, tendré que darte un "círculo de madre" delante de Steven.

—¡No! —se rio Katie, y se acabaron las galletas y la limonada.

—Katie —dijo Steven—, hoy he venido a hablar contigo.

Esto no era habitual. El tono serio de Steven llevó inmediatamente a Katie a su estado de hipervigilancia, así que se levantó y se dirigió hacia Jackie. En el pasado, no habría buscado el consuelo de Jackie ante algo que la asustara.

—Puedo abrazarte si quieres, cariño —dijo Jackie, y se puso a la niña en el regazo para aliviar su tensión.

—Katie —continuó Steven—, como te dije hace unos meses, el juez dijo que no volverías a vivir con Sally y Mike. Dijo que no habían aprendido a ser mejores padres y que ya no ibas a tener que esperar más para saber si vivirías con ellos. —Katie miraba a Steven sin moverse, así que este continuó—: Ahora que sabemos que no volverás a vivir con Sally y Mike, es hora de decidir en qué hogar crecerás. Tu hogar adoptivo. Esta casa ha sido su hogar de acogida, el hogar de "ayuda a los niños", y ahora es el momento de que vayas a tu hogar de "crecimiento". Necesitas tener una familia como los otros niños y dejar de estar en régimen de acogida para no tener que mudarte todo el rato.

—Quiero quedarme aquí. Quiero quedarme con mi mamá, Jackie, y mi papá, Mark —dijo Katie casi sin pararse a respirar.

—Ya lo sé, Katie. Este es un hogar maravilloso, un gran hogar de acogida. Pero ahora mismo no puedo prometerte que puedas quedarte aquí. Primero, Jackie y Mark tienen que solicitar tu adopción. ¡Y ya lo han hecho! Así que ahora volveré y les haré un montón de preguntas a ellos, a ti, a tu hermana y a tus hermanos, para tener mucha información sobre la familia. Tengo que asegurarme de que este es el mejor lugar para ti antes de poder prometerte que Jackie y Mark pueden adoptarte —dijo Steven con dificultad.

—¡Quiero quedarme aquí! ¡No quiero ir a ningún otro lado! —gritó Katie. Parecía asustada y se volvió hacia Jackie—. Mami, dile a Steven que puedo quedarme aquí.

Cuando Jackie vaciló, le entró el pánico.

—Cariño, ya sé que quieres quedarte con nosotros, y me hace muy feliz. Queremos que te quedes. Mark y yo queremos ser tus padres para siempre —dijo Jackie en voz baja mientras la abrazaba—. Te queremos mucho y le hemos preguntado a Steven si puedes quedarte con nosotros.

—¿Por qué no puedes decidirlo tú, mamá? —preguntó Katie confusa.

—Porque cuando te mudaste aquí, Steven nos preguntó si íbamos a ser tu familia de acogida para ayudarte. Nos pidieron que fuéramos tu hogar de "ayuda a los niños". Pero ahora necesitas tener una casa en la que crecer y eso es diferente. Papá y yo hemos solicitado adoptarte y ahora Steven tiene que conocer mejor a nuestra familia, como ha dicho, antes de decidir si esta es la mejor casa para ti.

—¡Lo es, mamá! ¡Vosotros sois es el mejor hogar para mí!

Katie necesitaba poner fin a este miedo. Necesitaba que le prometieran que podría quedarse para siempre.

—Katie —dijo Steven—, Jackie y Mark son un gran hogar. Me pone muy contento que te quieran adoptar. Quieren ser tus padres para siempre y creo que serían buenos padres para ti. Pero ahora no te puedo prometer que te vayan a adoptar. Jackie, Mark y yo trabajaremos mucho para asegurarnos de que esta sea la mejor familia para que crezcas.

—¡Pero yo quiero saberlo ya! —gritó Katie.

—No puedo, Katie —dijo Steven—. Te lo diré lo antes posible.

—¡No! —estalló Katie. Se apartó de Jackie y salió corriendo de la habitación. Jackie oyó que la puerta de su habitación se cerraba de golpe.

Jackie miró a Steven.

—Está muerta de miedo. Necesita saber con seguridad que se quedará con nosotros. Sé que no puedes hacer promesas falsas, pero por favor, haz todas las entrevistas que necesites con nosotros y con los niños lo antes posible para tomar la decisión pronto. Por favor, Steven. La espera va a ser una tortura para ella, y cada día será agónico.

—Voy a hablar con Janis esta tarde —respondió Steven—. Luego te llamaré para tratar de darte un aproximado de cuánto va a tardar esto.

—Gracias —dijo Jackie—. Sé que vas a darte toda la prisa que puedas.

Steven se fue pronto y Jackie fue a buscar a Katie. Llamó a su puerta. No hubo respuesta, pero escuchó a Katie llorando. Abrió la puerta. Katie se había hecho una bola en su cama. Tenía su gran conejo de peluche en brazos. Las lágrimas caían sobre el conejo y lo empapaban. Le faltaba al aire y miraba hacia una esquina.

Jackie cerró silenciosamente la puerta y fue hacia la cama. Se acostó detrás de Katie, la envolvió con sus brazos y la apretó contra su pecho. Susurró su nombre en su oído y luego se quedó callada. Su respiración pronto coincidió con la de Katie. Sintió a Katie temblar en sus brazos. Las lágrimas continuaban, y era como si nunca fueran a parar. Hacia falta el contacto envolvente de Jackie para llegar a ella.

—Mamá —comenzó a decir Katie en el momento en que Jackie había pensado que nunca más volvería a escuchar su voz, solo un mar de lágrimas—, ¿por qué... nunca... es fácil? ¿Por qué es siempre tan, tan difícil? ¿Por qué, mamá? ¿Por qué... yo... no voy a ser feliz nunca?

—Ay, mi niña. Sé lo aterrador que esto debe ser para ti. Sé cuánto quieres que te prometa que vas a quedarte. Yo también quiero que te quedas. Creo que Steven acabará decidiendo que lo mejor es que te quedes. Mark y yo responderemos a todas sus preguntas y él nos conocerá de verdad. Creo que estará de acuerdo con nosotros en que aquí es donde tienes que quedarte. —Jackie volvió a quedarse en silencio y continuó meciéndose lentamente en la cama y sosteniendo a Katie con fuerza. Entonces le susurró—: Tú y yo pasaremos este miedo juntas, cariño. Mientras tengamos que esperar a que Steven decida, pasaré miedo contigo.

Katie se dio la vuelta para mirar a Jackie. La abrazó y aplastó el conejo entre ellas. Luego besó a Jackie en la mejilla.

—Vale, mamá. Si una de nosotras tiene miedo, nos cogeremos de la mano.

* * *

El 17 de julio, Steven llamó para decir que Janis y Kathleen habían coincidido en la necesidad de tomar una decisión rápidamente y que le habían permitido trabajar casi exclusivamente en el estudio del hogar para que pudiera tomar su decisión cuanto antes. Por lo general, el trabajador de adopción pasaba tiempo con el niño para conocerle, pero como Steven ya la conocía bastante bien, se ahorraría ese tiempo. Una vez finalizado el estudio del hogar, revisarían la solicitud de Jackie y Mark y tomarían la decisión. La historia vital podía esperar.

Dado que ya habían hecho un estudio del hogar para el permiso de acogida, el estudio real no tardaría tanto tiempo como de costumbre. Lo que generalmente era un proceso que tardaba meses, podría concluir en unas pocas semanas. Jackie se sintió aliviada y le transmitió a Steven su gratitud. Acordaron que Steven comenzara sus entrevistas con Jackie y Mark ese viernes. Ya habían completado la mayoría de los formularios de solicitud y habían programado los exámenes médicos para el 24 de julio. Si Jackie lo conseguía, establecerían un récord a la aprobación de adopción más rápida de la historia. Por supuesto, Katie había vivido con ella durante trece meses, y eso debía contar para algo.

* * *

El 23 de julio, después de la iglesia, Jackie le dijo a Katie que colgara la ropa y que hiciera la cama antes de ir a nadar a Weber Pond con Diane. Diez minutos más tarde, Diane y Katie subían al coche con sus bañadores y sus toallas. Jackie estaba asombrada de lo bien que se llevaban ahora. Durante el invierno, Diane había puesto en duda la idea de vivir con esa niña furiosa y traicionera.

Jackie se encontró los zapatos de Katie en la sala de estar y decidió guardárselos. Abrió la puerta de su habitación y vio la ropa de la iglesia de Katie en el suelo y la cama sin hacer. ¡Se había ido sin hacer su tarea! Katie no había hecho eso en un par de meses. Jackie tuvo mucho tiempo para pensar en cómo responder.

Cuando volvieron de bañarse dos horas más tarde, Jackie las recibió en la puerta de la cocina.

—Siéntate, Katie. ¿Qué tal ido ese baño? —comenzó Jackie.

—Genial, mamá. Diane dice que dentro de poco ya no tendré que usar mi chaleco salvavidas.

—Eso es maravilloso, cariño —respondió Jackie—. Pero me gustaría saber por qué te has ido sin hacer tu cama ni colgar la ropa.

—Se me ha olvidado, mamá —dijo Katie rápidamente.

—Pero si te lo había dicho justo antes de irte, Katie —dijo Jackie—. Supongo que querías irte rápido y no querías tener que esperar a terminar tus tareas.

—¡Que se me ha olvidado! —gritó Katie.

—No me lo creo, Katie. Si Diane va mañana a nadar, quiero que te quedes en casa y me ayudes en el jardín —dijo Jackie.

—¡Eso no es justo! —gritó Katie—. Se me ha olvidado. Ahora hago la cama y recojo la ropa.

—Sí, Katie —dijo Jackie en voz baja—. Genial que lo hagas. Pero mañana no vas a ir a nadar.

—¡Eres mala! —gritó Katie.

Tiró su toalla mojada al suelo y corrió a su habitación. Abrió la puerta y comenzó a darle patadas a su ropa. Jackie la siguió de cerca y vio su furia.

—Katie, no le hagas eso a tu ropa —dijo Jackie.

Katie se dio la vuelta y le dio una patada a Jackie. Entonces gritó y corrió hacia la ventana. Jackie la cogió antes de que le diera un puñetazo a la ventana. Jackie la levantó y la llevó a la cama. Se sentó con ella y la abrazó contra su pecho mientras gritaba.

Katie estuvo revolviéndose casi cinco minutos hasta que finalmente se le empezó a acabar la energía. Pasaron otros diez minutos antes de que se calmara. Jackie le habló en voz baja, aceptando su enfado y diciéndole que estaba a salvo, lo que le permitió marcar su propio ritmo. Katie inicialmente le gritó que dejara de hablar. Gradualmente, se quedó en silencio y Jackie no pudo decir lo que pensaba y sentía.

Finalmente Katie dijo en voz baja:

—Ya no me quieres. He vuelto a hacerte daño. ¡Nunca dejaré de hacerte daño para que no me quieras!

—Ay, Katie, qué difícil debe de ser para ti si piensas eso. Todavía te quiero. Nunca dejaré de quererte. Solo te has enfadado conmigo y me has pegado. No me gusta que me peguen. Sabes que ya no lo haces tanto como solías hacerlo. ¿Crees que una pequeña patada va a hacer que deje de quererte? Ay, cariño, mi amor no funciona así.

—¿Por qué, mamá? —preguntó Katie—. ¿Por qué me sigues queriendo?

—Porque… —respondió Jackie—, porque eres mi hija, Katie. Por eso mismo. Nada de lo que hagas, digas, sientas o pienses puede hacer que no te quiera. Soy tu mamá, cariño. Y eso es lo que hay. Quiero a todas tus partes: a tus partes felices, a las enfadadas, a las tristes, a las divertidas, a todas tus partes.

Katie suspiró. Se relajó un poco en los brazos de Jackie, que continuaba meciéndola lentamente y murmurándole. ¡Y cinco minutos después, Katie estaba durmiendo! A Jackie se le llenaron los ojos de lágrimas. Volvió a sorprenderle lo a menudo que Katie podía hacerla llorar. ¡Ahora lloraba simplemente porque la niña se había quedado dormida en sus brazos!

Jackie dejó a Katie tranquilamente en su cama, la tapó y salió lentamente de la habitación. Una hora más tarde, cuando fue a ver cómo estaba, se la encontró coloreando en su escritorio. Había hecho la cama y recogido la ropa.

—¿Qué haces, peque? —preguntó Jackie.

—Estoy haciendo un dibujo de Diane y de mí nadando. Me está cogiendo el pie con la mano y me va a tirar.

—Guay.

—¿Qué hay de cenar, mamá?

—Chile y panecillos con ensalada de nuestro jardín, y tú me vas a ayudar a coger los ingredientes.

—Guay.

Jackie se fue. Si quería preparar la cena a tiempo, tenía que empezar con los muffins. Y luego Katie y ella fueron al jardín.

Diario de Jackie

24 de julio de 1995

Hoy he hablado con Katie sobre su cumpleaños la semana que viene. Le he dicho que puede invitar a cuatro amigas por la tarde. Diane y yo las llevaremos a nadar y luego volveremos para cenar lo que ella quiera. Luego habrá tarta y helado y abriremos sus regalos. Le he dicho que tendremos otra fiesta en familia al día siguiente. Se ha puesto contentísima y le ha entrado terror. Quería que le asegurara que iba a poder gestionar tanta emoción.

25 de julio de 1995

Katie ha llamado a sus amigas. Sandy estará fuera de vacaciones. ¡Pero Erica, Emily y Elise podrán venir las tres! No se lo creía. Me ha estado contando qué es lo que le gusta de cada una. Según ella, son las tres mejores niñas de todo Maine. No, de todo el país. Le he sugerido que ese día tendríamos a las cuatro mejores niñas del país. Me ha pedido que repase todo el programa con ella. Parece que necesita tener programado cada minuto del día. Más tarde, me he ido de compras y Katie se ha quedado con Diane. Estaban tramando algo cuando me he ido. Muchas miradas y risitas juntas durante la cena.

27 de julio de 1995

Mark se ha llevado a Katie y a Diane de camping un par de días. ¡Estaba como loca! Corría por ahí tratando de ayudarlos a prepararlo todo y haciendo miles de preguntas. Luego venía corriendo hacia mí e intentaba volver a convencerme de que yo fuera con ellos. Iban a acampar en el lago Moosehead, y Katie me aseguró que no instalarían el campamento demasiado cerca del agua. Diane y ella todavía seguían con los secretitos. Al irse finalmente, Katie me ha dado un abrazo muy largo y luego ha cogido a Diane de la mano sin mirar atrás. ¡Había tomado una decisión e iba a llevarla a cabo por todo y por todo!

29 de julio de 1995

A las dos de la tarde he oído que el coche subía por el camino con Katie tocando el claxon. Ha saltado del coche y casi me tira al suelo. ¡No paraba de hablar! Me ha contado todas y cada una de las aventuras. Habían visto un alce y un oso. Habían alquilado un bote y habían almorzado en una isla en el lago. Los perritos calientes estaban buenísimos, pero el refresco estaba caliente. La primera noche, Katie escuchó ruidos y despertó a Diane. No sirvió de nada, así que ambas despertaron a Mark. Su valiente líder logró sacar una linterna de la tienda y descubrió a una familia de zorrillos que merodeaban por la basura que nuestros tres exploradores no habían guardado adecuadamente. Esa noche no durmieron bien.

30 de julio de 1995

Después de la iglesia y de la comida, Katie y Diane le han pedido al resto de la familia que saliera. Katie me ha sentado junto a Mark en el porche y ha corrido hacia el camino de entrada. Ha aparecido su comba del cumpleaños del año pasado. Mientras ella y Diane cantaban, Katie saltaba. Ha perdido comba un par de veces al principio. Pero luego ha estado un buen rato sin cometer errores y estaba muy contenta por ella. Luego ha corrido al porche y nos ha abrazado a Mark y a mí. Ha insistido en que yo también saltara. Se ha echado a reír cuando he fallado varias veces. Luego me ha aconsejado y me ha apoyado, como Diane debe de haber estado haciendo con ella. Ha aplaudido cuando lo he conseguido. Ella estaba orgullosa de mí.

1 de agosto de 1995

La terapia tiende a ser bastante típica ahora. Hablamos de la semana. En realidad, solemos conversar sobre cosas rutinarias. Normalmente hay muchas risas y bromas. Allison siempre bromea con lo locos que estamos en la familia. Cuando hablamos de algo que Katie ha hecho mal, lo gestiona con poco o ningún estrés. Si se frustra por los límites de lo que puede hacer, enseguida le cuenta a Allison cuáles eran y cómo los gestionó. Hoy Katie le ha preguntado a Allison directamente si le diría a Steven que estaba en la casa correcta y que no tenía que mudarse a otra. Allison le ha dicho que ya lo había hecho y que, además, había escrito una carta con esa recomendación. Katie le ha pedido que le enseñara la carta. Allison lo ha hecho. Katie me ha leído la carta, con un poco de ayuda de Allison en las palabras difíciles. Parece que la carta le ha dado confianza a Katie. Nos hemos ido de la sesión cogidas de la mano como si lo tuviera todo bajo control.

4 de agosto de 1995

Ya ha llegado el día. Katie cumple ocho años. Como es costumbre en nuestra casa, le he dejado un pequeño regalo en la almohada mientras dormía. Al despertarse, se ha encontrado con un nuevo atuendo para su muñeca favorita. Estaba muy sorprendida y complacida. ¡El año pasado no tuvo una sorpresa así! Rápidamente ha vestido a su muñeca para que estuviera guapa para cuando vinieran sus amigas. Erica, Emily y Elise, la triple E, como las llama Diane, ¡menudo grupo! Las cuatro han estado riéndose y nadando, charlando y corriendo toda la tarde. Menos mal que Diane es joven y ha podido seguirles el ritmo. Algunas veces durante el día, Katie venía corriendo hacia mí, me abrazaba rápidamente y volvía corriendo con sus amigas. Cuando la he acostado, me ha dado un abrazo muy fuerte, casi no podía respirar. Me ha susurrado "Gracias, mamá", mientras se dormía cogiendo su muñeca. Ha sido un año increíble, catorce meses en realidad.

* * *

El 18 de agosto de 1995, Steven se pasó para contarle a Katie las buenas noticias. Iba a contárselas a Jackie al mismo tiempo, pero Jackie no pasó por el aro y le obligó a decírselo cuando Steven llamó para concertar una cita con Katie. Jackie no le dijo a Katie que vendría hasta después de comer, aproximadamente una hora antes de que llegara. Katie se pasó esa hora limpiando la casa. ¡Jackie pensó que Katie se parecía cada vez más a ella!

Cuando Steven llegó, Katie lo recibió con leche y galletas saladas. Fue idea suya, e incluso bromeó al respecto diciéndole que no derramaría ni una gota. Mark también se apuntó. Con una mirada de leve molestia hacia un padre que no había captado la broma, Katie acabó poniéndole también un poco de leche y galletas saladas.

Después de un momento que le pareció una eternidad, Steven dijo:

—Katie, como sabes, he estado hablando con toda tu familia, e incluso con algunos de los amigos de tu mamá y tu papá, sobre ti y sobre tu hogar. En la oficina, hemos estado hablando sobre tu familia y hemos decidido que... este es el mejor hogar para ti. Queremos que Jackie y Mark te adopten.

Katie chilló. Se levantó de un salto y abrazó a Jackie. Se apartaba, la miraba, gritaba y la volvía a abrazar. Los minutos pasaron mientras Mark y Steven estaban sentados en silencio. Finalmente, Katie se apartó y miró a Jackie.

—Eres mi madre por los siglos de los siglos.

Luego abrazó a Mark y le dijo:

—Te quiero, papá. Tú también eres mi padre por los siglos de los siglos.

Katie se dio la vuelta y abrazó a Steven. Y luego se fue. La escucharon correr escaleras arriba buscando a Diane, a Matthew y a John. Solo encontró a dos de ellos, y Jackie, Mark y Steven los escucharon reír y alegrarse. Katie corrió escaleras abajo en busca de Whimsy. El anciano perro encontró algo de energía perdida y rodaron por el suelo de la sala de estar. Katie volvió a la cocina, con Whimsy siguiéndola de cerca. Salieron corriendo por la puerta con los adultos siguiéndolos. Katie no paraba de saltar; cogió su bicicleta y tiró camino abajo. Whimsy ladró e incluso pareció dar saltitos mientras corría a su lado. Por el camino, ella frenó, dio media vuelta y aceleró hacia la casa.

Dejó la bicicleta al lado del coche y corrió por el jardín, le dio una vuelta al columpio y salió corriendo hacia el campo. Whimsy y ella estaban perdiendo su ímpetu cuando iban de vuelta a la casa. Pero no había terminado todavía. Se dio la vuelta y enfiló hacia el columpio que había debajo del arce. Se columpió media docena de veces mientras vitoreaba hasta que finalmente saltó sin esperar a que se parara. Se quedó jadeando y buscando algo que pudiera haber olvidado. De repente se dio la vuelta. Dio tres pasos gigantes y luego abrazó el árbol. Whimsy corrió alrededor unas cuantas veces y luego se sentó a su lado.

Jackie, Mark y Steven permanecieron en el porche inmóviles y en silencio. Finalmente, con asombro, Jackie dijo:

—Está reclamando su hogar.

—¡Es verdad! —dijo Mark—. Ahora está en casa.

—Y también se está reclamando a sí misma.

—Sí.

—Nuestra loca, encantadora y maravillosa hija —dijo Jackie

mientras rodeaba a Mark con el brazo. Katie Keller. Nuestra hija. Llora, se ríe... y limpia el jardín... y nada y salta a la comba. Ya sabes, lo básico. Ah, sí, también abraza a los árboles. —Hizo una pausa y sonrió—. En Vassalboro, Maine. Donde brilla el sol.

EPÍLOGO

4 de agosto de 2016. Katie tenía veintinueve años, y ella y su esposo Peter junto con sus hijos, Maggie (de cuatro años) y Erick (de dos), estaban en Vassalboro celebrando su cumpleaños y disfrutando de unas vacaciones al mismo tiempo. Matthew había venido desde Portland, donde vivía con su esposa y su hijo y trabajaba como bombero, y John también había acudido desde la cercana Waterville, donde enseñaba ciencias en el instituto y vivía con su pareja Deborah. Pero Diane, que era médica en Hartford, no había podido venir.

Katie era una científica ocupada, una oceanógrafa que trabajaba en el Instituto Oceanográfico Woods Hole en Cape Cod (Massachusetts). Era una apasionada ambientalista y ya había participado en investigaciones que habían ayudado al mundo a conocer mejor el impacto del calentamiento global, junto con algunas pequeñas ideas sobre lo que se podría hacer para contribuir a la preservación de los océanos en un mundo en el que la temperatura no para de subir. Peter era un padre entregado cuya implicación activa con sus hijos permitía a Katie realizar viajes periódicos al mar para participar en su investigación. Debido a la edad de los niños, restringía sus viajes a solo unos pocos días cada vez.

Katie siempre se alegraba de ir a "casa" para estar con Jackie y con Mark. Su amor e interés por su madre y por toda su familia todavía le proporcionaban las experiencias de consuelo y alegría que había descubierto en su hogar hacía más de veintiún años. Le encantó ver lo emocionados que estuvieron Jackie y Mark en cuanto vieron a Maggie y a Erick. Y fue muy divertido contarles historias sobre su vida cotidiana y saber lo interesados que estaban Jackie y Mark. Cada vez que iba de visita, siempre se iba a caminar con Jackie, generalmente tomando el camino a través de los abedules, que había sido su paseo favorito de niña. Le encantaba estar con Jackie. Su presencia le había aportado una sensación de profunda seguridad. Se sentía querida, escuchada y entendida de una manera que no podía describir. Cada vez que tenía algún problema con sus hijos y se sentía un poco avergonzada y preocupada por su ira, llamaba a Jackie y volvía a encontrar paz, fuerza y confianza. Jackie estaba orgullosa de ella de muchas maneras y ahora también como madre. Eso ayudó a Katie a experimentarse como una buena madre.

Katie y Jackie llevaron a Maggie al columpio del arce, que seguía funcionando desde que Mark lo instalara cuando Diane tenía cuatro años. Katie empujó a Maggie mientras charlaba con Jackie. El sol brillaba. Cuando terminaron, Maggie cogió a Jackie de la mano y comenzó a caminar de regreso a la casa. Katie se detuvo un segundo y se acercó al arce. Volvió a abrazar a su árbol y luego se apresuró a alcanzar a su madre y a su hija.

REFERENCIAS

Baylin, J. & Hughes, D. (2016). *The neurobiology of attachment focused therapy*. New York: W. W. Norton.

Cassidy, J. & Shaver, P. R. (eds.). (2016). *Handbook of attachment* (3rd ed.). New York: Guilford.

Cicchetti, D. (1989). How research on child maltreatment has informed the study of child development: Perspectives from developmental psychopathology. En D. Cicchetti & V. Carlson (eds.), *Child maltreatment* (pp. 377–431). New York: Cambridge University.

Cook, A., Spinazzola, J., Ford, J., Lanktree, C., Blaustein, M., Cloitre, M., ... van der Kolk, B. (2005, May). Complex trauma in children and adolescents. *Psychiatric Annals, 35*(5), 390–398.

Dozier, M., Chase Stovall, K., Albus, E. & Bates, B. (2001). Attachment for infants in foster care: The role of caregiver state of mind. *Child Development, 72*, 1467–1477.

Egeland, B. & Erickson, M. F. (1987). Psychologically unavailable caregiving. En M. R. Brassard, R. Germain & S. N. Hart (eds.), *Psychological maltreatment of children and youth* (pp. 110–120). New York: Pergamon.

Feiring, C., Taska, L. & Lewis, M. (2002). Adjustment following sexual abuse discovery: The role of shame and attributional style. *Developmental Psychology, 38*, 79–92.

Golding, K. (2013). *Nurturing attachments training resource: Running parent groups for adoptive parents, foster or kinship careers*. London: Jessica Kingsley.

Golding, K. & Hughes, D. (2012). *Creating loving attachments*. London: Jessica Kingsley.

Greenspan, S. I. & Lieberman, A. F. (1988). A clinical approach to attachment. En J. Belsky & J. T. Nezworski (eds.), *Clinical implications of attachment* (pp. 387– 424). Hillsdale, NJ: Lawrence Erlbaum.

Hughes, D. (2004). An attachment-based treatment of maltreated children and young people. *Attachment and Human Development, 6,* 263–278.

Hughes, D. (2006). *Building the bonds of attachment* (2nd ed.). New York: W. W. Norton.

Hughes, D. (2007). *Attachment-focused family therapy.* New York: W. W. Norton.

Hughes, D. (2009). *Attachment-focused parenting.* New York: W. W. Norton.

Hughes, D. (2011). *Attachment-focused family therapy workbook.* New York: W. W. Norton.

Hughes, D. (2014). Dyadic developmental psychotherapy: Toward a comprehensive, trauma-informed treatment for developmental trauma disorder. *The British Psychological Society, Child & Family Clinical Psychology Review, 2,* 13–18.

Hughes, D. & Baylin, J. (2012). *Brain-based parenting: The neuroscience of caregiving for healthy attachment.* New York: W. W. Norton.

Hughes, D., Golding, K. & Hudson, J. (2015). Dyadic developmental psychotherapy (DDP): The development of the theory, practice, and research base. *Adoption & Fostering, 39,* 356–365.

Kaufman, G. (1994). *Psicología de la vergüenza.* Barcelona: Herder Editorial (edición consultada en inglés: 1996).

Lyons-Ruth, K. & Jacobvitz, D. (2016). Attachment disorganization from infancy to adulthood: Neurobiological correlates, parenting contexts, and pathways to disorder. En J. Cassidy & P. Shaver (eds.), *Handbook of attachment* (3rd ed.). (pp. 667–695). New York: Guilford.

Pears, K. C. & Fisher, P. A. (2005). Emotion understanding and theory of mind among maltreated children in foster care: Evidence of deficits. *Development and Psychopathology, 17,* 47–65.

Porges, S. (2017). *La teoría polivagal.* Madrid: Ediciones Pléyades (original en inglés: 2011).

Schore, A. N. (1994). *Affect regulation and the origin of the self.* Hillsdale, NJ: Lawrence Erlbaum.

Schore, A. N. (2001). Effects of a secure attachment on right brain development, affect regulation, and infant mental health. *Infant Mental Health Journal, 22,* 7–67.

Schore, J. R. & Schore, A. N. (2008). Modern attachment theory: The central role of affect regulation in development and treatment. *Clinical Social Work Journal, 36,* 9–20.

Siegel, D. J. (2001). Toward an interpersonal neurobiology of the developing mind: Attachment relationships, "mindsight," and neural integration. *Infant Mental Health Journal, 22,* 67–94.

Siegel, D. J. (2013). *La mente en desarrollo: cómo interactúan las relaciones y el cerebro para modelar nuestro ser.* Bilbao: Desclée de Brouwer (edición consultada en inglés: 2012).

Sroufe, L. A., Egeland, B., Carlson, E. & Collins, W. A. (2005). *The development of the person.* New York: Guilford.

Steele, M., Hodge, J., Kaniuk, J., Hillman, S. & Henderson, K. (2003). Attachment representations and adoption: Associations between maternal states of mind and emotion narratives in previously maltreated children. *Journal of Child Psychotherapy, 29,* 187–205.

Stern, D. N. (1985). *The interpersonal world of the infant.* New York: Basic Books.

Tangney, J. & Dearing, R. (2002). *Shame and guilt.* New York: Guilford.

Trevarthen, C. (2001). Intrinsic motivation for companionship in understanding: The origin, development, and significance for infant mental health. *Infant Mental Health Journal, 22,* 95–131.

Trevarthen, C. & Aitken, K. J. (2001). Infant intersubjectivity: Research, theory, and clinical applications. *Journal of Child Psychology and Psychiatry, 42,* 3–48.